中华人民共和国国家标准

工程测量标准

Standard for engineering surveying

GB 50026 - 2020

主编部门：中 国 有 色 金 属 工 业 协 会
批准部门：中华人民共和国住房和城乡建设部
施行日期：2 0 2 1 年 6 月 1 日

中国计划出版社

2020 北 京

中华人民共和国国家标准
工程测量标准
GB 50026-2020
☆
中国计划出版社出版发行
网址：www.jhpress.com
地址：北京市西城区木樨地北里甲 11 号国宏大厦 C 座 3 层
邮政编码：100038　电话：（010）63906433（发行部）
三河富华印刷包装有限公司印刷

850mm×1168mm　1/32　11.75 印张　299 千字
2021 年 2 月第 1 版　2021 年 2 月第 1 次印刷
☆
统一书号：155182・0701
定价：118.00 元

中华人民共和国住房和城乡建设部公告

2020年　第249号

住房和城乡建设部关于发布国家标准《工程测量标准》的公告

现批准《工程测量标准》为国家标准，编号为GB 50026-2020，自2021年6月1日起实施。其中，第5.1.10、5.3.51、5.7.5、7.1.8、7.5.14、8.7.15、10.1.10条为强制性条文，必须严格执行。原国家标准《工程测量规范》GB 50026-2007同时废止。

本标准在住房和城乡建设部门户网站(www.mohurd.gov.cn)公开，并由住房和城乡建设部标准定额研究所组织中国计划出版社有限公司出版发行。

中华人民共和国住房和城乡建设部

2020年11月10日

前　言

根据住房和城乡建设部《关于印发〈2016 年工程建设标准规范制订、修订计划〉的通知》（建标〔2015〕274 号）的要求，标准编制组经过广泛调查研究，认真总结实践经验，参考有关国际标准和国外先进标准，并在广泛征求意见的基础上，修订了本标准。

本标准的主要技术内容是：总则，术语、符号和缩略语，平面控制测量，高程控制测量，地形测量，线路测量，地下管线测量，施工测量，竣工总图的编绘与实测，变形监测等。

本标准修订的主要技术内容是：

1. 增加了对测绘软件的测试验证要求；

2. 增加了卫星定位动态和自由设站控制测量方法，将原 GPS 拟合高程测量修订为卫星定位高程测量；

3. 增加了地面三维激光扫描、移动测量系统、低空数字摄影、机载激光雷达扫描、多波束水域测深系统等数字测图方法；

4. 增加了数字正射影像图和数字三维模型的技术要求；

5. 增加了输电线路的交叉跨越和平断面测量等内容；

6. 增加了管线要素分类与代码的规定；

7. 增加了核电厂施工测量和综合管廊施工测量等内容，对隧道施工中的陀螺经纬仪定向技术进行了修订；

8. 增加了自由设站、地面三维激光扫描、光纤光栅传感器和地基雷达干涉测量等基本监测方法，增加了核电厂变形监测和变形监测信息系统等内容；

9. 对图根平面、高程控制测量进行了合并修订；

10. 删除了方向观测法度盘和测微器位置变换计算公式，简化度盘配置要求。

本标准中以黑体字标志的条文为强制性条文，必须严格执行。

本标准由住房和城乡建设部负责管理和对强制性条文的解释，由中国有色金属工业协会负责日常管理，由中国有色金属工业西安勘察设计研究院有限公司负责具体技术内容的解释。执行过程中如有意见或建议，请寄送中国有色金属工业西安勘察设计研究院有限公司（地址：陕西省西安市西影路46号，邮编：710054）。

本标准主编单位：中国有色金属工业西安勘察设计研究院有限公司
中国有色工程有限公司

本标准参编单位：深圳市建设综合勘察设计院有限公司
广州市城市规划勘察设计研究院
长江空间信息技术工程有限公司（武汉）
武汉大学
中国电力工程顾问集团华北电力设计院有限公司
化学工业岩土工程有限公司
机械工业勘察设计研究院有限公司
中交第二航务工程勘察设计院有限公司
西北综合勘察设计研究院
中国能源建设集团湖南省电力设计院有限公司
建设综合勘察研究设计院有限公司
西安长庆科技工程有限责任公司
深圳市勘察测绘院有限公司

本标准主要起草人员：王百发　王双龙　张　潇　林　鸿
徐亚明　胡大为　郝埃俊　刘广盈
洪　剑　丁吉峰　杨雷生　石成岗
曹玉明　曾德培　常君锋　王树东
傅晓珊　史阿亭　何　军　褚世仙

本标准主要审查人员：李建成　刘东庆　田洪祯　付宏平
曹智翔　焦素朝　燕樟林　张周平
周国成　姜雁飞　张凤录

目　　次

Contents

1 总　　则

1.0.1 为了统一工程测量的技术要求，做到技术先进、经济合理，使工程测量成果满足质量可靠、安全适用的原则，制定本标准。

1.0.2 本标准适用于工程建设领域的通用性测量工作。

1.0.3 工程测量应以中误差作为衡量测绘精度的标准，并应以二倍中误差作为极限误差。对于精度要求较高的工程，可按附录A的方法评定观测精度。

1.0.4 工程测量的区域类型宜划分为一般地区、城镇建筑区、工矿区和水域。

1.0.5 工程测量使用的计量器具，应加强使用管理、制定相应的规章制度、按规定周期进行检定。使用的软件，应通过测试或验证。

1.0.6 对工程中所引用的测量成果资料，应进行检核。

1.0.7 工程测量除应符合本标准外，尚应符合国家现行有关标准的规定。

2 术语、符号和缩略语

2.1 术 语

2.1.1 卫星定位测量 satellite positioning

利用卫星定位接收机接收卫星导航系统的多颗定位卫星信号，确定地面点位置的技术和方法，简称为卫星定位。

2.1.2 卫星定位测量控制网 satellite positioning control network

利用卫星定位测量技术和方法建立的测量控制网，简称为卫星定位控制网或卫星定位网。

2.1.3 卫星定位实时动态控制测量 real time kinematic control survey

利用载波相位实时动态差分测量技术测设控制点的方法。

2.1.4 三角形网 triangular network

由一系列相联系的三角形构成的测量控制网，观测元素为角度和距离，是对已往三角网、三边网和边角网的统称。

2.1.5 三角形网测量 triangular control network survey

通过测量三角形网确定控制点位置的方法，是对已往三角测量、三边测量和边角网测量的统称。

2.1.6 2″级仪器 2″class instrument

标准环境下一测回水平方向观测中误差标称为2″的测角仪器。

2.1.7 5mm级仪器 5mm class instrument

当测距长度为1km时，按测距的标称精度公式计算的测距中误差为5mm的测距仪器。

2.1.8 自由设站测量 free station

任意设站后，测量至周围少量已知点的边长和角度，依据边角后方交会原理获取设站点坐标，进而测设其他点位的测量方法。

2.1.9 卫星定位高程测量 GNSS-leveling

采用卫星定位拟合高程测量或利用区域似大地水准面精化成果获取点位正常高的方法。

2.1.10 纸质地形图 paper topographic map

以纸张或聚酯薄膜为初始载体的地形图。

2.1.11 变形监测 deformation monitoring

对监测对象的形状或位置变化及相关影响因素进行监测，确定监测体随时间的变化特征，并进行变形分析的过程。

2.1.12 三维激光扫描 three dimensional laser scanning technology

通过发射激光获取被测物体表面三维坐标、反射光强度等多种信息的非接触式主动测量技术，主要包括地面三维激光扫描、车载三维激光扫描和机载激光雷达扫描等方式。

2.1.13 点云 point cloud

通过测量方式获取三维空间中目标表面特性的海量点集合。

2.2 符 号

A——卫星定位测量控制网主要技术指标的固定误差；

a——全站仪标称的固定误差；

B——卫星定位测量控制网主要技术指标的比例误差系数、隧道开挖面宽度；

b——全站仪标称的比例误差系数；

C——照准差；

D——测距边长度、卫星定位高程检查路线长度、RTK 测量基准站到检查点的距离、方格网边长、测量斜距；

D_g——测距边在高斯投影面上的长度；

D_H——归算到测区平均高程面上的测距边长度；

D_P——测线的水平距离；

D_0——归算到参考椭球面上的测距边长度；
d——基线平均长度、桩径、边长往返测距较差；
$DS05$、$DS1$、$DS3$——光学水准仪级别；
$DSZ05$、$DSZ1$、$DSZ3$——自动安平光学水准仪、数字水准仪级别；
f_β——导线环的角度闭合差或附合导线的方位角闭合差；
H——水深、建(构)筑物的高度、柱子高度、安装测量管道垂直部分长度、桥梁索塔高度、隧道埋深；
H_m——测距边两端点的平均高程；
H_P——测区的平均高程；
h——高差、建筑施工的沉井高度、地下管线的埋深、隧道高度；
h_d——基本等高距；
h_m——测区大地水准面高出参考椭球面的高差；
i——水准仪视准轴与水准管轴的夹角、点号、边号、三角形编号；
K——大气折光系数；
K_M——修正系数；
L——水准测段或路线长度、外廓主轴线长度、天车或起重机轨道长度、桥的总长、桥的跨径、预埋件长度、隧道两开挖洞口间长度、隧道长度、视准线长度、监测体或监测断面距隧道开挖工作面的前后距离；
l——测点至线路中桩的水平距离、自交点起算的横向中心线长度的米数、桥梁所跨越的江(河、峡谷)的宽度；
M——测图比例尺分母；
M_w——高差全中误差；

M_{Δ}——高差偶然中误差、检核点的点位中误差；

M_{h}——数字高程模型的高程中误差；

m——中误差；

m_{D}——测距中误差；

m_{Di}——第 i 边的实际测距中误差、平均测距中误差；

m_{H}——地下管线重复探查的平面位置中误差；

m_{V}——地下管线重复探查的埋深中误差；

m_{α}——方位角中误差；

m_{β}——测角中误差；

m_{S}——位移中误差；

m_{g}——固定角的角度中误差；

N——附合路线或闭合环的个数、控制网中异步环的个数、闭合环及附合导线的总数；

n——测站数、测段数、边数、基线数、异步环或附合线路中基线边的条数、三角形个数、建筑物结构的跨数、测站圆周角闭合差的个数、检查点个数、高差个数；

P——先验权；

P_{i}——第 i 边距离测量的先验权；

Q——权系数；

R——地球平均曲率半径；

R_{A}——参考椭球体在测距边方向法截弧的曲率半径；

R_{m}——测距边中点处在参考椭球面上的平均曲率半径；

S——边长、斜距、两相邻细部点间的距离、转点桩至中桩的距离经气象及加乘常数等改正后的斜距；

T——边长相对中误差分母；

W——闭合差、异步环环线全长闭合差、异步环或附合线路全长闭合差；

W_X——X 坐标分量闭合差；

W_Y——Y 坐标分量闭合差；

W_Z——Z 坐标分量闭合差、边—极条件自由项的限差；

W_f、W_g、W_j、W_b——分别为方位角条件、固定角条件、角-极条件、边（基线）条件自由项的限差；

W_r——观测角与计算角的角值限差；

y_m——测距边两端点横坐标的平均值；

α——垂直角、地面倾角、比例系数；

α_z——与极点相对的外围边两端的两底的余切函数之和；

α_f——中点多边形中与极点相连的辐射边两侧的相邻底角的余切函数之和、四边形中内辐射边两侧的相邻底角的余切函数之和以及外侧的两辐射边的相邻底角的余切函数之差；

δ_h——对向观测的高差较差；

$\delta_{1、2}$——测站点 1 向照准点 2 观测方向的方向改化值；

μ——单位权中误差；

σ——基线长度中误差；

β——求距角；

Δ——测段往返高差不符值、导线测站观测左右角的圆周角闭合差、平差值较差的限值；

Δd——长度较差；

Δ_h——高差较差的限值；

ΔH——隐蔽管线点探查的埋深较差；

ΔH_i——复查点位与原点位的埋深较差；

Δh_i——检测高程与模型高程的较差；

ΔS——隐蔽管线点探查的水平位置偏差；

ΔS_i——复查点位与原点位间的平面位置偏差；

Δy——测距边两端点横坐标的增量；

$\Delta \alpha$——补偿式自动安平水准仪的补偿误差。

2.3 缩 略 语

BDS	BeiDou Navigation Satellite System	北斗卫星导航系统
CORS	Continuously Operating Reference Station System	连续运行基准站系统
IMU	Inertial Measurement Unit	惯性测量单元
PDOP	Position Dilution of Precision	空间位置精度因子
POS	Positioning and Orientation System	定位定姿系统
RTD	RealTime Differential	实时码差分
RTK	RealTime Kinematic	实时动态

3 平面控制测量

3.1 一般规定

3.1.1 平面控制网可按精度划分为等与级两种规格，由高向低依次宜为二、三、四等和一、二、三级。

3.1.2 平面控制网的建立，可采用卫星定位测量、导线测量、三角形网测量等方法。

3.1.3 卫星定位测量可用于二、三、四等和一、二级控制网的建立；导线测量可用于三、四等和一、二、三级控制网的建立；三角形网测量可用于二、三、四等和一、二级控制网的建立。

3.1.4 平面控制网的布设应符合下列规定：

1 首级控制网的布设应因地制宜且兼顾网的拓展；当与国家坐标系统联测时，还应统筹联测方案；

2 首级控制网的等级应根据工程规模、控制网的用途和精度要求确定；

3 加密控制网可越级布设或同等级扩展。

3.1.5 平面控制网的坐标系统，应在满足测区内投影长度变形不大于 25mm/km 的要求下，做下列选择：

1 可采用 2000 国家大地坐标系，统一的高斯正形投影 3°带平面直角坐标系统；

2 可采用高斯投影 3°带，投影面为测区抵偿高程面或测区平均高程面的平面直角坐标系统；或任意带，投影面为 1985 国家高程基准面或测区平均高程面的平面直角坐标系统；

3 小测区或有专项工程需求的控制网，可采用独立坐标系统；

4 在已有平面控制网的区域，可沿用原有的坐标系统；

5　厂区内可采用建筑坐标系统；

6　大型的有特殊精度要求的工程测量项目或新建城市平面控制网，坐标系统可进行专项设计。

3.2　卫星定位测量

Ⅰ　卫星定位测量控制网的主要技术要求

3.2.1　各等级卫星定位测量控制网的主要技术指标应符合表3.2.1的规定。

表3.2.1　各等级卫星定位测量控制网的主要技术指标

等级	基线平均长度(km)	固定误差A(mm)	比例误差系数B(mm/km)	约束点间的边长相对中误差	约束平差后最弱边相对中误差
二等	9	≤10	≤2	≤1/250000	≤1/120000
三等	4.5	≤10	≤5	≤1/150000	≤1/70000
四等	2	≤10	≤10	≤1/100000	≤1/40000
一级	1	≤10	≤20	≤1/40000	≤1/20000
二级	0.5	≤10	≤40	≤1/20000	≤1/10000

3.2.2　各等级控制网的基线精度应按下式计算：

$$\sigma = \sqrt{A^2 + (B \cdot d)^2} \tag{3.2.2}$$

式中：σ——基线长度中误差(mm)；

A——固定误差(mm)；

B——比例误差系数(mm/km)；

d——基线平均长度(km)。

3.2.3　卫星定位测量控制网观测精度的评定应符合下列规定：

1　控制网的测量中误差应按下式计算：

$$m = \sqrt{\frac{1}{3N}\left[\frac{WW}{n}\right]} \tag{3.2.3-1}$$

式中：m——控制网的测量中误差(mm)；

N——控制网中异步环的个数；

n——异步环的边数；

W——异步环环线全长闭合差(mm)。

2 控制网的测量中误差应满足相应等级控制网的基线精度要求，并应符合下式的规定：

$$m \leqslant \sigma \tag{3.2.3-2}$$

Ⅱ 卫星定位测量控制网的设计、选点与埋石

3.2.4 卫星定位测量控制网的布设应符合下列规定：

1 应根据工程项目的实际情况、精度要求、卫星状况、接收机的类型和数量以及测区已有的测量资料进行设计，有特殊精度要求的工程项目应进行控制网专项设计，概算的精度尚无法满足要求时，应进行控制网优化设计；

2 首级网布设时，宜联测 2 个以上国家高等级控制点、国家连续运行基准站点或地方坐标系的高等级控制点；

3 对控制网内的长边，宜构成大地四边形或中点多边形；

4 各等级控制网应由独立观测边构成 1 个或若干个闭合环或附合路线，构成闭合环或附合路线的边数不宜多于 6 条；

5 各等级控制网中独立基线的观测总数，不宜少于必要观测基线数的 1.5 倍；

6 加密网应根据工程需要，在满足本标准精度要求的前提下，采用灵活的布网方式。

3.2.5 卫星定位测量控制点位的选定应符合下列规定：

1 点位应选在稳固地段，同时应方便观测、加密和扩展，每个控制点宜有 1 个通视方向；

2 点位应对空开阔，高度角在 15°以上的范围内，应无障碍物；点位周围不应有强烈干扰接收卫星信号的干扰源或强烈反射卫星信号的物体，距大功率无线电发射源宜大于 200m，距高压输电线路或微波信号传输通道宜大于 50m；

3 宜利用符合要求的原有控制点。

3.2.6 控制点埋石应符合本标准附录B的规定，并应绘制点之记。

Ⅲ 卫星定位测量控制网观测

3.2.7 各等级卫星定位测量控制网的观测宜采用静态作业模式按表3.2.7的技术要求执行。一、二级控制网的观测也可采用动态作业模式按本标准第3.2.17条～第3.2.31条的规定执行。

表3.2.7 各等级卫星定位测量控制网观测的技术要求

等级		二等	三等	四等	一级	二级
接收机类型		多频	多频或双频	多频或双频	双频或单频	双频或单频
仪器标称精度		3mm+1×10⁻⁶	5mm+2×10⁻⁶	5mm+2×10⁻⁶	10mm+5×10⁻⁶	10mm+5×10⁻⁶
观测量		载波相位	载波相位	载波相位	载波相位	载波相位
卫星高度角(°)	静态	≥15	≥15	≥15	≥15	≥15
有效观测卫星数	静态	≥5	≥5	≥4	≥4	≥4
有效观测时段长度(min)	静态	≥30	≥20	≥15	≥10	≥10
数据采样间隔(s)	静态	10～30	10～30	10～30	5～15	5～15
PDOP		≤6	≤6	≤6	≤8	≤8

3.2.8 对于大型工程项目，可根据项目作业需要，结合已有资料及实地踏勘情况编制作业计划。

3.2.9 卫星定位控制测量的测站作业应符合下列规定：

1 观测前，应对接收机进行预热和静置，同时应检查电池的容量、接收机的内存和可储存空间是否充足；

2 天线安置的对中偏差不应大于2mm，天线高的量取应精确至1mm；

3 观测中，不应在接收机近旁使用无线电通信工具，并应禁止人员和其他物体触碰天线或阻挡卫星信号；

4 遇雷雨等恶劣天气时，应停止作业；

5　作业过程中不应进行接收机关闭又重新启动、改变卫星截止高度角、改变数据采样间隔和改变天线位置等操作；

6　应做好测站记录。

Ⅳ　卫星定位控制测量数据处理

3.2.10　数据处理准备应符合下列规定：

1　不同定位系统或不同品牌接收机联合作业时的观测数据，应转换成统一的标准格式；

2　应屏蔽原始数据中的无效观测值和冗余信息；

3　应汇总整理测站记录。

3.2.11　基线解算应符合下列规定：

1　基线解算可根据观测等级和实际情况选择单基线解算模式、多基线解算模式或整体解算模式；

2　基线解算应采用双差固定解；

3　基线解算结果应包括基线向量的三维坐标增量及其方差—协方差阵和基线长度等信息。

3.2.12　卫星定位控制测量外业观测的全部数据应经同步环、异步环或附合线路、重复基线检核，并应符合下列规定：

1　同步环各坐标分量闭合差及环线全长闭合差，应分别满足下列公式的要求：

$$W_X \leqslant \frac{\sqrt{n}}{5}\sigma \tag{3.2.12-1}$$

$$W_Y \leqslant \frac{\sqrt{n}}{5}\sigma \tag{3.2.12-2}$$

$$W_Z \leqslant \frac{\sqrt{n}}{5}\sigma \tag{3.2.12-3}$$

$$W \leqslant \frac{\sqrt{3n}}{5}\sigma \tag{3.2.12-4}$$

$$W = \sqrt{W_X^2 + W_Y^2 + W_Z^2} \tag{3.2.12-5}$$

式中：n——同步环中基线边的条数；

W_X、W_Y、W_Z——同步环各坐标分量闭合差(mm)；

W——同步环环线全长闭合差(mm)。

2 异步环或附合线路各坐标分量闭合差及全长闭合差，应分别满足下列公式的要求：

$$W_X \leqslant 2\sqrt{n}\sigma \tag{3.2.12-6}$$

$$W_Y \leqslant 2\sqrt{n}\sigma \tag{3.2.12-7}$$

$$W_Z \leqslant 2\sqrt{n}\sigma \tag{3.2.12-8}$$

$$W \leqslant 2\sqrt{3n}\sigma \tag{3.2.12-9}$$

$$W = \sqrt{W_X^2 + W_Y^2 + W_Z^2} \tag{3.2.12-10}$$

式中：n——异步环或附合线路中基线边的条数；

W——异步环或附合线路全长闭合差(mm)。

3 重复基线的长度较差，应满足下式的要求：

$$\Delta d \leqslant 2\sqrt{2}\sigma \tag{3.2.12-11}$$

式中：Δd——重复基线的长度较差。

3.2.13 当同步环、异步环或附合路线、重复基线中的观测数据不能满足检核要求时，应对成果进行全面分析，并应舍弃不合格基线后重新构成异步环。在舍弃基线后，所构成异步环的边数不宜超过本标准第3.2.4条第4款的规定，超限时，应重测不合格基线或有关的同步图形。

3.2.14 外业观测数据检验合格后，应按本标准第3.2.3条对卫星定位测量控制网的观测精度进行评定。

3.2.15 卫星定位测量控制网的无约束平差应符合下列规定：

1 应选用与导航定位卫星系统一致的坐标系进行三维无约束平差；

2 无约束平差应提供各观测点在该坐标系中的三维坐标、各基线向量三个坐标差观测值的改正数、基线长度、基线方位及相关的精度信息等；

3 无约束平差的基线向量改正数的绝对值，不应超过相应等级的基线长度中误差的3倍。

3.2.16 卫星定位测量控制网的约束平差应符合下列规定：

1 应选用国家坐标系或地方坐标系，对无约束平差后的观测量进行二维或三维约束平差；

2 对于已知坐标、距离或方位，可强制约束，也可加权约束；约束点间的边长相对中误差应符合本标准表3.2.1中相应等级的规定；

3 约束平差的基线向量改正数与经过剔除粗差后无约束平差结果的同一基线相应改正数较差的绝对值，不应超过相应等级基线中误差的2倍；

4 平差结果应输出观测点在相应坐标系中的二维或三维坐标、基线向量的改正数、基线长度、基线方位角等，以及相关的精度信息；

5 控制网约束平差的最弱边边长相对中误差应符合本标准表3.2.1中相应等级的规定。

V 卫星定位动态控制测量

3.2.17 当一、二级卫星定位网的观测采用动态作业模式时，宜采用单基站RTK测量技术或后处理动态测量技术，也可采用网络RTK测量技术。

3.2.18 一、二级卫星定位测量控制网动态测量的主要技术要求应符合表3.2.18的规定。

表3.2.18 一、二级卫星定位测量控制网动态测量的主要技术要求

等级	相邻点间距离(m)	平面点位中误差(mm)	边长相对中误差	测回数
一级	≥500	≤50	≤1/30000	≥4
二级	≥250		≤1/14000	≥3

注：1 网络RTK测量应在连续运行基准站系统的有效服务范围内；

2 对天通视困难地区，相邻点间距离可缩短至表中的2/3，但边长中误差不应大于20mm。

3.2.19 一、二级卫星定位网动态控制测量点位的选择，除应符合本标准第3.2.5条的规定外，还应兼顾固定角、固定边复核测量点位在测区的分布，数量均不少于2组。点位选定后，应进行现场标识并绘制点位分布略图；点位埋石应符合本标准附录B的规定。

3.2.20 卫星定位实时动态控制测量，宜采用动态水平方向固定误差不超过10mm、比例误差系数不超过2×10^{-6}和垂直方向固定误差不超过20mm、比例误差系数不超过4×10^{-6}的双频或多频接收机。

3.2.21 动态控制测量作业时，截止高度角15°以上的卫星个数不应少于5颗，PDOP不应大于6。

3.2.22 流动站接收机的点位校核应符合下列规定：

1 作业前应在同等级或高等级点位上进行校核，并不应少于2点；

2 作业中若出现卫星失锁或数据通信中断，应在同等级或高等级点位上进行校核，并不应少于1点；

3 平面位置校核偏差不应大于50mm，高程校核偏差不宜大于70mm，不满足时，应重新设置流动站。

3.2.23 单基站RTK测量的基准站设置应符合下列规定：

1 基准站可设置在已知点位上，也可任意点设站；当在已知点位设站时，应整平对中，天线高量取应精确至1mm；

2 应检查电台和接收机的链接，并应核对电台频率，在手簿中应输入基准站坐标、高程并设置仪器高类型及量取位置、天线类型、仪器类型、电台播发格式、作业模式、数据端口、蓝牙端口等设备参数；

3 对测区已有的转换参数应进行现场检查，精度满足要求后，应直接利用；

4 对无转换参数的测区，应在周边及中部选取不少于4个已知点进行点校正获取转换参数，转换参数的平面精度不应大于20mm，高程精度不应大于30mm。

3.2.24 单基站RTK测量的作业半径不宜超过5km，流动站观测应符合本标准第3.2.29条的规定。作业过程中不应对基准站的设置、基准站天线的位置和高度进行更改。

3.2.25 单基站RTK测量中，对不同基准站定位的差分解算结果的平面位置互差不应大于50mm，符合要求后，应取各基准站的定位结果的平均值作为最终结果。

3.2.26 进行后处理动态控制测量时，基准站应架设在已知点上对中整平，天线高度量取应精确至1mm，并应设置为后差分模式。流动站应预先在静止状态下观测，初始化观测时间不宜少于5min，在卫星不失锁的情况下，可连续进行动态模式测量。外业观测结束后，宜统一进行动态测量后处理解算。

3.2.27 使用网络RTK技术进行控制测量作业，应在连续运行基准站系统服务中心进行登记、注册，获取系统服务授权，并应设置通信参数、IP地址、APN、端口、差分数据格式等各项网络参数。

3.2.28 网络RTK控制测量的测站设置应符合下列规定：

1 使用三脚架对中整平，天线高度量取应精确至1mm，并应记录天线高类型和量取位置；

2 应分别进行流动站与连续运行基准站系统的数据通信检查和数据采集器(电子手簿)与接收机(天线)的数据通信检查；

3 应分别进行流动站接收机天线与主机及电源等的连接可靠性检查和电子手簿及主机的电源电量、内存或储存卡容量检查；

4 接收机的平面精度限值宜设置为20mm，高程精度限值宜设置为30mm。

3.2.29 RTK控制测量作业应采用多测回法观测，并应符合下列规定：

1 作业前和测回间应进行接收机初始化；当初始化时间超过5min仍无法获得固定解时，宜重新启动接收机进行初始化；重启后仍不能获得固定解时，应选择其他位置进行测量；

2 应在得到RTK固定解且收敛稳定后开始记录观测值，观测值不应少于10个，应取平均值作为本测回的观测结果；经纬度记录应精确至 0.00001″，坐标与高程记录应精确至 0.001m；

3 测回数应符合本标准表 3.2.18 的规定，测回间的时间中断间隔应大于 60s；

4 测回间的平面坐标分量较差的绝对值不应大于 25mm，高程较差的绝对值不应大于 50mm；应取各测回结果的平均值作为最终观测成果。

3.2.30 动态控制测量成果应包括控制点号、三维坐标、三维坐标精度、天线高及与观测值相应解的类型、卫星数、*PDOP*、观测时间等信息。

3.2.31 卫星定位实时动态控制测量成果检核应符合下列规定：

1 检核点应均匀分布于测区的中部及周边，检核点数量不应低于控制点总数的 5%，并不应少于 3 点。

2 当采用全站仪固定边、固定角及导线法联测检核时，主要技术要求应符合表 3.2.31 的规定。

表 3.2.31 全站仪固定边、固定角及导线法联测检核的主要技术要求

等级	边长检核		角度检核		导线联测检核	
	测距中误差（mm）	边长相对中误差	测角中误差（″）	角度较差（″）	角度闭合差（″）	边长相对闭合差
一级	15	1/14000	5	14	$16\sqrt{n}$	1/10000
二级	15	1/7000	8	20	$24\sqrt{n}$	1/5000

注：n 为导线测站数。

3 当采用 RTK 法复测检核时，可用同一基准站两次独立测量或不同基准站各一次独立测量方法进行，并应按下式统计检核点的精度。检核点的点位中误差不应超过 50mm。

$$M_{\Delta}=\sqrt{\frac{[\Delta S_i \Delta S_i]}{2n}} \tag{3.2.31}$$

式中：M_{Δ}——检核点的点位中误差（mm）；

ΔS_i——检核点与原点位的平面位置偏差（mm）；

n——检核点个数。

3.3 导 线 测 量

Ⅰ 导线测量的主要技术要求

3.3.1 各等级导线测量的主要技术要求应符合表3.3.1的规定。

表3.3.1 各等级导线测量的主要技术要求

等级	导线长度(km)	平均边长(km)	测角中误差(″)	测距中误差(mm)	测距相对中误差	测回数				方位角闭合差(″)	导线全长相对闭合差
						0.5″级仪器	1″级仪器	2″级仪器	6″级仪器		
三等	14	3	1.8	20	1/150000	4	6	10	—	$3.6\sqrt{n}$	≤1/55000
四等	9	1.5	2.5	18	1/80000	2	4	6	—	$5\sqrt{n}$	≤1/35000
一级	4	0.5	5	15	1/30000	—	—	2	4	$10\sqrt{n}$	≤1/15000
二级	2.4	0.25	8	15	1/14000	—	—	1	3	$16\sqrt{n}$	≤1/10000
三级	1.2	0.1	12	15	1/7000	—	—	1	2	$24\sqrt{n}$	≤1/5000

注：1 n为测站数；

2 当测区测图的最大比例尺为1∶1000时，一、二、三级导线的导线长度、平均边长可放长，但最大长度不应大于表中规定相应长度的2倍。

3.3.2 当导线平均边长较短时，应控制导线边数不超过本标准表3.3.1相应等级导线长度和平均边长算得的边数；当导线长度小于本标准表3.3.1规定长度的1/3时，导线全长的绝对闭合差不应大于0.13m。

3.3.3 导线网中结点与结点、结点与高级点之间的导线段长度，不应大于本标准表3.3.1中相应等级规定长度的70%。

Ⅱ 导线网的设计、选点与埋石

3.3.4 导线网的布设应符合下列规定：

1 导线网用作测区的首级控制时，应布设成环形网，且宜联测2个已知方向；

2　加密网可采用单一附合导线或结点导线网形式；

3　结点间或结点与已知点间的导线段宜布设成直伸形状，相邻边长不宜相差过大，网内不同环节上的点也不宜相距过近。

3.3.5　点位的选定应符合下列规定：

1　点位应选在稳固地段，视野应开阔且方便加密、扩展和寻找；

2　相邻点之间应通视，视线距障碍物的距离，三、四等不宜小于1.5m，四等以下应以不受旁折光的影响为原则；

3　当采用电磁波测距时，相邻点之间视线应避开烟囱、散热塔、散热池等发热体及强电磁场；

4　相邻两点之间的视线倾角不宜过大；

5　应充分利用符合要求的原有控制点。

3.3.6　导线点的埋石应符合本标准附录B的规定，三、四等点应绘制点之记，其他控制点可根据工程项目的需要确定。

Ⅲ　水平角观测

3.3.7　水平角观测宜使用全站仪，全站仪的主要技术指标宜符合下列规定：

1　照准部旋转轴正确性指标应按管水准器气泡或电子水准器长气泡在各位置的读数较差衡量，对于0.5″级和1″级仪器不应超过0.3格，2″级仪器不应超过1格，6″级仪器不应超过1.5格；

2　望远镜视轴不垂直于横轴指标值，对于0.5″级和1″级仪器不应超过6″，2″级仪器不应超过8″，6″级仪器不应超过10″；

3　全站仪的补偿器在补偿区间，对观测成果的补偿应满足要求；

4　光学(激光)对中器的视轴(激光束)与竖轴的重合偏差不应大于1mm。

3.3.8　水平角观测宜采用方向观测法，并应符合下列规定：

1　水平角方向观测法的技术要求应符合表3.3.8的规定。

表 3.3.8　水平角方向观测法的技术要求

等级	仪器精度等级	半测回归零差(″)限差	一测回内 2C 互差(″)限差	同一方向值各测回较差(″)限差
四等及以上	0.5″级仪器	≤3	≤5	≤3
	1″级仪器	≤6	≤9	≤6
	2″级仪器	≤8	≤13	≤9
一级及以下	2″级仪器	≤12	≤18	≤12
	6″级仪器	≤18	—	≤24

注：当某观测方向的垂直角超过±3°的范围时，一测回内 2C 互差可按相邻测回同方向进行比较，比较值应满足表中一测回内 2C 互差的限值。

2　当观测方向不多于 3 个时，可不归零。

3　当观测方向多于 6 个时，可进行分组观测。分组观测应包括两个共同方向，其中一个应为共同零方向。两组观测角之差，不应大于同等级测角中误差的 2 倍。分组观测的最后结果，应按等权分组观测进行测站平差。

4　各测回间宜按 180°除以测回数配置度盘。当采用伺服马达全站仪进行多测回自动观测时，可不配置度盘。

5　应取各测回水平角观测的平均值作为测站成果。

3.3.9　对于三、四等导线的水平角观测，当测站只有两个方向时，应在观测总测回中以奇数测回的度盘位置观测导线前进方向的左角，以偶数测回的度盘位置观测导线前进方向的右角。左右角的测回数应为总测回数的一半。但在观测右角时，应以左角起始方向为准变换度盘位置。左角平均值与右角平均值之和与 360°的差值，不应大于本标准表 3.3.1 中相应等级导线测角中误差的 2 倍。

3.3.10　水平角观测的测站作业应符合下列规定：

1　仪器及反光镜的对中偏差均不应大于 2mm；

2　水平角观测过程中，气泡中心位置偏离整置中心不宜超过 1 格；四等及以上等级的水平角观测，当观测方向的垂直角超过

±3°的范围时，宜在测回间重新整置气泡位置；有垂直轴补偿器的仪器可不受此要求限制；

3 若受振动等外界因素的影响，仪器的补偿器无法正常工作或超出补偿器的补偿范围时，应停止观测；

4 当测站或照准目标偏心时，应在水平角观测前或观测后测定归心元素；测定时，投影示误三角形的最长边，对于标石、仪器中心的投影不应大于 5mm，对于照准标志中心的投影不应大于 10mm；投影完毕后，除标石中心外的其他各投影中心均应描绘 2 个观测方向。角度元素测量应精确至 15′，长度元素测量应精确至 1mm。

3.3.11 水平角观测误差超限时，应重测并符合下列规定：

1 一测回内 2C 互差或同一方向值各测回较差超限时，应重测超限方向，并应联测零方向；

2 下半测回归零差或零方向的 2C 互差超限时，应重测本测回；

3 若一测回中重测方向数超过总方向数的 1/3 时，应重测本测回；当重测的测回数超过总测回数的 1/3 时，应重测本测站。

3.3.12 首级控制网所联测的已知方向的水平角观测，应按首级网相应等级的规定执行。

3.3.13 每日观测结束后，应对外业记录手簿进行检查，当使用电子记录时，应保存原始观测数据，应打印输出相关数据和预先设置的各项限差。

Ⅳ 距离测量

3.3.14 控制网边长宜采用全站仪测距，全站仪标称的测距精度宜按下式表示：

$$m_D = \alpha + b \cdot D \tag{3.3.14}$$

式中：m_D——测距中误差（mm）；

α——全站仪标称的测距固定误差（mm）；

b——全站仪标称的测距比例误差系数（mm/km）；

D——测距长度（km）。

3.3.15 高海拔地区作业应使用空盒气压表，作业前宜送当地气象台（站）校准。

3.3.16 各等级控制网边长测距的主要技术要求应符合表3.3.16的规定。

表3.3.16 各等级控制网边长测距的主要技术要求

平面控制网等级	仪器精度等级	每边测回数		一测回读数较差(mm)	单程各测回较差(mm)	往返测距较差(mm)
		往	返			
三等	5mm级仪器	3	3	≤5	≤7	$\leqslant 2(a+b\cdot D)$
	10mm级仪器	4	4	≤10	≤15	
四等	5mm级仪器	2	2	≤5	≤7	
	10mm级仪器	3	3	≤10	≤15	
一级	10mm级仪器	2	—	≤10	≤15	—
二、三级	10mm级仪器	1	—	≤10	≤15	

注：1 一测回是全站仪盘左、盘右各测量1次的过程；

2 困难情况下，测边可采取不同时间段测量代替往返观测。

3.3.17 测距作业应符合下列规定：

1 仪器及反光镜的对中偏差不应大于2mm；

2 四等及以上等级控制网的边长测量，应分别量取两端点观测始末的气象数据，计算时应取平均值；

3 测量气象元素的温度计宜采用通风干湿温度计，气压表宜选用空盒气压表；读数前应将温度计悬挂在离开地面和人体1.5m以外且阳光不能直射的地方，读数应精确至0.2℃；气压表应置平，指针不应滞阻，读数应精确至0.5hPa；

4 当测距边用电磁波测距三角高程测量方法测定的高差进行修正时，垂直角的观测和对向观测高差较差要求，不宜超过本标准第4.3.2条、第4.3.3条中五等三角高程测量较差值的2倍；

5 当观测数据超限时，应重测整个测回；若观测数据出现系统性误差时，应分析原因，并应采取相应措施重新观测。

3.3.18 每日观测结束后，应对外业记录进行检查。当使用电子记录时，应保存原始观测数据，应打印输出相关数据和预先设置的各项限差。

Ⅴ 导线测量数据处理

3.3.19 观测数据中含有偏心测量成果时，应先进行归心改正计算。

3.3.20 水平距离计算应符合下列规定：

1 测量的斜距，应经气象改正和仪器的加、乘常数改正后进行水平距离计算；

2 两点间的高差测量，宜采用水准测量；当采用电磁波测距三角高程测量时，高差应进行大气折光改正和地球曲率改正；

3 水平距离可按下式计算：

$$D_{P} = \sqrt{S^{2} - h^{2}} \tag{3.3.20}$$

式中：D_{P}——测线的水平距离(m)；

S——经气象及加、乘常数等改正后的斜距(m)；

h——仪器的发射中心与反光镜的反射中心之间的高差(m)。

3.3.21 导线测角中误差的计算可按左右角闭合差和导线方位角闭合差两种方式进行，并应符合下列规定：

1 当利用三、四等导线左右角闭合差时，测角中误差应按下式计算：

$$m_{\beta} = \pm\sqrt{\frac{[\Delta\Delta]}{2n}} \tag{3.3.21-1}$$

式中：m_{β}——测角中误差(″)；

Δ——导线测站观测左右角的圆周角闭合差(″)；

n——测站圆周角闭合差的个数。

2 当利用导线方位角闭合差时，测角中误差应按下式计算：

$$m_{\beta} = \sqrt{\frac{1}{N}\left[\frac{f_{\beta}\, f_{\beta}}{n}\right]} \tag{3.3.21-2}$$

式中：f_β——导线环的角度闭合差或附合导线的方位角闭合差（″）；

n——计算f_β时的相应测站数；

N——闭合环及附合导线的总数。

3.3.22 测距边的精度评定应按式（3.3.22-1）、式（3.3.22-2）计算；当采用平均边长时，评定可按式（3.3.22-3）计算网的平均测距中误差：

1 单位权中误差，应按下式计算：

$$\mu = \sqrt{\frac{[Pdd]}{2n}} \tag{3.3.22-1}$$

式中：P——各边距离的先验权，值为$\frac{1}{\sigma_D^2}$，测距的先验中误差σ_D可按测距仪器的标称精度计算；

d——各边往、返测的距离较差（mm）；

n——测距边数。

2 任一边的实际测距中误差，应按下式计算：

$$m_{Di} = \mu\sqrt{\frac{1}{P_i}} \tag{3.3.22-2}$$

式中：m_{Di}——第i边的实际测距中误差（mm）；

P_i——第i边距离测量的先验权。

3 网的平均测距中误差应按下式计算：

$$m_{Di} = \sqrt{\frac{[dd]}{2n}} \tag{3.3.22-3}$$

式中：m_{Di}——平均测距中误差（mm）。

3.3.23 测距边长度的归化投影计算应符合下列规定：

1 归算到测区平均高程面上的测距边长度应按下式计算：

$$D_H = D_P\left(1 + \frac{H_P - H_m}{R_A}\right) \tag{3.3.23-1}$$

式中：D_H——归算到测区平均高程面上的测距边长度（m）；

D_P——测线的水平距离(m);

H_P——测区的平均高程(m);

H_m——测距边两端点的平均高程(m);

R_A——参考椭球体在测距边方向法截弧的曲率半径(m)。

2 归算到参考椭球面上的测距边长度应按下式计算:

$$D_0 = D_P\left(1 - \frac{H_m + h_m}{R_A + H_m + h_m}\right) \quad (3.3.23\text{-}2)$$

式中:D_0——归算到参考椭球面上的测距边长度(m);

h_m——测区大地水准面高出参考椭球面的高差(m)。

3 测距边在高斯投影面上的长度应按下式计算:

$$D_g = D_0\left(1 + \frac{y_m^2}{2R_m^2} + \frac{\Delta y^2}{24R_m^2}\right) \quad (3.3.23\text{-}3)$$

式中:D_g——测距边在高斯投影面上的长度(m);

y_m——测距边两端点近似横坐标的平均值(m);

R_m——测距边中点处在参考椭球面上的平均曲率半径(m);

Δy——测距边两端点近似横坐标的增量(m)。

3.3.24 一级及以上等级的导线网计算应采用严密平差法,二、三级导线网可根据需要采用严密或简化方法平差。采用简化方法平差时,成果表中的方位角和边长应采用坐标反算值。

3.3.25 导线网平差时,角度和距离的先验中误差,可分别按本标准第3.3.21条、第3.3.22条中的方法计算,也可用数理统计等方法求得的经验公式估算先验中误差的值,计算角度及边长的权。

3.3.26 平差计算时,应对计算略图和计算机输入数据进行校对,对计算结果应进行检查。打印输出的平差成果应包含起算数据、观测数据以及有关的中间数据。

3.3.27 平差后的精度评定应包含有单位权中误差、点位误差椭圆参数或相对点位误差椭圆参数、边长相对中误差或点位中误差等。采用简化平差时,平差后的精度评定可简化。

3.3.28 内业计算中数值取位要求应符合表3.3.28的规定。

表 3.3.28 内业计算中数值取位要求

等级	观测方向值及各项修正数(″)	边长观测值及各项修正数(m)	边长与坐标(m)	方位角(″)
三、四等	0.1	0.001	0.001	0.1
一级及以下	1	0.001	0.001	1

3.4 三角形网测量

Ⅰ 三角形网测量的主要技术要求

3.4.1 各等级三角形网测量的主要技术要求应符合表 3.4.1 的规定。

表 3.4.1 各等级三角形网测量的主要技术要求

等级	平均边长(km)	测角中误差(″)	测边相对中误差	最弱边边长相对中误差	测回数				三角形最大闭合差(″)
					0.5″级仪器	1″级仪器	2″级仪器	6″级仪器	
二等	9	1	≤1/250000	≤1/120000	9	12	—	—	3.5
三等	4.5	1.8	≤1/150000	≤1/70000	4	6	9	—	7
四等	2	2.5	≤1/100000	≤1/40000	2	4	6	—	9
一级	1	5	≤1/40000	≤1/20000	—	—	2	4	15
二级	0.5	10	≤1/20000	≤1/10000	—	—	1	2	30

注:测区测图的最大比例尺为 1∶1000 时,一、二级网的平均边长可放长,但不应大于表中规定长度的 2 倍。

3.4.2 三角形网中的角度宜全部观测,边长可根据需要选择观测或全部观测。观测的角度和边长均应作为三角形网中的观测量参与平差计算。

3.4.3 首级控制网定向时,方位角传递宜联测 2 个已知方向。

Ⅱ 三角形网的设计、选点与埋石

3.4.4 作业前,应进行资料收集和现场踏勘、综合分析相关控制资料和地形图、进行网形设计和精度估算、确定网的精度等级和观测方案。

3.4.5 三角形网的布设应符合下列规定：

1 首级控制网中的三角形，宜布设为近似等边三角形，三角形内角不宜小于30°；受地形条件限制时，不宜小于25°；

2 加密的控制网可采用插网或插点的形式；

3 三角形网点位的选定，除应符合本标准第3.3.5条的规定外，二等网视线距障碍物的距离不宜小于2m。

3.4.6 三角形网点位的埋石应符合本标准附录B的规定，二、三、四等点应绘制点之记，一级及以下控制点可根据工程需要确定。

Ⅲ 三角形网观测

3.4.7 三角形网的水平角观测宜采用方向观测法，二等三角形网也可采用全组合观测法。

3.4.8 三角形网的水平角观测，除应符合本标准第3.4.1条的规定，还应符合本标准第3.3.7条、第3.3.8条及第3.3.10条～第3.3.13条的规定。

3.4.9 二等三角形网测距边的边长测量主要技术要求应符合本标准第3.4.1条和表3.4.9的规定，并应按本标准第3.3.14条、第3.3.15条及第3.3.17条、第3.3.18条的规定执行。

表3.4.9 二等三角形网测距边的边长测量主要技术要求

平面控制网等级	仪器精度等级	每边测回数		一测回读数较差（mm）	单程各测回较差（mm）	往返较差（mm）
		往	返			
二等	5mm级仪器	3	3	≤5	≤7	$\leqslant 2(a+b \cdot D)$

注：困难情况下，测边可采取不同时间段测量代替往返观测。

3.4.10 三等及以下等级的三角形网测距边的边长测量，除应符合本标准第3.4.1条规定外，其他要求应按本标准第3.3.14条～第3.3.18条规定执行。

Ⅳ 三角形网测量数据处理

3.4.11 观测数据中含有偏心测量成果时，应先进行归心改正计算。

3.4.12 三角形网的测角中误差应按下式计算：

$$m_\beta = \sqrt{\frac{[WW]}{3n}} \tag{3.4.12}$$

式中：m_β——测角中误差（″）；

W——三角形闭合差（″）；

n——三角形的个数。

3.4.13 水平距离计算和测边精度评定应按本标准第3.3.20条和第3.3.22条的规定执行。

3.4.14 当测区需要进行高斯投影时，四等及以上等级的方向观测值应进行方向改化，方向改化应按公式（3.4.14-1）、公式（3.4.14-2）计算，四等网也可采用简化公式，按公式（3.4.14-3）计算：

$$\delta_{1、2} = \frac{\rho}{6R_m^2}(x_1 - x_2)(2y_1 + y_2) \tag{3.4.14-1}$$

$$\delta_{2、1} = \frac{\rho}{6R_m^2}(x_2 - x_1)(y_1 + 2y_2) \tag{3.4.14-2}$$

$$\delta_{1、2} = -\delta_{2、1} = \frac{\rho}{2R_m^2}(x_1 - x_2)\, y_m \tag{3.4.14-3}$$

式中：$\delta_{1、2}$——测站点1向照准点2观测方向的方向改化值（″）；

$\delta_{2、1}$——测站点2向照准点1观测方向的方向改化值（″）；

x_1、y_1、x_2、y_2——1、2两点的坐标值（m）；

R_m——测距边中点处在参考椭球面上的平均曲率半径（m）；

y_m——1、2两点的近似横坐标平均值（m）。

3.4.15 二、三等三角形网的水平角观测，在高山地区应对水平方向观测值应进行垂线偏差的修正。

3.4.16 测距边长度的归化投影计算应按本标准第3.3.23条规定执行。

3.4.17 三角形网外业观测结束后，应计算网的各项条件闭合差。

各项条件闭合差不应大于相应的限值：

1 角-极条件自由项的限值应按下式计算：

$$W_j = 2\frac{m_\beta}{\rho}\sqrt{\sum \cot^2\beta} \tag{3.4.17-1}$$

式中：W_j——角-极条件自由项的限值；

m_β——相应等级的测角中误差（″）；

β——求距角。

2 边（基线）条件自由项的限值应按下式计算：

$$W_b = 2\sqrt{\frac{m_\beta^2}{\rho^2}\sum \cot^2\beta + \left(\frac{m_{s_1}}{S_1}\right)^2 + \left(\frac{m_{s_2}}{S_2}\right)^2} \tag{3.4.17-2}$$

式中：W_b——边（基线）条件自由项的限值；

$\frac{m_{s_1}}{S_1}$、$\frac{m_{s_2}}{S_2}$——起始边边长相对中误差。

3 方位角条件的自由项的限值应按下式计算：

$$W_f = 2\sqrt{m_{\alpha_1}^2 + m_{\alpha_2}^2 + n m_\beta^2} \tag{3.4.17-3}$$

式中：W_f——方位角条件的自由项的限值（″）；

m_{α_1}、m_{α_2}——起始方位角中误差（″）；

n——推算路线所经过的测站数。

4 固定角自由项的限值应按下式计算：

$$W_g = 2\sqrt{m_g^2 + m_\beta^2} \tag{3.4.17-4}$$

式中：W_g——固定角自由项的限值（″）；

m_g——固定角的角度中误差（″）。

5 边-角条件的限值应由三角形中观测的一个角度与由观测边长根据各边平均测距相对中误差计算所得的角度限差，按下式计算：

$$W_r = 2\sqrt{2\left(\frac{m_D}{D}\rho\right)^2(\cot^2\alpha + \cot^2\beta + \cot\alpha\cot\beta) + m_\beta^2} \tag{3.4.17-5}$$

式中：W_r——观测角与计算角的角值限差（″）；

$\frac{m_D}{D}$——各边平均测距相对中误差；

α、β——三角形中观测角之外的另两个角；

m_β——相应等级的测角中误差（″）。

6 边-极条件自由项的限值应按下列公式计算：

$$W_Z = 2\rho \frac{m_D}{D} \sqrt{\sum \alpha_W^2 + \alpha_f^2} \tag{3.4.17-6}$$

$$\alpha_W = \cot \alpha_i + \cot \beta_i \tag{3.4.17-7}$$

$$\alpha_f = \cot \alpha_i \pm \cot \beta_{i-1} \tag{3.4.17-8}$$

式中：W_Z——边-极条件自由项的限值（″）；

α_W——与极点相对的外围边两端的两底的余切函数之和；

α_f——中点多边形中与极点相连的辐射边两侧的相邻底角的余切函数之和；四边形中内辐射边两侧的相邻底角的余切函数之和以及外侧的两辐射边的相邻底角的余切函数之差；

i——三角形编号。

3.4.18 三角形网平差时，观测角（方向）和观测边应视为观测值参与平差，角度和距离的先验中误差应按本标准第3.4.12条、第3.3.22条的方法计算，也可用数理统计等方法求得的经验公式估算先验中误差的值计算角度（方向）及边长的权。平差计算应符合本标准第3.3.26条、第3.3.27条的规定。

3.4.19 三角形网内业计算中数值取位要求，二等应符合表3.4.19的规定，其余各等级应符合本标准表3.3.28的规定。

表3.4.19 内业计算中数值取位要求

等级	观测方向值及各项修正数（″）	边长观测值及各项修正数（m）	边长与坐标（m）	方位角（″）
二等	0.01	0.0001	0.001	0.01

3.5 自由设站测量

3.5.1 自由设站测量可适用于各等级控制网的加密及各类工程(施工、变形)测量中需要临时设站或传递坐标的测量,也可用于独立工程控制网的建立与加密测量。

3.5.2 作业前,应对周边既有控制点进行检查校核,并应选用符合要求且不少于3个控制点作为交会基准,设站点各观测方向之间的夹角宜为30°～120°。

3.5.3 四等及四等以上控制网的自由设站加密测量宜采用测角精度不低于2″级、测距精度不低于5mm级的全站仪;四等以下的加密测量宜采用测角精度不低于6″级、测距精度不低于10mm级的全站仪。

3.5.4 自由设站水平角观测应采用方向观测法,自由设站法的主要技术要求应符合本标准第3.4.1条的规定,并应满足本标准表3.3.8的规定及本标准第3.3.10条、第3.3.11条的有关规定。若需分组观测,应采用同一归零方向,并应重复观测一个方向。

3.5.5 自由设站距离测量宜与水平角观测同时进行,边角同测时的距离测回数宜与角度测回数相同,且半测回间的距离互差及测回间的距离互差,对于5mm级全站仪不应大于7mm,对于10mm级全站仪不应大于15mm。

3.5.6 作业时,宜同时测定测站的温度与气压值进行距离观测值气象改正,温度读数宜精确至0.2℃,气压读数宜精确至0.5hPa。

3.5.7 自由设站测量宜按下列步骤进行:

1 根据工程需要和周边控制点精度情况,应选择相应精度等级的全站仪;

2 应在无通视障碍的中心区域架设全站仪,在周边可通视的不应少于3点的既有控制点上架设反射棱镜和觇标,并应分别量取仪器高和觇标高,应精确至1mm;

3 应在全站仪中依次输入既有控制点的点名、坐标与高程值，也可提前录入相关控制点的信息；

4 应量取并记录测站的温度与气压值，也可将气象元素直接输入全站仪；

5 应依次选择并瞄准既有控制点，应逐点逐测回进行方向和距离测量并应自动记录；

6 应利用自由设站数据处理软件，对观测数据进行处理，计算测站坐标与交会残差，并应进行残差分析；

7 若某个观测方向的计算残差超限，应舍弃超限方向，并应重新进行交会计算；

8 应在设站点的点位精度满足要求后进行其他工序的测量工作；

9 所有测量工作完成后，应进行归零检查，归零差不应大于本标准表 3.3.8 中相应等级同一方向各测回较差限差的 2 倍。

4 高程控制测量

4.1 一般规定

4.1.1 高程控制测量精度等级宜划分为二、三、四、五等。各等级高程控制宜采用水准测量，四等及以下等级也可采用电磁波测距三角高程测量，五等还可采用卫星定位高程测量。

4.1.2 首级高程控制网的等级应根据工程规模、控制网的用途和精度要求选择。首级网应布设成环形网，加密网宜布设成附合路线或结点网。

4.1.3 测区的高程系统宜采用1985国家高程基准。在已有高程控制网的地区测量时，可沿用原有的高程系统；小测区不具备联测条件时，也可采用假定高程系统。

4.1.4 高程控制点间的距离，一般地区应为1km～3km，工业厂区、城镇建筑区宜小于1km。一个测区至少应有3个高程控制点。

4.2 水准测量

4.2.1 水准测量的主要技术要求应符合表4.2.1的规定。

表4.2.1 水准测量的主要技术要求

等级	每千米高差全中误差(mm)	路线长度(km)	水准仪级别	水准尺	观测次数		往返较差、附合或环线闭合差	
					与已知点联测	附合或环线	平地(mm)	山地(mm)
二等	2	—	DS1、DSZ1	条码因瓦、线条式因瓦	往返各一次	往返各一次	$4\sqrt{L}$	—

续表 4.2.1

<table>
<tr><th rowspan="2">等级</th><th rowspan="2">每千米高差全中误差（mm）</th><th rowspan="2">路线长度（km）</th><th rowspan="2">水准仪级别</th><th rowspan="2">水准尺</th><th colspan="2">观测次数</th><th colspan="2">往返较差、附合或环线闭合差</th></tr>
<tr><th>与已知点联测</th><th>附合或环线</th><th>平地（mm）</th><th>山地（mm）</th></tr>
<tr><td rowspan="2">三等</td><td rowspan="2">6</td><td rowspan="2">≤50</td><td>$DS1$、$DSZ1$</td><td>条码因瓦、线条式因瓦</td><td rowspan="2">往返各一次</td><td>往一次</td><td rowspan="2">$12\sqrt{L}$</td><td rowspan="2">$4\sqrt{n}$</td></tr>
<tr><td>$DS3$、$DSZ3$</td><td>条码式玻璃钢、双面</td><td>往返各一次</td></tr>
<tr><td>四等</td><td>10</td><td>≤16</td><td>$DS3$、$DSZ3$</td><td>条码式玻璃钢、双面</td><td>往返各一次</td><td>往一次</td><td>$20\sqrt{L}$</td><td>$6\sqrt{n}$</td></tr>
<tr><td>五等</td><td>15</td><td>—</td><td>$DS3$、$DSZ3$</td><td>条码式玻璃钢、单面</td><td>往返各一次</td><td>往一次</td><td>$30\sqrt{L}$</td><td>—</td></tr>
</table>

注：1 结点之间或结点与高级点之间的路线长度不应大于表中规定的70%；

2 L 为往返测段、附合或环线的水准路线长度（km），n 为测站数；

3 数字水准测量和同等级的光学水准测量精度要求相同，作业方法在没有特指的情况下均称为水准测量；

4 $DSZ1$ 级数字水准仪若与条码式玻璃钢水准尺配套，精度降低为 $DSZ3$ 级；

5 条码式因瓦水准尺和线条式因瓦水准尺在没有特指的情况下均称为因瓦水准尺。

4.2.2 水准测量所使用的仪器及水准尺应符合下列规定：

1 水准仪视准轴与水准管轴的夹角 i，$DS1$、$DSZ1$ 型不应超过 15″，$DS3$、$DSZ3$ 型不应超过 20″；

2 补偿式自动安平水准仪的补偿误差 $\Delta\alpha$，二等水准不应超过 0.2″，三等水准不应超过 0.5″；

3 水准尺上的米间隔平均长与名义长之差，线条式因瓦水准尺不应超过 0.15mm，条形码尺不应超过 0.10mm，木质双（单）面水准尺不应超过 0.50mm。

4.2.3 水准点的布设与埋石应符合本标准第 4.1.4 条的规定，并应符合下列规定：

1 点位应选在稳固地段或稳定的建筑物上，并应方便寻找、保存和引测；采用数字水准仪作业时，水准路线还应避开电磁场的干扰；

2 宜采用水准标石，也可采用墙水准点；标志及标石的埋设应符合本标准附录C的规定；

3 埋设完成后，二、三等点应绘制点之记，四等及以下控制点可根据工程需要确定，必要时还应设置指示桩。

4.2.4 水准观测应在标石埋设稳定后进行。水准观测宜采用数字水准仪和条形码水准尺作业，也可采用光学水准仪和线条式因瓦尺或黑红面水准尺作业。

4.2.5 数字水准仪观测的主要技术要求应符合表4.2.5的规定。

表4.2.5 数字水准仪观测的主要技术要求

等级	水准仪级别	水准尺类别	视线长度（m）	前后视的距离较差（m）	前后视的距离较差累积（m）	视线离地面最低高度（m）	测站两次观测的高差较差（mm）	数字水准仪重复测量次数
二等	*DSZ*1	条码式因瓦尺	50	1.5	3.0	0.55	0.7	2
三等	*DSZ*1	条码式因瓦尺	100	2.0	5.0	0.45	1.5	2
四等	*DSZ*1	条码式因瓦尺	100	3.0	10.0	0.35	3.0	2
	*DSZ*1	条码式玻璃钢尺	100	3.0	10.0	0.35	5.0	2
五等	*DSZ*3	条码式玻璃钢尺	100	近似相等	—	—	—	—

注：1 二等数字水准测量观测顺序，奇数站应为后—前—前—后，偶数站应为前—后—后—前；

2 三等数字水准测量观测顺序应为后—前—前—后；四等数字水准测量观测顺序应为后—后—前—前；

3 水准观测时，若受地面振动影响时，应停止测量。

4.2.6 光学水准仪观测的主要技术要求，应符合表4.2.6的规定。

表4.2.6 光学水准仪观测的主要技术要求

等级	水准仪级别	视线长度（m）	前后视距差（m）	任一测站上前后视距差累积（m）	视线离地面最低高度（m）	基、辅分划或黑、红面读数较差（mm）	基、辅分划或黑、红面所测高差较差（mm）
二等	*DS*1、*DSZ*1	50	1.0	3.0	0.5	0.5	0.7
三等	*DS*1、*DSZ*1	100	3.0	6.0	0.3	1.0	1.5
	*DS*3、*DSZ*3	75				2.0	3.0
四等	*DS*3、*DSZ*3	100	5.0	10.0	0.2	3.0	5.0
五等	*DS*3、*DSZ*3	100	近似相等	—	—	—	—

注：1 二等光学水准测量观测顺序，往测时，奇数站应为后—前—前—后，偶数站应为前—后—后—前；返测时，奇数站应为前—后—后—前，偶数站应为后—前—前—后；

2 三等光学水准测量观测顺序应为后—前—前—后；四等光学水准测量观测顺序应为后—后—前—前；

3 二等水准视线长度小于20m时，视线高度不应低于0.3m；

4 三、四等水准采用变动仪器高度观测单面水准尺时，所测两次高差较差，应与黑面、红面所测高差之差的要求相同。

4.2.7 两次观测高差较差超限时应重测。重测后，二等水准应选取两次异向观测的合格结果，其他等级应将重测结果与原测结果分别比较，较差不超过限值时，应取两次测量结果的平均数。

4.2.8 当水准路线需跨越江河、湖塘、宽沟、洼地、山谷等时，应符合下列规定：

1 水准作业场地应选在跨越方便的地方，标尺点应设立木桩或选择符合要求的固定标志。

2 两岸测站和立尺点应对称布设；跨越距离小于200m时，可采用单线过河；大于200m时，应采用双线过河并组成四边形闭合环；往返较差、环线闭合差应符合本标准表4.2.1的规定。

3 跨河水准观测的主要技术要求应符合表4.2.8的规定。

表4.2.8 跨河水准观测的主要技术要求

跨越距离(m)	观测次数	单程测回数	半测回远尺读数次数	测回差(mm)		
				三等	四等	五等
<200	往返各一次	1	2	—	—	—
200～400	往返各一次	2	3	8	12	25

注：1 一测回的观测顺序应为先读近尺，再读远尺；仪器搬至对岸后，不动焦距先读远尺，再读近尺；

2 当采用双向观测时，两条跨河视线长度宜相等，两岸岸上长度宜相等，并应大于10m；当采用单向观测时，可分别在上午、下午各完成半数工作量。

4 当跨越距离小于200m时，也可采用在测站上变换仪器高度的方法进行，两次观测高差较差不应超过7mm，应取平均值作为观测高差。

4.2.9 水准测量的数据处理应符合下列规定：

1 每条水准路线分测段施测时，应按下式计算每千米水准测量的高差偶然中误差，绝对值不应超过本标准表4.2.1中相应等级每千米高差全中误差的1/2。

$$M_{\Delta}=\sqrt{\frac{1}{4n}\left[\frac{\Delta\Delta}{L}\right]} \tag{4.2.9-1}$$

式中：M_{Δ}——高差偶然中误差(mm)；

Δ——测段往返高差不符值(mm)；

L——测段长度(km)；

n——测段数。

2 水准测量结束后，应按下式计算每千米水准测量高差全中误差，绝对值不应超过本标准表4.2.1中相应等级的规定。

$$M_{\mathrm{W}}=\sqrt{\frac{1}{N}\left[\frac{WW}{L}\right]} \tag{4.2.9-2}$$

式中：M_W——高差全中误差(mm)；

W——附合或环线闭合差(mm)；

L——计算各 W 时，相应的路线长度(km)；

N——附合路线和闭合环的总个数。

3 当二、三等水准测量与国家水准点附合时，高山地区应进行正常位水准面不平行改正和重力异常归算改正。

4 各等级水准网，应按最小二乘法进行平差并计算每千米高差全中误差。

5 高程成果的取值，二等水准应精确至 0.1mm，三、四、五等水准应精确至 1mm。

4.3 电磁波测距三角高程测量

4.3.1 电磁波测距三角高程测量宜在平面控制点的基础上布设成三角高程网或高程导线。

4.3.2 电磁波测距三角高程测量的主要技术要求应符合表 4.3.2 的规定。

表 4.3.2 电磁波测距三角高程测量的主要技术要求

等级	每千米高差全中误差(mm)	边长(km)	观测方式	对向观测高差较差(mm)	附合或环形闭合差(mm)
四等	10	≤1	对向观测	$40\sqrt{D}$	$20\sqrt{\sum D}$
五等	15	≤1	对向观测	$60\sqrt{D}$	$30\sqrt{\sum D}$

注：1 D 为测距边的长度(km)；

2 起讫点的精度等级，四等应起讫于不低于三等水准的高程点上，五等应起讫于不低于四等的高程点上；

3 路线长度不应超过相应等级水准路线的总长度。

4.3.3 电磁波测距三角高程观测的技术要求应符合下列规定：

1 电磁波测距三角高程观测的主要技术要求应符合表 4.3.3

的规定。

表 4.3.3 电磁波测距三角高程观测的主要技术要求

等级	垂直角观测				边长测量	
	仪器精度等级	测回数	指标差较差(″)	测回较差(″)	仪器精度等级	观测次数
四等	2″级仪器	3	≤7″	≤7″	10mm 级仪器	往返各一次
五等	2″级仪器	2	≤10″	≤10″	10mm 级仪器	往一次

2 垂直角的对向观测，当直觇完成后应即刻迁站进行返觇测量。

3 仪器、反光镜或觇牌的高度，应在观测前后各量测 1 次，并应精确至 1mm，取平均值作为最终高度。

4.3.4 电磁波测距三角高程测量的数据处理应符合下列规定：

1 直返觇的高差应进行地球曲率和大气折光差的改正；

2 平差前应按本标准公式(4.2.9-2)计算每千米高差全中误差；

3 各等级高程网应按最小二乘法进行平差并计算每千米高差全中误差；

4 高程成果的取值应精确至 1mm。

4.4 卫星定位高程测量

4.4.1 卫星定位高程测量可适用于五等高程测量。若需采用卫星定位技术进行更高等级的高程测量，特别是较大区域范围的高程测量或跨河高程传递，则应进行专项设计与论证，并应符合本标准高程精度的相关要求。

4.4.2 卫星定位高程测量作业宜与平面控制测量一起进行，并应符合本标准第 3.2 节的有关规定。

4.4.3 卫星定位高程测量的水准点联测应符合下列规定：

1 卫星定位高程网宜与四等或四等以上的水准点联测；联测

的高程点宜分布在测区的四周和中央；若测区为带状地形，联测的高程点应分布于测区两端及中部两侧；

2 联测点数宜大于选用计算模型中未知参数个数的1.5倍，相邻联测点之间距离宜小于10km；

3 地形高差变化大的地区应增加联测的点数，联测点数宜大于选用计算模型中未知参数个数的2倍。

4.4.4 卫星定位高程测量数据处理应符合下列规定：

1 应利用区域似大地水准面精化成果或当地的重力大地水准面模型、资料；

2 对联测的已知高程点应进行可靠性检验，应剔除不合格点；

3 对于地形平坦的小测区，可采用平面拟合模型；对于地形有起伏的大面积测区，宜采用曲面拟合模型或采用分区拟合的方法进行；

4 拟合高程计算，不应超出拟合高程模型所覆盖的范围。

4.4.5 对卫星定位高程测量成果，应进行检验，检测点数不应少于全部高程点的5%，并不应少于3个点；高差检验可采用相应等级的水准测量方法或电磁波测距三角高程测量方法进行，高差较差的限值应按下式计算：

$$\Delta_h = 30\sqrt{D} \tag{4.4.5}$$

式中：Δ_h——高差较差的限值(mm)；

D——检查路线的长度(km)。

5 地形测量

5.1 一般规定

5.1.1 根据工程的设计阶段、规模大小和运营管理需要，地形图测图的比例尺可按表5.1.1选取。

表5.1.1 地形图测图的比例尺

比例尺	用途
1∶5000	可行性研究、总体规划、厂址选择、初步设计等
1∶2000	可行性研究、初步设计、施工图设计、矿山总图管理、城镇详细规划等
1∶1000	初步设计、施工图设计；城镇、工矿总图管理；竣工验收等
1∶500	

注：1 精度要求低的专用地形图，可按小一级比例尺地形图的规定进行测绘或利用小一级比例尺地形图放大成图；

2 局部施测大于1∶500比例尺的地形图，除另有要求外，可按1∶500地形图测量的要求执行。

5.1.2 地形测量图形成果宜包括纸质地形图成果及数字地形成果。数字地形成果宜包括数字线划图、数字高程模型、数字正射影像图及数字三维模型，地形测量图形成果的主要特征可按表5.1.2分类。

表5.1.2 地形测量图形成果的主要特征

产品特征	图形成果类型				
	纸质地形图原图	数字地形测量图形成果			
		数字线划图	数字高程模型	数字正射影像图	数字三维模型
数据来源	平板测图、人工手绘、模拟航测成图等	全站仪测图、卫星定位实时动态测图、数字航空摄影测量、扫描数字化等	数字航空摄影、机载激光雷达、3D激光扫描等	数字航空摄影、低空无人机摄影、遥感影像等	数字航空（地面）摄影、倾斜摄影测量、3D激光扫描等

续表 5.1.2

产品特征	图形成果类型				
	纸质地形图原图	数字地形测量图形成果			
		数字线划图	数字高程模型	数字正射影像图	数字三维模型
技术特性	纸质图可量测、透明底图可晒图复制等	可量测、编辑、计算、矢量格式、自由缩放、叠加、漫游、查询等	立体直观、自由旋转、可量测切割等	精度高、信息丰富、直观逼真、现势性强等	真实性强、性价比高、立体直观、自由旋转、单张影像可量测等
表达方法	线划、颜色、符号、注记、等高线、分幅、图廓整饰等	用计算机可识别的代码系统表达线划、颜色、符号、注记、等高线、分幅、图廓整饰和属性特征等	矩形格网或三角网(TIN)构建模型等	同时具有地图几何精度和影像特征的图像	真实反映地物外观、位置、高度等属性的三维数据模型等
数学精度	测量及图解精度	测量精度	格网精度、分辨率	空间分辨率	空间分辨率、纹理质量
提交成果	纸图、必要时附细部点成果表等	各类文件：如原始文件、成果文件、图形信息数据文件、元数据等	DEM数据、元数据和文档资料等	DOM 数据、元数据和文档资料等	DSM数据、纹理数据和文档资料等
工程应用	几何作图等	生成地理空间数据库和数字线划图供规划设计使用等	数字沙盘、土石方量计算、线路工程选线等	城市规划管理、农村土地调查、区(流)域生态监测等	应急指挥、国土资源管理、数字城市、灾害评估、房产税收等

5.1.3 地形的类别划分和基本等高距的确定应符合下列规定：

1 应根据地面倾角 α 大小确定地形类别；

平坦地：$\alpha<2°$；

丘陵地：$2°\leqslant\alpha<6°$；

山地：$6°\leqslant\alpha<25°$；

高山地：$\alpha\geqslant25°$。

2 基本等高距应按表 5.1.3 选取。

表 5.1.3 基本等高距(m)

地形类别	比例尺			
	1∶500	1∶1000	1∶2000	1∶5000
平坦地	0.5	0.5	1	2
丘陵地	0.5	1	2	5
山地	1	1	2	5
高山地	1	2	2	5

注：1 一个测区同一比例尺，宜采用一种基本等高距；

2 水域测图的基本等深距，可按水底地形倾角所比照的地形类别和测图比例尺选择。

5.1.4 地形测量数据源的获取，宜采用 RTK 测图、全站仪测图、地面三维激光扫描测图、移动测量系统测图、低空数字摄影测图、机载激光雷达扫描测图及扫描数字化等方法。

5.1.5 地形测图依照工程测量的区域类型，可划分为一般地区地形测图、城镇建筑区地形测图、工矿区现状图测量和水域地形测量。

5.1.6 数字线划图的基本精度要求应符合下列规定：

1 图上地物点相对于邻近图根点的点位中误差，不应超过表 5.1.6-1 的规定。

表 5.1.6-1 图上地物点相对于邻近图根点的点位中误差(mm)

区域类型	点位中误差
一般地区	0.8
城镇建筑区、工矿区	0.6
水域	1.5

注:1 施测困难的一般地区测图,点位中误差不宜超过表中限差的 1.5 倍;

2 1:500 比例尺水域测图、其他比例尺水深超出 20m 的开阔水域测图,点位中误差不宜超过相应比例尺图上 2.0mm。

2 等高(深)线的插求点或数字高程模型格网点相对于邻近图根点的高程中误差,不应超过表 5.1.6-2 的规定。

表 5.1.6-2 等高(深)线的插求点或数字高程模型格网点相对于邻近图根点的高程中误差

一般地区	地形类别	平坦地	丘陵地	山地	高山地
	高程中误差(m)	$\frac{1}{3}h_d$	$\frac{1}{2}h_d$	$\frac{2}{3}h_d$	$1h_d$
水域	水底地形倾角 α	$\alpha<2°$	$2°\leqslant\alpha<6°$	$6°\leqslant\alpha<25°$	$\alpha\geqslant25°$
	高程中误差(m)	$\frac{1}{2}h_d$	$\frac{2}{3}h_d$	$1h_d$	$\frac{3}{2}h_d$

注:1 h_d为地形图的基本等高距(m);

2 施测困难的一般地区测图,高程中误差不宜超过表中相应限差的 1.5 倍;

3 当水深大于 20m 或工程精度要求不高时,水域测图的高程中误差不宜超过表中相应限差的 2 倍。

3 工矿区建(构)筑物按用途可分为主要建(构)筑物和一般建(构)筑物两种类型,细部坐标点的点位和高程中误差,不应超过表 5.1.6-3 的规定。

表 5.1.6-3 工矿区细部坐标点的点位和高程中误差(mm)

地物类别	点位中误差	高程中误差
主要建(构)筑物	50	20
一般建(构)筑物	70	30

4　地形点的最大点位间距不应大于表 5.1.6-4 的规定。

表 5.1.6-4　地形点的最大点位间距(m)

比例尺		1∶500	1∶1000	1∶2000	1∶5000
一般地区		15	30	50	100
水域	断面间	10	20	40	100
	断面上测点间	5	10	20	50

注:水域测图的断面间距和断面的测点间距,根据地形变化和用图要求,可进行调整。

5　地形图上高程点的注记,当基本等高距为 0.5m 时,应精确至 0.01m,当基本等高距大于 0.5m 时,应精确至 0.1m。

5.1.7　数字高程模型应由规则格网点数据和特征点数据以及边界数据组成,数字高程模型格网间距的选取及格网点高程中误差应符合表 5.1.7 的规定。

表 5.1.7　数字高程模型格网间距的选取及格网点高程中误差(m)

比例尺	格网间距	格网点高程中误差			
		平坦地	丘陵地	山地	高山地
1∶500	0.5	0.2	0.4	0.5	0.7
1∶1000	1.0	0.2	0.5	0.7	1.5
1∶2000	2.0	0.4	0.5	1.2	1.5
1∶5000	2.5	0.7	1.5	2.5	4.0

注:森林、沼泽等隐蔽地区数字高程模型的高程中误差不宜超过表中相应限差的 1.5 倍,内插点的高程中误差不宜超过表中相应限差的 2 倍。

5.1.8　数字正射影像图的主要技术要求应符合下列规定:

1　数字正射影像图地面分辨率不应大于表 5.1.8 的规定。

表 5.1.8　数字正射影像图地面分辨率(m)

比例尺	1∶500	1∶1000	1∶2000	1∶5000
影像地面分辨率	0.05	0.1	0.2	0.5

2　地物点的平面位置中误差,对于平坦地、丘陵地不应大于

图上 0.6mm，对于山地、高山地不应大于图上 0.8mm。

5.1.9 地形图的分幅和编号应符合下列规定：

1 地形图的分幅可采用正方形或矩形方式；

2 图幅的编号宜采用图幅西南角坐标的千米数表示；

3 带状地形图或小测区可采用顺序编号；

4 对于已施测过地形图的测区，也可沿用原有的分幅和编号。

5.1.10 凡绘制有国界线的地形图，必须符合国务院批准的有关国界线的绘制规定。

5.1.11 地形图的图式和要素分类代码的使用应符合下列规定：

1 地形图图式应符合现行国家标准《国家基本比例尺地图图式 第1部分：1∶500 1∶1000 1∶2000 地形图图式》GB/T 20257.1 和《国家基本比例尺地图图式 第2部分：1∶5000 1∶10000 地形图图式》GB/T 20257.2 的规定；

2 地形图要素分类代码宜按现行国家标准《基础地理信息要素分类与代码》GB/T 13923 执行；

3 图式和要素分类代码的不足部分可自行补充，并应编写补充说明。对于同一个工程或区域，应采用相同的补充图式和补充要素分类代码。

5.1.12 数字线划图、数字高程模型、数字正射影像图的成果文件命名宜按现行行业标准《基础地理信息数字成果数据组织及文件命名规则》CH/T 9012 的有关规定命名，数据存储格式宜符合现行国家标准《地理空间数据交换格式》GB/T 17798 的有关规定。

5.1.13 数字地形测量成果的质量检查应符合下列规定：

1 数字线划图应进行内外业质量检查，并应符合本标准第 5.8.11 条的规定；

2 数字高程模型应进行外业实测检查、统计精度，并应符合本标准第 5.9.6 条的规定；

3 数字正射影像图应进行数学基础、覆盖范围、影像清晰度、色彩均衡度、镶嵌拼接痕迹及地物点内业量测检查，并应符合本标准第 5.10.7 条的规定；

4 数字三维模型应进行模型数据的质量检查，并应符合本标准第 5.11.8 条的规定。

5.2 图根控制测量

5.2.1 图根平面控制和高程控制测量可同时进行，也可分别施测，图根点相对于邻近等级控制点的点位中误差不应大于图上 0.1mm，高程中误差不应大于基本等高距的 1/10。

5.2.2 对于小测区，图根控制可作为首级控制。

5.2.3 图根点点位标志宜采用木(铁)桩，当图根点作为首级控制或等级点不足时，每幅图应埋设一个标石。

5.2.4 一般地区图根点的数量不宜少于表 5.2.4 的规定。

表 5.2.4 一般地区图根点的数量

测图比例尺	图幅尺寸(mm)	图根点数量(个)	
		全站仪测图	RTK 测图
1∶500	500×500	2	1
1∶1000	500×500	3	1～2
1∶2000	500×500	4	2
1∶5000	400×400	6	3

注：表中所列数量指施测该幅图可利用的全部控制点数量。

5.2.5 图根平面控制测量可采用 RTK 图根测量、图根导线、极坐标法和边角交会法等。

5.2.6 RTK 图根控制测量的主要技术要求应符合下列规定：

1 RTK 图根控制测量可采用单基站 RTK 测量模式，也可采用网络 RTK 测量模式；作业时，有效卫星数不宜少于 6 个，多星座系统有效卫星数不宜少于 7 个，*PDOP* 值应小于 6，并应采用固定解成果；

2 RTK 图根控制点应进行两次独立测量，坐标较差不应大于图上 0.1mm，符合要求后应取两次独立测量的平均值作为最终成果；

3 RTK 图根控制测量的主要技术要求应符合表 5.2.6 的规定；

表 5.2.6 RTK 图根控制测量的主要技术要求

等级	相邻点间距离(m)	边长相对中误差	起算点等级	流动站到单基准站间距离(km)	测回数
图根	≥100	≤1/4000	三级及以上	≤5	≥2

注：对天通视困难地区相邻点间距离可缩短至表中数值的 2/3，边长较差不应大于 20mm。

4 RTK 图根控制测量的其他技术要求应符合本标准第 3.2.23 条～第 3.2.30 条的规定。

5.2.7 图根导线测量应符合下列规定：

1 图根导线测量宜采用 6″级仪器一测回测定水平角。主要技术要求不应超过表 5.2.7 的限差规定。

表 5.2.7 图根导线测量的主要技术要求

导线长度(m)	相对闭合差	测角中误差(″)		方位角闭合差(″)	
		首级控制	加密控制	首级控制	加密控制
$\leqslant \alpha \cdot M$	$\leqslant 1/(2000\times\alpha)$	20	30	$40\sqrt{n}$	$60\sqrt{n}$

注：1 α 为比例系数，取值宜为 1，当采用 1∶500、1∶1000 比例尺测图时，α 值可在1～2之间选用；

2 M 为测图比例尺的分母，但对于工矿区现状图测量，不论测图比例尺大小，M 应取值为 500；

3 施测困难地区导线相对闭合差，不应大于 $1/(1000\times\alpha)$。

2 在等级点下加密图根控制时，不宜超过 2 次附合。

3 图根导线的边长可采用全站仪单向施测。

5.2.8 对于难以布设附合导线的困难地区，可布设成支导线。支导线的水平角可用 6″级仪器观测左、右角各一测回，圆周角闭合差不应超过 40″。边长应往返测定，边长往返较差的相对误差不应大于 1/3000。图根支导线平均边长及边数不应超过表 5.2.8 的规定。

表 5.2.8 图根支导线平均边长及边数

测图比例尺	平均边长(m)	导线边数
1∶500	100	3
1∶1000	150	3
1∶2000	250	4
1∶5000	350	4

5.2.9 极坐标法图根点测量应符合下列规定：

1 宜采用 6″级仪器，应一测回测定角度、距离。

2 极坐标法图根点测量限差，不应超过表 5.2.9-1 的规定。

表 5.2.9-1 极坐标法图根点测量限差

半测回归零差(″)	两半测回角度较差(″)	测距读数较差(mm)	正倒镜高程较差(m)
≤20	≤30	≤20	≤ h_d /10

注：h_d为基本等高距(m)。

3 测量时，可与图根导线或二级导线一并测量，也可在等级控制点上独立测量。独立测量的后视点，应为等级控制点。

4 在等级控制点上独立测量时，可直接测定图根点的坐标和高程，并应将上、下两半测回的观测值取平均值作为最终观测成果，点位误差应符合本标准第 5.2.1 条的规定。

5 极坐标法图根点测量的最大边长，应符合表 5.2.9-2 的规定。

表 5.2.9-2 极坐标法图根点测量的最大边长(m)

比例尺	1∶500	1∶1000	1∶2000	1∶5000
最大边长	300	500	700	1000

6 使用前，应对观测成果进行校核。

5.2.10 图根补点可采用 RTK 图根测量，也可采用有校核条件的测边交会、测角交会、边角交会或内外分点法。当采用测边交会和测角交会时，交会角应在 30°～150°之间，观测限差应符合本标准表 5.2.9-1 的规定，分组计算所得的坐标较差不应大于图上 0.2mm。

5.2.11 图根高程控制可采用图根水准、电磁波测距三角高程和 RTK 图根高程测量方法。起算点的精度不应低于四等水准高程点。

5.2.12 图根水准测量的主要技术要求应符合表 5.2.12 的规定。

表 5.2.12 图根水准测量的主要技术要求

每千米高差全中误差(mm)	附合路线长度(km)	水准仪级别	视线长度(m)	观测次数		往返较差、附合或环线闭合差(mm)	
				附合或闭合路线	支水准路线	平地	山地
20	≤5	DS10	≤100	往一次	往返各一次	$40\sqrt{L}$	$12\sqrt{n}$

注：1 L 为往返测段、附合或环线的水准路线的长度(km)；n 为测站数；

2 水准路线布设成支线时，路线长度不应大于 2.5km。

5.2.13 图根电磁波测距三角高程测量的主要技术要求应符合表 5.2.13 的规定，仪器高和觇标高应精确量至 1mm。

表 5.2.13 图根电磁波测距三角高程测量的主要技术要求

每千米高差全中误差(mm)	附合路线长度(km)	仪器精度等级	中丝法测回数	指标差较差(″)	垂直角较差(″)	对向观测高差较差(mm)	附合或环形闭合差(mm)
20	≤5	6″级仪器	2	25	25	$80\sqrt{D}$	$40\sqrt{\sum D}$

注：D 为电磁波测距边的长度(km)。

5.2.14 RTK 图根高程控制测量作业方法，应独立进行 2 次高程测量，2 次独立测量的较差不应大于基本等高距的 1/10，符合要求后应取 2 次独立测量的平均值作为最终成果。其他技术要求应符合本标准第 5.2.6 条的规定。

5.2.15 图根控制测量内业计算和成果的取位要求应符合表 5.2.15的有关规定。

表 5.2.15 图根控制测量内业计算和成果的取位要求

各项计算修正值（″或 mm）	方位角计算值（″）	边长及坐标计算值（m）	高程计算值（m）	坐标成果（m）	高程成果（m）
1	1	0.001	0.001	0.01	0.01

5.2.16 RTK 图根控制测量成果的检查应符合下列规定：

1 检核点应均匀分布于测区的中部及周边。

2 检核方法可采用边长检核、角度检核或导线联测检核等，RTK 图根控制点检核限差应符合表 5.2.16 的规定。

表 5.2.16 RTK 图根控制点检核限差

等级	边长检核		角度检核		导线联测检核	
	测距中误差（mm）	边长较差的相对中误差	测角中误差（″）	角度较差限差（″）	角度闭合差（″）	全长相对闭合差
图根	20	1/2500	20	60	$60\sqrt{n}$	1/2000

注：n 为导线测量测站数。

3 外业检核也可采用已知点比较法、复测比较法等，并应按本标准公式（3.2.31）统计检核点的精度，检核点的点位中误差 M_{Δ} 不应大于图上 0.1mm，高程中误差不应大于基本等高距的 1/10。

5.3 测绘方法与技术要求

Ⅰ RTK 测图

5.3.1 RTK 测图应使用双频或多频接收机，仪器标称精度不宜低于 $10mm+5\times10^{-6}$；测图作业可采用单基站 RTK 测量方法，在已建立连续运行基准站系统的区域宜采用网络 RTK 测量方法。

5.3.2 作业前的准备工作应包括下列内容：

1 搜集测区的控制点成果、卫星定位测量资料及连续运行基准站系统的覆盖情况；

2 搜集测区的平面基准和高程基准的参数，应包括参考椭球参数、中央子午线经度、纵横坐标的加常数、投影面高程、平均高程异常等；

3 搜集卫星导航系统的地心坐标框架与测区地方坐标系的转换参数及相应参考椭球的大地高基准与测区的地方高程基准的转换参数；

4 网络 RTK 使用前，应在服务中心进行登记、注册，并应获得系统服务的授权。

5.3.3 转换关系的建立应符合下列规定：

1 基准转换可采用重合点求定三参数或七参数的方法进行；

2 坐标转换参数和高程转换参数的确定宜分别进行；坐标转换位置基准应一致，重合点的个数不少于 4 个，并应分布在测区的周边和中部；高程转换可采用卫星定位高程测量的方法，应按本标准第 4.4 节的有关规定执行；

3 坐标转换参数可应用测区卫星定位网二维约束平差所计算的参数；

4 对于大面积的测区，需要分区求解转换参数时，相邻分区不应少于 2 个重合点；

5 转换参数宜采取多种点组合方式分别计算，并应择优选取。

5.3.4 既有转换参数（模型）的应用应符合下列规定：

1 转换参数（模型）的应用，不应超越转换参数的计算所覆盖的范围；

2 正式使用前，应对转换参数（模型）的精度、可靠性进行分析和实测检查，检查点应分布在测区的中部和边缘；采用卫星定位实时动态图根控制测量方法检测，检测结果平面较差不应大于图上 0.1mm，高程较差不应大于等高距的 1/10；超限时，应分析原因，并应重新建立转换关系；

3 对于平原与山区的接边区域，应绘制高程异常等值线图，并应分析高程异常的变化趋势是否同测区的地形变化相一致。不一致时，应进行检查，超限时，应精确求定高程拟合方程；

4 网络 RTK 的平面坐标系与项目坐标系不兼容时，应通过校准建立转换关系。

5.3.5 单基站点位的选择应符合下列规定：

1 应根据测区面积、地形和数据链的通信覆盖范围，均匀布设基准站；

2 单基站站点的地势应宽阔，周围不得有高度角超过 15°的障碍物和干扰接收卫星信号或反射卫星信号的物体；

3 单基站的有效作业半径不应超过 10km。

5.3.6 单基站的设置应符合下列规定：

1 当基准站架设在已知点位时，接收机天线应对中、整平；对中偏差不应大于 2mm；天线高的量取应精确至 1mm；

2 应连接天线电缆、电源电缆和通信电缆等，电台天线宜设置在高处；

3 电台频率的选择，不应与作业区其他无线电通信频率冲突。

5.3.7 流动站的作业应符合下列规定：

1 流动站接收机天线高设置宜与测区环境相适应，变换天线高时应对手簿作相应更改；

2 流动站作业的有效卫星数不宜少于 6 个，多星座系统有效卫星数不宜少于 7 个，PDOP 值应小于 6，并应采用固定解成果；

3 应设置项目参数、天线高、天线类型、PDOP 和高度角等；

4 每点观测时间不应少于 5 个历元；

5 流动站的初始化，应在对空开阔的地点进行；

6 作业前,宜检测2个以上不低于图根精度的已知点;检测结果与已知成果的平面较差不应大于图上0.2mm,高程较差不应大于基本等高距的1/5;

7 若作业中,出现卫星信号失锁,应重新初始化,并应经重合点测量检查合格后,继续作业;

8 结束前,应进行已知点检查;

9 每日观测完成后,应转存测量数据至计算机,并应做好数据备份。

5.3.8 RTK测图分区作业时,应测出各区界线外图上5mm,其他技术要求应按本标准第5.3.15条规定执行。

5.3.9 不同基准站作业时,流动站应检测地物重合点,点位较差不应大于图上0.6mm,高程较差不应大于基本等高距的1/3。

5.3.10 对RTK采集的数据应进行检查处理,应删除或标注作废数据、重测超限数据、补测错漏数据。

Ⅱ 全站仪测图

5.3.11 全站仪测图所使用的仪器和软件应符合下列规定:

1 宜使用6″级全站仪,全站仪测距标称精度不应低于$10mm + 5\times10^{-6}$;

2 测图软件,应满足内业数据处理和图形编辑的要求;

3 宜采用通用格式存储数据。

5.3.12 全站仪测图的方法,可采用编码法、草图法或内外业一体化的实时成图法等。

5.3.13 全站仪测图的仪器安置及测站检核应符合下列规定:

1 仪器的对中偏差不应大于5mm,仪器高和棱镜高应量至1mm;

2 应选择远处的图根点作为测站定向点,并应施测另一图根点的坐标和高程,作为测站检核;检核点的平面位置较差不应大于图上0.2mm,高程较差不应大于基本等高距的1/5;

3 作业过程中和作业结束前,应对定向方位进行检查。

5.3.14 全站仪测图的最大测距长度应符合表5.3.14的规定。

表5.3.14 全站仪测图的最大测距长度(m)

比例尺	最大测距长度	
	地物点	地形点
1∶500	160	300
1∶1000	300	500
1∶2000	450	700
1∶5000	700	1000

5.3.15 数字地形外业测绘应符合下列规定：

1 当采用草图法作业时，应按测站绘制草图，并应对测点进行编号；测点编号应与仪器的记录点号相一致；草图的绘制，宜简化标示地形要素的位置、属性和相互关系等；

2 当采用编码法作业时，宜采用通用编码格式，也可使用软件的自定义功能和扩展功能建立用户的编码系统进行作业；

3 当采用内外业一体化的实时成图法作业时，应实时确立测点的属性、连接关系和逻辑关系等；

4 在建筑密集的地区作业时，对于仪器无法直接测量的点位，可采用支距法、线交会法等几何作图方法进行测量，并应记录相关数据。

5.3.16 数字外业测图可按图幅施测，也可分区施测。按图幅施测时，每幅图应测出图廓线外5mm；分区施测时，应测出各区界线外图上5mm。

5.3.17 每日观测完成后，宜将全站仪采集的数据转存至计算机，并应进行检查处理，应删除或标注作废数据、重测超限数据、补测错漏数据，应生成原始数据文件并应备份。

Ⅲ 地面三维激光扫描测图

5.3.18 地面三维激光扫描仪可应用于1∶500和1∶1000比例尺的地形图测量。

5.3.19 地面三维激光扫描测图在地形测绘中应依据测图的范围大小、地形类别等设置地面控制点，地面控制点数量、分布及点位精度应满足坐标高程系统转换和相应比例尺成图精度的需要。

5.3.20 作业前的准备工作应符合下列规定：

1 采样点间距，应依据区域类型及图上地物点的间距(点位)中误差按表 5.3.20 的规定进行设置。

表 5.3.20 采样点间距的设置要求(mm)

区域类型	地物点间距中误差	点位相对于临近控制点中误差	采样点间距
一般地区	0.6	≤0.8	≤0.2
城镇建筑区、工矿区	0.5	≤0.6	≤0.1
水域	1.2	≤1.5	≤0.3

2 应检查地面三维激光扫描仪各部件状态及连接情况、电源与内存容量、通电后的工作状态。

3 具有对中功能的地面三维激光扫描仪应进行对中检查。

4 外置同轴相机参数的检查，应包括相机主距、像主点、畸变参数、相对于扫描仪的安装姿态参数等的标定。

5.3.21 地面三维激光扫描作业应依地面控制测量、扫描站布测、标靶布测、设站扫描、外业数据检查与备份的流程进行。

5.3.22 标靶布设与观测应符合下列规定：

1 标靶应在扫描范围内均匀布置且高低错落，每一扫描站的标靶个数不应少于 4 个，相邻扫描站的公共标靶个数不应少于 3 个；

2 标靶位置宜采用全站仪测量，观测时，可在同一基准站(控制点)观测两测回，或在不同基准站(控制点)各施测一次，平面、高程较差均不应大于 50mm，应分别取平均值作为最终成果。

5.3.23 测站扫描应符合下列规定：

1 测站视野应开阔，并应有效覆盖扫描区域内的地物、地貌等；

2 大面积测区应分区扫描然后进行配准拼接，不同测站位置、不同视角的扫描区域的重叠度不宜小于20％；

3 测站可布设在高处，在扫描仪有效测程内扫描光束与地面的交角宜正交；

4 设置标靶时，应识别并扫描标靶；

5 项目需要时，宜在激光扫描的同期获取影像数据；

6 应记录扫描测站位置和扫描日期；

7 扫描过程中若出现断电、死机、仪器位置变动等情形，应初始化扫描仪，并应重新扫描；

8 扫描作业结束后，应将扫描数据转存至计算机，并应检查点云数据覆盖范围、标靶数据的完整性和可用性；对缺失和含有粗差的数据，应补扫；

9 受物体遮挡激光扫描区域没有激光点云数据时，可在现场选取另一处可通视位置作为辅助扫描基站进行补充扫描。

5.3.24 地面三维激光扫描数据处理应依点云拼接、坐标转换、降噪与抽稀、图像数据处理、彩色点云制作、三维建模、DEM制作、数字线划图生成等流程进行。数据处理的主要技术要求，应符合下列规定：

1 扫描点云可选择控制点、标靶或地物特征点进行拼接，应采用不少于3个同名点，拼接后同名点的点位中误差不应低于本标准表5.3.20中地物点间距中误差的1/2；

2 拼接后的点云数据应采用不少于4个均匀分布的已知点进行整体点云的坐标转换，定向残差应小于本标准表5.3.20中点位相对于临近控制点中误差的1/2，单测站点云数据的绝对定向可采用已知点和已知方位；

3 根据项目要求，可对点云数据进行降噪与抽稀，降噪处理应采用滤波或人机交互模式，抽稀不应影响目标物特征识别与提取，且抽稀后点间距应符合表5.3.20的规定；

4　图像数据处理应包括色彩调整、畸变纠正、图像配准和数据转换;色彩调整使得到反差适中、色彩一致;畸变纠正应消除视角或镜头畸变引起的图像变形;图像配准应做到图像细节清晰、无配准镶嵌缝隙;图像数据宜转换成通用数据格式;

5　可根据点云识别及可视化要求,利用扫描时获取的影像数据为点云着色,制作彩色点云数据;

6　应将需要建模区域的点云数据导入三维建模软件构建区域模型;

7　数字高程模型的制作宜包括地面点提取,特征点线提取,三角网(或规则格网)构建及模型内插、接边、镶嵌、裁切等,以及数字高程模型数据编辑与外业检查;

8　对内业无法判定点云数据的地物应进行外业核查和补测。

5.3.25　点云数据应检查重叠度、彩色影像、扫描标靶或特征点测量成果及坐标转换成果。

5.3.26　图形成果的检查应符合下列规定:

1　应对点云数据提取特征点,并应采用除地面三维激光扫描测图以外的其他测量方式按相应比例尺地形碎部点测量精度测设检查点;

2　平面、高程检查点的位置宜均匀分布;

3　每个扫描区域检查点不应少于30个,统计检查点的平面、高程点位中误差应符合本标准表5.3.20的规定。

Ⅳ　移动测量系统测图

5.3.27　移动测量系统作业应符合下列规定:

1　应保障设备工作正常,出现不正常情况时应做好记录;

2　对于环境遮挡或无法进入的路段应做好记录,现场条件允许时,应补采;

3　恶劣天气出现时,应停止作业并应对系统设备采取防护措施;

4　应将采集的数据转存至计算机,并应检查数据质量、进行数据备份。

5.3.28 移动测量系统作业前的准备工作宜包括资料收集与分析、现场踏勘、设备校验、技术设计、路线规划、控制测量、基准站设计等内容。

5.3.29 移动测量系统的校验应符合下列规定：

1 作业前，应采用室外检验场实测 POS 系统、激光扫描仪、相机的基本参数及相对位置关系；

2 绝对标定距离应根据项目测距范围确定，不宜小于 20m，激光雷达标定点密度不宜小于 $50p/m^2$；

3 检校限差应满足平面位置较差不大于 50mm 和高程较差不大于 50mm 的要求；

4 可量测相机内方位元素不应低于 0.5 像素；

5 可量测相机姿态位置的线元素不应大于 10mm，角元素不应低于 0.01°；

6 激光扫描仪姿态位置的线元素不应大于 10mm，角元素不应低于 0.01°。

5.3.30 移动测量系统的路线规划应兼顾测区道路交通情况、卫星导航定位信号的接收情况和太阳方位角，并应符合下列规定：

1 路线规划应包括初始化位置、结束位置、行进路线、移动速度、保障措施等；

2 宜先沿主要道路、河流，再沿次要道路、支流规划外业采集路线；

3 采集时，宜沿直行道路采集，双向通行道路宜往返采集，并不应重复；

4 作业时段，宜选择晴天和无拥堵的时间段采集；

5 在导航定位卫星信号无法满足观测精度要求的区段，应布设地面控制点。

5.3.31 移动测量系统的基准站宜选择连续运行基准站。当需自行布设基准站时，宜在已知点上架设双基准站，精度不应低于一级，有效作业半径宜小于10km，视场内障碍物的高度角不宜大于15°。

5.3.32 基准站作业应符合下列规定：

1 基准站观测时间段应覆盖移动测量系统的数据采集时间，数据采样间隔不应大于1s；

2 基准站的值守人员不可离开站点，应阻止无关人员和车辆靠近，并应防止基准站受到震动或被移动；

3 作业期间不得改变基准站天线的位置和高度，也不得在基准站旁使用手机、对讲机等无线电通信设备。

5.3.33 移动测量系统数据采集作业前，应检查车辆与供电设备状态、各组件连接与工作状态、数据存储和备份空间、卫星定位测量基准站状态，应在满足要求后开始数据采集。

5.3.34 定位定姿数据采集应符合下列规定：

1 作业前，应采用静态或动态方式进行IMU初始化，初始化地点应对空开阔、无遮挡、无高压线或高压铁塔，并应避开水塘和桥梁；

2 初始化作业应满足导航定位有效卫星数不少于6颗，PDOP小于6的要求；

3 数据采集结束后应检查数据完整性，应对临时基准站的点位进行标识。

5.3.35 实景影像采集应符合下列规定：

1 影像采集不得逆光；

2 进出隧道、立交桥等光线变化较大的区段时，应降低车速并应调整曝光、增益等参数；

3 影像采集宜采用距离触发方式，并应根据影像采集设备的性能控制采集速度；曝光间距应满足项目对影像的要求。

5.3.36 视频采集时，应在临时停车时暂停视频采集，保密区域应做录音说明。

5.3.37 激光点云采集应符合下列规定：

1 激光数据的回波比例不低于90%；

2 应根据激光扫描仪的性能控制采集速度；

3 点云密度应满足项目要求。

5.3.38 数据处理流程宜包括对定位定姿数据、实景影像、全景影像、视频、激光点云等数据的预处理与数据融合处理；处理后数据文件的组织与存储管理，应符合现行行业标准《车载移动测量数据规范》CH/T 6003 的有关规定。

5.3.39 定位定姿数据处理应符合下列规定：

1 可选取距当前测量区域最近的卫星定位测量基准站数据进行解算，也可采用多基站数据联合平差；卫星导航系统与惯性测量单元联合平差中误差要求，宜符合表5.3.39的规定。

表5.3.39 卫星导航系统与惯性测量单元联合平差中误差要求

项　　目	中　误　差
平面位置	≤0.03m
高程	≤0.06m
侧滚角	≤0.03°
俯仰角	≤0.03°
行车方向偏角	≤0.05°

2 在导航定位卫星信号弱或者失锁的情况下，可采取地面控制点纠正的方法。

3 应输出定位定姿精度、初始化参数等信息。

4 应根据工程要求和实际测量情况进行控制点纠正。

5 组合导航定位数据处理结果，应满足项目要求。

5.3.40 实景影像数据处理应符合下列规定：

1 实景影像应包含坐标和时间信息，可量测实景影像还应包含姿态信息；

2 应根据项目要求进行匀光匀色处理；

3 应根据项目要求进行加密和隐私处理。

5.3.41 全景影像与视频数据处理应符合下列规定：

1 全景影像的拼接错位不应大于5个像素；

2 视频数据、全景影像应匹配坐标和时间信息，全景影像还可匹配姿态信息；

3 应根据项目要求进行匀光匀色处理；

4 应根据项目要求进行加密和隐私处理；

5 车载可定位视频的数据精度，平面精度应小于2m，高程精度应小于5m；

6 车载作业时的动态测量，车载全景影像测量精度，宜符合表5.3.41的规定。

表 5.3.41 车载全景影像测量精度(m)

级别	平面精度	高程精度	相对量测精度
1级	0.5	1.0	0.2
2级	5.0	10.0	0.2

5.3.42 激光点云数据处理应符合下列规定：

1 激光点云应包含绝对坐标和时间信息；

2 应对激光点云进行噪声处理，噪声率不应高于5%；

3 车载激光扫描数据精度应符合表5.3.42的规定。

表 5.3.42 车载激光扫描数据精度(m)

级别	平面精度	高程精度	距离范围
1级	0.05	0.05	50
2级	0.1	0.1	100
3级	0.2	0.2	200

5.3.43 点云与影像的融合应依据相机外方位元素和点云坐标计算和查找与点云精确对应的影像值。

5.3.44 地理要素的采集应符合下列规定：

1 地理要素的分类与代码应符合现行国家标准《基础地理信息要素分类与代码》GB/T 13923的有关规定；

2 宜采用交互立体量测模式，采集管线、管线井、独立树、电线杆、电力线等独立地物要素和线要素；

3 宜采用切片投影方式，采集房屋、道路、植被、河流等线状、面状地物要素；

4 应根据矢量要素类型、位置，设置切片点云的层数、厚度；

5 应根据切片点云，描绘编辑矢量要素。

5.3.45 移动测量系统外业数据采集结束后，应进行数据检查，检查内容宜包括点云精度、全景影像与点云配准精度、全景影像质量及数量、测区覆盖情况和工程之间叠加检查情况等。数据应在检查合格后进行内业采集提取。

V 低空数字摄影测图

5.3.46 低空数字摄影可适用于1∶500、1∶1000、1∶2000、1∶5000航测成图，1∶500航测成图宜采用倾斜摄影测量方法获取地面影像。

5.3.47 低空数字摄影飞行器宜具备卫星导航或定位定姿的功能，飞行器有效载荷、续航能力、巡航速度应满足项目的要求。

5.3.48 低空数字摄影数码相机的成像探测器面阵不应低于2000万像素，最高快门速度不应大于1/1000秒，相机镜头应为定焦镜头，且应对焦无限远。

5.3.49 低空数字摄影相机应进行检校，相机检校参数应包括像主点坐标、主距和畸变差方程系数。

5.3.50 低空摄影的飞行质量，主要应包括像片倾角、像片旋角、航线弯曲度、航高保持、像片重叠度、摄区边界覆盖等，应符合国家现行标准《工程摄影测量规范》GB 50167和《低空数字航空摄影规范》CH/Z 3005的有关规定。

5.3.51 进行低空数字摄影作业时，必须制订飞行器安全应急预案，且必须遵守国家对低空空域使用管理的规定。

5.3.52 低空数字航摄影像的质量应符合下列规定：

1 影像应能辨认出与地面分辨率相适应的细小地物影像，并应能建立立体模型；

2 影像上不应有云、云影、烟、局部反光、污点等缺陷；若影像存在缺陷，不应影响立体模型的连接和立体采编；

3 在曝光瞬间，因飞机飞行造成的像点位移不宜大于1个像素，并不应大于1.5个像素；

4 拼接影像宜无模糊、重影和错位现象。

5.3.53 像控点布设和空中三角测量的主要技术要求应符合下列规定：

1 像控点布设可根据航线数目选用航线网布点或区域网布点；

2 像控点测量可采用导线测量、卫星定位测量或RTK测量，测量的技术要求应符合本标准第5.2节的有关规定；

3 空中三角测量应包括航摄影像的内定向、相对定向、绝对定向和网平差计算等，对于具有卫星导航定位和惯性测量单元的辅助空中三角测量，在网平差时应导入摄站坐标、像片外方位元素进行联合平差；

4 像控点布设和空中三角测量的其他技术要求应符合现行国家标准《工程摄影测量规范》GB 50167的有关规定；

5 当采用具有实时动态辅助导航功能或后处理动态功能的低空数字摄影飞行器时，像控点数量可减少。

5.3.54 低空数字摄影的数据质量检查应进行飞行质量检查、POS数据检查、影像质量检查等。应在检查合格后进行内业的数据采集。

5.3.55 内业测图应符合本标准第5.8.12条～第5.8.17条的有关规定。

Ⅵ 机载激光雷达扫描测图

5.3.56 机载激光雷达数据获取应根据激光雷达和数码相机的技术参数及项目精度要求进行设计，并应符合下列规定：

1 航线旁向重叠设计不宜小于20%，最低不应小于10%；旋偏角不宜大于 15°,最大不应超过 25°。

2 航高设计应兼顾影像分辨率、点云密度、地形起伏以及激光测程等因素。

3 航线数据文件应包括航线号、航带顺序及系统工作参数等信息。

4 航线布设宜在中高分辨率、具有空间地理定位的遥感影像和数字高程模型上进行。

5 机载激光雷达测图相对航高和点云密度宜根据设备性能和项目要求确定,并应符合表 5.3.56 的规定。

表 5.3.56 机载激光雷达测图相对航高和点云密度的要求

相应比例尺	扫描航高(m)	DEM 格网间距(m)	扫描点云密度(点/m^2)
1∶500	500	0.5	≥16
1∶1000	1000	1.0	≥4
1∶2000	2000	2.0	≥1
1∶5000	3000	2.5	≥1

6 激光点精度应符合本标准第 5.1.6 条有关点位精度和高程精度的规定。森林或弱反射率地区,激光点的精度不宜超过相应限差的 1.5 倍。

5.3.57 机载激光雷达扫描定位应符合下列规定:

1 机载激光雷达扫描定位宜采用单基站 RTK 技术,也可采用网络 RTK 技术;基准站间距宜为 15km～30km,特殊情况下,站间距不应超过 50km;

2 卫星定位的数据采样间隔不宜大于 1s,同步观测的有效卫星数不少于 5 颗;PDOP 值不应大于 6,卫星定位宜采用载波相位实时动态差分模式,并应采用双差固定解成果;

3 地面基准站点不宜低于一级控制点的精度。

5.3.58 检校场的布设与检校飞行应符合下列规定:

1 机载激光雷达检校场布设应包含平坦裸露地形,以及建筑物或突出地物、道路拐角点和高反射率的地物等；

2 在机载激光雷达扫描作业开始时和结束前应进行检校飞行；当拆卸安装机载激光雷达设备或更换部件后，也应进行检校飞行。检校飞行应按现行行业标准《机载激光雷达数据获取技术规范》CH/T 8024 的有关规定执行。

5.3.59 机载激光雷达扫描的飞行应符合下列规定：

1 激光雷达扫描测量前，应通过检校飞行精确测定激光扫描仪、惯性导航仪(IMU)和数码相机的偏心分量，应精确至10mm；

2 起飞前，应检查飞行控制系统、激光雷达、数码相机、卫星定位接收机天线及惯性导航仪(IMU)等设备及控制软件的工况；

3 应设置激光雷达设备的扫描镜摆动角度、扫描频率、脉冲等参数；应设置数码相机的曝光度、快门速度、ISO值等参数；

4 飞机进入预设航线获取测区点云与影像数据时，应观察设备的运行状态调整相关设备参数；

5 飞行速度应根据项目精度要求、仪器设备性能指标、地形起伏等情况确定。整个测区的飞行速度宜保持一致；

6 在一条航线内，航高变化不应超过相对航高的10%，实际航高不应超过设计航高的10%；

7 航线俯仰角、侧翻角不宜大于2°，最大不应超过4°；航线弯曲度不应大于3%；

8 每架次飞行结束后，应根据数据整理清单，应填写数据质量检查记录表，并应包括成果数据、航飞记录表和初步检查记录表。

5.3.60 机载激光雷达扫描数据应根据POS数据、激光测距数据、系统检校数据、地面基站数据联合解算激光点云数据进行处理，并应将建(构)筑物、植被等非地面点与地面点分离。

5.3.61 机载激光点云数据宜转换为用户坐标系和用户高程系，测区平面坐标转换可按本标准第3.2.23条第3款、第4款的规定执行；测区卫星定位高程测量计算可按照本标准第4.4节的有关规定执行。

5.3.62 机载激光雷达扫描的数据质量检查应包括地面基站数据、POS数据、激光点云数据精度、影像数据质量等内容。

5.4 一般地区地形测图

5.4.1 一般地区地形测量宜采用RTK测图，也可采用全站仪测图。

5.4.2 各类建(构)筑物及主要附属设施应进行测绘，并应符合下列规定：

1 居民区可根据测图比例尺大小或用图需要确定测绘内容和取舍范围；

2 建(构)筑物宜用外轮廓表示，房屋外廓宜以墙角为准。当建(构)筑物轮廓凸凹部分在1∶500比例尺图上小于1mm或在其他比例尺图上小于0.5mm时，可用直线连接；

3 对于1∶500、1∶1000比例尺测图宜注明建筑物的结构和层数，对于1∶2000、1∶5000比例尺测图宜注明层数；

4 临时性建筑可不测绘。

5.4.3 独立性地物的测绘，对于能依比例尺表示的，应实测外廓并应填绘符号；对于不能依比例尺表示的，应表示独立性地物的定位点或定位线。

5.4.4 管线转角部分应实测。居民区的低压电力线和通信线，可选择主干线测绘；当管线直线部分的支架、线杆和附属设施交错时，可取舍；当多种线路在同一杆柱上时，应择要表示。

5.4.5 交通及附属设施应按实际形状测绘。铁路应测注轨面高程，在曲线段应测注内轨面高程；涵洞应测注洞底高程。对于1∶2000及1∶5000比例尺地形图，可适当舍去火车站范围内的附属设施。小路可选择测绘。

5.4.6 水系及附属设施应按实际形状测绘，水涯线宜按当日水位测定，并应记录和标注观测日期。堤、坝应测注顶部及坡脚高程；

水井应测注井台高程；水塘应测注塘顶边及塘底高程。当河沟、水渠在地形图上的宽度小于1mm时，可用单线表示。

5.4.7 地貌宜用等高线表示。崩塌残蚀地貌、坡、坎和其他地貌，可用相应符号表示。山顶、鞍部、凹地、山脊、谷底及地形变换处，应测注高程点。露岩、独立石、土堆、陡坎等，应注记高程或比高。

5.4.8 植被的测绘应按植被的经济价值和面积大小取舍，并应符合下列规定：

1 农业用地的测绘可按稻田、旱地、菜地、水生作物地、经济作物地等进行区分，并应配置相应符号；

2 地类界与线状地物重合时，可只绘线状地物符号；

3 梯田坎的坡面投影宽度在地形图上大于2mm时，应实测坡脚；小于2mm时，可量注比高；当两坎间距在1∶500比例尺地形图上小于10mm、在其他比例尺地形图上小于5mm时或坎高小于基本等高距的1/2时，可做取舍；

4 稻田应测出田间的代表性高程，当田埂宽在地形图上小于1mm时，可用单线表示。

5.4.9 地形图上各种名称的注记，应采用现有的法定名称。

5.5 城镇建筑区地形测图

5.5.1 城镇建筑区地形测量宜采用全站仪测图，也可采用RTK辅助全站仪测图。

5.5.2 各类建(构)筑物、管线、交通等及附属设施和独立性地物的测量应按本标准第5.4.2条～第5.4.5条执行。

5.5.3 房屋、街巷的测量，对于1∶500和1∶1000比例尺地形图，应分别实测；对于1∶2000比例尺地形图，小于1m宽的小巷，可做合并；对于1∶5000比例尺地形图，小巷和院落连片的，可合并测绘。街区凸凹部分的取舍，可根据用图需要和实际情况确定。

5.5.4 各街区单元的出入口及建筑物的重点部位应测注高程点；主要道路中心在图上每隔50mm处和交叉、转折、起伏变化处，应测注高程点;各种管线的检修井,电力线路、通信线路的杆(塔),架空管线的固定支架,应测出位置并测注高程点。

5.5.5 对于地下建(构)筑物,可只测量地下建(构)筑物出入口和地面通风口位置、高程。

5.5.6 小城镇的测绘宜符合本标准第 5.4 节的规定,街巷的取舍宜符合本标准第 5.5.3 条的规定。

5.6 工矿区现状图测量

5.6.1 工矿区现状图测量宜采用全站仪测图,也可采用 RTK 辅助全站仪测图。测图比例尺宜采用 1∶500 或 1∶1000。

5.6.2 建(构)筑物宜测量主要细部坐标点及有关元素。细部坐标点的取舍,应根据工矿区建(构)筑物的疏密程度和测图比例尺确定。建(构)筑物细部坐标点测量的位置可按表 5.6.2 选取。

表 5.6.2 建(构)筑物细部坐标点测量的位置

类别		坐标	高程	其他要求
建(构)筑物	矩形	主要墙角	主要墙外角、室内地坪	—
	圆形	圆心	地面	注明半径、高度或深度
	其他	墙角、主要特征点	墙外角、主要特征点	—
地下管道		起、终、转、交叉点的管道中心	地面、井台、井底、管顶下水测出入口管底或沟底	经委托方开挖后施测
架空管道		起、终、转、交叉点的支架中心	起、终、转、交叉点、变坡点的基座面或地面	注明通过铁路、公路的净空高

续表 5.6.2

类别	坐标	高程	其他要求
架空电力线路、电信线路	铁塔中心,起、终、转、交叉点杆柱的中心	杆(塔)的地面或基座面	注明通过铁路、公路的净空高
地下电缆	起、终、转、交叉点的井位或沟道中心,入地处、出地处	起、终、转、交叉点,入地点、出地点、变坡点的地面和电缆面	经委托方开挖后施测
铁路	车档、岔心、进厂房处、直线部分每 50m 一点	车档、岔心、变坡点、直线段每 50m 一点、曲线内轨每 20m 一点	—
公路	干线交叉点	变坡点、交叉点、直线段每 30m ~ 40m 一点	—
桥梁、涵洞	大型的四角点,中型的中心线两端点,小型的中心点	大型的四角点,中型的中心线两端点,小型的中心点、涵洞进出口底部高	—

注:1 建(构)筑物轮廓凸凹部分大于 0.5m 时,应丈量细部尺寸;
2 厂房门宽度大于 2.5m 或能通行汽车时,应实测位置。

5.6.3 细部坐标点的测量应符合下列规定:

1 细部坐标宜采用全站仪坐标法或卫星定位实时动态 RTK 法施测,细部高程可采用水准测量或电磁波测距三角高程的方法施测。当细部坐标点存在偏心观测时,应对观测值进行归心改正。细部测量精度应满足本标准表 5.1.6-3 的要求。成果取值应精确至 0.01m。

2 细部坐标点的检核,可采用丈量间距或全站仪对边测量的方法，也可采用 RTK 重复测量。两相邻细部坐标点间，反算距离与检核距离的较差，不应超过表 5.6.3 的规定；重复测量点位的较差不超过本标准表 5.1.6-3 的要求。

表 5.6.3 反算距离与检核距离较差的限差(mm)

类　别	主要建(构)筑物	一般建(构)筑物
较差的限差	$70+S/2000$	$100+S/2000$

注：S 为两相邻细部点间的距离，单位为 mm。

3 细部坐标点的综合信息，宜在点或地物的属性中进行表述。当不采用属性表述时，应对细部坐标点进行分类编号并应编制细部坐标点成果表；当细部坐标点的密度小时，可直接将细部坐标或细部高程注记于图上。

5.6.4 工矿区其他地物、地貌的测量宜符合本标准第 5.4 节、第 5.5 节的有关规定。

5.6.5 工矿区应绘制现状总图。当有专项工程需要或现状总图中图面负载大且管线密集时，可分类绘制专业图。绘制的技术要求应按本标准第 9.2.4 条～第 9.2.7 条的规定。

5.7 水域地形测量

5.7.1 水深测量宜采用有模拟记录的单波束回声测深仪或多波束测深系统。测深点定位可采用卫星定位 RTK/RTD 测量法、无线电定位法、交会法、极坐标法、断面索法等。

5.7.2 水深测量方法应根据水下地形状况、水深、流速和测深设备选择，测深点的深度中误差，不应超过表 5.7.2 的规定。

表 5.7.2 测深点深度中误差

水深范围(m)	测深仪器或工具	流速(m/s)	测点深度中误差(m)
0～4	宜用测深杆或测深锤	—	0.10
0～10	测深锤或测深仪	<1	0.15
1～10	测深仪	—	0.15

续表 5.7.2

水深范围(m)	测深仪器或工具	流速(m/s)	测点深度中误差(m)
10～20	测深仪或测深锤	<0.5	0.20
>20	测深仪	—	H×1.5%
<500	多波束测深系统	—	0.3～H×2%

注:1 H 为水深(m);

2 水底树林和杂草丛生水域不宜使用回声测深仪;

3 当精度要求低、水下地形地貌条件困难区域、用测深锤测深流速大于表中规定或水深大于20m时,测点深度中误差不宜超过表中相应限差的2倍。

5.7.3 测深点的布设应符合下列规定:

1 测深点宜按断面布设;

2 单波束测深主测深线宜垂直于等深线总方向或岸线;

3 多波束扫测主测深线方向宜平行于河道走向;

4 单波束测深断面间距宜为图上20mm,测深点间距宜为图上10mm～40mm,地形起伏变化时,应加密标注特征点;多波束断面间距应根据水下地形和水深计算,有效扫测应全覆盖整个测区;有专项工程需要时,可根据工程需要加密。

5.7.4 水域地形测量与陆上地形测量应互相衔接。作业应利用岸上经检查合格的控制点;当控制点的密度不满足本标准要求时,应加密布设控制点。

5.7.5 水域地形测量时,必须针对测区内存在的礁石、沉船、水流和险滩等的测量,制订应急预案并采取安全应对措施。当遇有大风、大浪时,必须停止水上测量作业。

5.7.6 水尺的设置应符合下列规定:

1 水尺的位置应避开回流、壅水、行船和风浪的影响,尺面应顺流向岸;

2 水尺的密度应据现场比降和潮汐变化情况布设,普通地段1.5km～2.0km应设置一把水尺;山区峡谷、急流滩险河段及海域潮汐变化地段,300m～500m应设置一把水尺;

3 河流两岸水位差大于 0.1m 时，应在两岸设置水尺；

4 小范围测区且水面平静时，可不设置水尺，但应于作业前后测量水面高程；

5 当测区距离岸边远且岸边水位观测数据不足以反映测区水位时，应增设水尺。

5.7.7 水位观测的技术要求应符合下列规定：

1 水尺零点高程的联测，不应低于图根水准测量的精度；

2 作业期间应对水尺零点高程进行检查；

3 水深测量时的水位观测宜提前 10min 开始，并宜推迟 10min 结束；作业中，应按一定的时间间隔持续观测水尺，时间间隔应根据水情、潮汐变化和测图精度要求调整，以 10min～30min 为宜；水面波动时，宜读取峰、谷的平均值，读数应精确至 10mm；

4 当水位的日变化小于 0.2m 时，可于每日作业前后各观测一次水位，应取平均值作为水面高程。

5.7.8 测深仪测深应符合下列规定：

1 工作电压与额定电压之差，直流电源不应超过 10%，交流电源不应超过 5%；

2 实际转速与规定转速之差不应超出 ±1%，超出时应修正；

3 电压与转速调整后，应在深、浅水处做停泊与航行检查，当有误差时，应绘制误差曲线图；

4 测深仪换能器可安装在船身前部 1/3～1/2 位置处，入水深度宜为 0.3m～0.8m，入水深度应精确量至 10mm；

5 定位中心应与测深仪换能器中心设置在一条垂线上，偏差不得超过定位精度的 1/3，超过时，应进行偏心改正；

6 每次测量前后，应在测区平静水域进行测深比对，并应求取测深仪的总改正数；比对可选用其他测深工具进行；对既有模拟记录又有数字记录的测深仪进行检查时，应使数字记录与模拟记录一致，二者不一致时，应以模拟记录为准；

7 测深过程应实测水温及水中含盐度，并应进行深度改正；

8　测量过程中船体前后左右摇摆幅度不宜过大；当风浪引起测深仪记录纸上的回声线波形起伏值，在内陆水域大于 0.3m、海域大于 0.5m 时，宜暂停测深作业。

5.7.9　采用多波束测深系统测深应符合下列规定。

1　姿态仪的安装应能反映测船或多波束换能器的位置，姿态仪的方向线应平行于船的首尾线；

2　罗经应安装在测船的首尾线上，读数零点应指向船首；

3　系统各配套设备的传感器位置与测量船参考坐标系原点的偏移量应测量，读数应精确至 0.01m；

4　校准区域的平均水深应大于或等于测区的最大水深，有条件时，应选择在实施过多波束或大比例单波束加密测量的水域；校准项目应包括时延、横摇倾角、纵摇倾角、艏摇；

5　多波束测深应保证测量时换能器的姿态与校准时的姿态相同；系统的校准参数应由两人以上分别计算；参数一经确定，不得随意修改；系统中设备安装位置变动或更换设备后应重新进行校准；

6　水深测量前，应在不浅于测区水深的平坦水域进行多波束测深正交比对和用单波束进行校核，比对互差不应大于本标准表 5.7.16 中的限值；

7　测量作业时应实时监测各个传感器回波信号质量，不符合要求时应停止作业；

8　测深检查线应垂直主测线布设，测深检查线长度不得少于总测线长度的 1%。当采用多波束测深系统做检查线测量时，应使用中心区域的波束。使用单波束测深仪做检查线测量时，宜配备姿态传感器。

5.7.10　交会法、极坐标法定位应符合下列规定：

1　测站点的精度不应低于图根点的精度；

2　作业中和结束前，应检查起始方向，方向偏差不应超过 $1'$；

3 交会法定位的交会角宜为30°～150°。

5.7.11 断面索法定位，索长的相对误差应小于1/200。

5.7.12 无线电定位应根据仪器的实际精度、测区范围、精度要求及地形特征配置岸台，岸台的个数及分布应满足水域地形测图的需要。

5.7.13 水深测量定位宜采用卫星定位实时动态RTK技术，也可采用实时码差分RTD技术；当定位精度符合工程要求时，还可采用后处理载波相位差分技术。RTK技术对水深测量进行定位的主要技术要求应符合下列规定：

1 基准站点位的选择和设置应符合本标准第5.3.5条、第5.3.6条的规定，作业半径不宜超过20km；

2 流动天线应安置在船侧较高处并应与金属物体绝缘，天线位置宜与测深仪换能器处于同一垂线上；

3 流动接收机作业的有效卫星数不宜少于5颗，PDOP值应小于6；

4 流动接收机的测量模式、基准参数、转换参数和数据链的通信频率等，应与基准站一致，并应采用双差固定解成果；

5 水深测量作业前、结束后，应将流动卫星定位接收机安置在控制点上进行定位检查；

6 定位数据与测深数据应同步，不同步时，应进行延时改正。

5.7.14 当采用RTK实时定位三维水深测量时，应符合本标准第5.7.13条的规定，并应符合下列规定：

1 当测区在控制网覆盖范围之内时，转换参数可利用测区内分布均匀的4个及以上控制点求得。

2 沿海地区当控制网不能覆盖测区时，可采用海上临时定点水位站的水位对RTK水位进行修正。

3 内河、山区的带状测区，参与转换计算的控制点间距宜小于5km，并应按两岸交叉分布。控制点间的高差不宜大于50m。

4 宜采用三维姿态传感器对横摇、纵摇进行姿态改正，卫星定位天线高应量至换能器底部并应精确至10mm。

5 宜采用同时兼容RTK三维水深测量自动化成图和传统水位观测模式下水深测量自动化成图的测量软件,并可提取RTK水位。

6 水深测量前,应把流动站架设到未参与转换计算的等级控制点上进行检测比对,平面坐标较差不应大于50mm,高程较差的限值,应按下式计算:

$$\Delta_h = 30\sqrt{D} \tag{5.7.14}$$

式中:Δ_h——高差较差的限值(mm);

D——基准站到检查点的距离(km)。

7 RTK定位数据的更新率不应小于10Hz。

8 作业时,应实时监测PDOP值和RTK定位状态,记录数据应为RTK固定解。

9 应控制船速,不得突然加速、减速和大角度转弯。在气象、海况恶劣、影响RTK解算时,应停止作业。

5.7.15 当采用无人测量船水域地形测量系统作业时,应满足本标准第5.7.13条、第5.7.14条、第5.7.5条的有关规定。

5.7.16 测深过程中或测深结束后,应对测深断面进行检查。检查断面与测深断面宜垂直相交,检查点数不应少于5%。检查断面与测深横断面相交处,图上1mm范围内水深点的深度检查较差,不应超过表5.7.16的规定。

表5.7.16 图上1mm范围内水深点的深度检查较差

水深 H(m)	$H\leqslant 20$	$H>20$
深度检查较差的限差(m)	0.4	$0.02\times H$

5.8 数字线划图

5.8.1 数字线划图(DLG)的数据源可采用全野外采集、摄影测量、移动测量系统、地面三维激光扫描、机载激光雷达扫描、纸质地形图扫描数字化等方法获取，作业技术要求应按本标准第5.3节的有关规定执行。

5.8.2 成图软件的选用应符合下列规定：

1 首次使用前，应对软件的功能、图形输出的精度进行测试，并应在满足本标准要求和工程需要后投入使用；

2 数据的传输通信应具有通用数据接口，数据格式应为通用格式或可转换为通用格式；

3 成图软件的线划与符号，应符合国家现行有关图式图例标准的规定。

Ⅰ 全野外数字测图

5.8.3 全野外采集数据的处理应符合下列规定：

1 全野外采集数据应转存至计算机并应生成原始数据文件；部分测量数据也可采用键盘输入，但应进行检查；

2 应采用数据处理软件，应将原始数据文件中的控制测量数据、地形测量数据和检测数据进行分类，并应分别进行处理；

3 对全野外采集数据的处理，可增删和修改测点的编码、属性和信息排序等，但不得修改三维坐标数据；

4 生成等高线时，应确定地性线的走向和断裂线的封闭。

5.8.4 图形要素应分层表示，同一工程的分层方法和图层的命名宜采用统一格式，也可根据工程需要对图层部分属性进行修改。

5.8.5 使用数据文件自动生成的图形或使用批处理软件生成的图形，应对生成的图形进行人机交互式图形编辑。

5.8.6 轮廓符号的编辑应符合下列规定：

1 依比例尺编辑的轮廓符号应保持轮廓位置的精度；

2 半依比例尺编辑的线状符号应保持主线位置的几何精度；

3 不依比例尺编辑的符号应保持主点位置的几何精度。

5.8.7 等高线的编辑应符合下列规定：

1 应满足精度要求，线划均匀、光滑；

2 当图上的等高线遇双线河、渠和不依比例尺编辑的符号时，应中断。

5.8.8 地形图的分幅应符合本标准第5.1.9条的规定，并应符合下列规定：

1 分区施测的地形图应进行图幅裁剪；分幅裁剪时，应对图幅边缘的数据进行检查、编辑；

2 分区编辑的地形图应对区域接边数据进行检查和编辑；分区接边误差不应大于本标准表5.1.6-1和表5.1.6-2规定值的$2\sqrt{2}$倍，小于规定值时，可平均配赋；超过规定值时，应实地检查和修改；

3 图廓及坐标格网编辑应采用成图软件自动生成。

5.8.9 各类建(构)筑物及主要附属设施、交通及附属设施、管线、水系及附属设施、植被、境界线、注记等的编辑要求，应按本标准第5.8.15条第3款～第10款的有关规定执行。

5.8.10 数字线划图的编辑检查应包括图形的连接关系、各种注记的位置、等高线的编辑、地形及地物的属性信息等内容。

5.8.11 数字线划图编辑处理完成后，应按相应比例尺打印地形图样图，并应进行内外业检查和绘图质量检查。外业检查应采用实地全面对照与实测检查相结合的方法，实测检查可采用RTK法，也可采用全站仪测图法。实测检查量不宜少于测图工作量的5%，检查的统计结果，应符合本标准表5.1.6-1～表5.1.6-3的规定。

Ⅱ 数字摄影测图

5.8.12 数字摄影测量的定向建模应符合下列规定：

1 若有摄影测量加密成果宜选择加密成果导入建模；若已知左、右像片内外方位元素宜选择安置内外方位元素直接自动完成像对定向建模；全野外布点宜选择单模型定向进行建模；没有像对内外方位元素的定向建模，宜采用已有加密成果，完成内定向、相对定向和绝对定向；

2 对推扫式航摄影像的摄影测量加密成果进行定向矩阵导

入建模时，宜将大区域划分成小模块；

3 相邻模型的作业区边界应无缝拼接；相邻区域网接边时，相邻区域网的同名点坐标，应满足精度要求；

4 裁切的核线影像与相对定向、核线重采样、绝对定向成果应相互一致；

5 建模后，应检查单模型的上下视差、像控点的平面坐标和高程残差、与相邻模型的同名点高程较差。

5.8.13 数字线划图数据采集应符合下列规定：

1 数据采集可采用先内业测图、后外业调绘再编绘成图，也可采用先外业调绘、后内业成图的方式；

2 对地形信息进行图形采集的同时，宜按现行国家标准《基础地理信息要素分类与代码》GB/T 13923 规定，对实体以点、线、面以及注记方式进行分类采集，并应根据专业设计的要求分层存放；

3 像片测图范围不应超出图上定向点连线 10mm，距影像边缘不应小于 10mm；

4 采集依比例尺表示地物时，测标中心应切准轮廓线或拐角测点连线；采集不依比例尺表示地物时，测标中心应切准地物相应的定位点或定位线；采集独立地物依比例尺表示时，应实测外廓，填绘符号；不依比例尺表示时，应表示定位点或定位线；

5 地貌宜用等高线表示；地貌测绘时宜先测注高程点，对地形特征点应测注高程，高程点数量在图上 $0.01m^2$ 范围内不应少于 10 点。

5.8.14 数字线划图的外业调绘应符合下列规定：

1 调绘宜在电子地图上直接标绘，也可采用放大像片进行，并应对内业成图进行全面实地检查、修测和补测，应对地理名称进行调查注记等；

2 调绘范围应调绘出测图范围外 10mm，并不应存在漏洞；调绘界限右、下应为直线，左、上应为曲线，但不应分割主要建(构)

筑物和街区；

3 调绘内容应按现行图式图例在调绘片上表示，常用的、重复次数多的符号可简化，大面积的植被可用文字注记；地物与地貌的类别、属性应以调绘片为准；位置、形状应以立体模型为准；

4 调绘建筑物时应以建筑物影像为准；

5 调绘完成后，应进行调绘片之间的接边检查。

5.8.15 数字线划图的数据编辑应符合下列规定：

1 数据编辑应使用计算机成图软件，依据内业采集成果和外业调绘结果，并按照相应比例尺图式图例的要求对各类地形信息按照综合取舍的原则进行数据编辑。

2 数字线划图文件宜采用三维或二维的 DXF、DWG、DGN 等格式。

3 各类建(构)筑物及主要附属设施的编辑应符合下列规定：

1) 建筑区可根据测图比例尺或用图需要确定表示内容和取舍范围，临时性建筑物可不表示；

2) 当建构(筑)物轮廓凸凹部分在 1∶500 比例尺图上小于 1mm 或在其他比例尺图上小于 0.5mm 时，可用直线连接；

3) 对有屋檐的建(构)筑物，编辑时宜进行屋檐改正；

4) 对地下建(构)筑物，宜表示出入口和地面通风口的位置，并应标注高程。

4 交通及附属设施的编辑应符合下列规定：

1) 当双线表示的道路与房屋、围墙等高出地面建(构)筑物的外轮廓线在图上重合时，可用建(构)筑物的外轮廓线代替道路边线，道路边线与建筑物的接头处应间隔 0.2mm；

2) 铁路应标注轨面高程，曲线段应标注内轨面高程；涵洞应标注洞底高程；

3) 铁路与道路水平相交时，铁路符号应连续绘制，道路符号应在相交处间隔 0.2mm 绘制，不在同一水平面相交时，道路的交叉处应绘制桥涵符号；

4）道路路堤（堑）应分别绘出路边线与堤（堑）边线，路边线与堤（堑）边线重合时，可将堤（堑）边线外移 0.2mm 表示；

5）1∶2000、1∶5000 比例尺地形测图，可舍去地物密集区域的交通附属设施，对小路可选择表示。

5 管线的编辑应符合下列规定：

1）建筑区内的电力线，通信线可不连线，但应绘出连线方向；

2）同一杆架上有多种线路时，应表示其中的主要线路；

3）架空管线应标注管线支架和管线线路，支架的密集部分可取舍；有管堤的管线应标注管堤和管线线路。

6 水系及附属设施的编辑应符合下列规定：

1）河流遇桥梁、水坝、水闸等应断开表示；

2）水涯线与陡坎重合时，可用陡坎边线代替水涯线，水涯线与斜坡脚重合时，应在坡脚绘出水涯线；

3）水渠应标注渠顶高程，堤、坝应标注顶部及坡脚高程；

4）水井应标注井台高程，水塘应标注塘顶边及塘底高程；

5）当河沟、水渠在地形图上的宽度小于 1mm 时，可用单线表示。

7 地貌的编辑应符合下列规定：

1）在植被覆盖区宜切准地表绘制等高线，当只能沿植被表面切准时，应进行植被高度改正；

2）崩塌残蚀、坡、坎等地貌，可用相应符号表示；

3）山顶、鞍部、凹地、山脊、谷底及地形变换处，应标注高程点，露岩、独立石应标注高程点或比高；

4）土堆、堤、坎、坑等应标注高程点或比高。

8 植被的编辑应符合下列规定：

1)农业用地应按稻田、旱地、菜地、水生作物地、经济作物地等进行区分，并应配置相应符号；

2)地类界与线状地物重合时，只绘制线状地物符号；

3)梯田坎的坡面投影宽度在地形图上大于2mm时，应标注坡脚；小于2mm时，可标注比高。当两坎间距在1∶500比例尺地形图上小于10mm，在其他比例尺地形图上小于5mm时或坎高小于等高距的1/2时，可取舍。

9 境界线编辑时，转角处不得间断，且在转角上应绘出点或曲折线。

10 注记的编辑应符合下列规定：

1)文字的注记应使所指示的地物能判读，字头宜向北；道路河流名称，可随现状弯曲的方向排列；各字侧边或底边，应垂直或平行于线状物体；各字间隔尺寸应大于1mm，远间隔的不宜超过字号的8倍；注字不得遮断主要地物和地形的特征部分；

2)高程的注记应注于点的右方，离点位的间隔应为1mm；

3)等高线的注记字头应指向山顶或高地，不应朝向图纸的下方。

5.8.16 数字线划图图幅接边应符合下列规定：

1 各图幅之间应实现无缝接边；

2 各类地物的拼接，不应改变实际形状及相关位置，并应自然连接，同名地物属性应一致；

3 地貌接边不应产生变形；

4 接边时，地物平面位置互差或等高线的高程互差不应大于本标准表5.1.6-1和表5.1.6-2中规定的地物点的点位中误差或等高(深)线插求点的高程中误差的2倍；符合限差要求时，应取中接边；超限时，应重新采集接边数据；

5 与既有线划图或出版图接边时，当接边互差不大于本标准表5.1.6-1和表5.1.6-2中规定的地物点的点位中误差或等高

(深)线插求点的高程中误差的2倍时,应修改新图自然接边;当互差大于限差规定时,经检查并确认新图无误后,应以新图为准进行接边。

5.8.17 数字线划图的内外业检查应按本标准第5.8.11条的规定执行。

Ⅲ 纸质地形图数字化

5.8.18 纸质地形图的数字化宜采用图形扫描仪扫描数字化。

5.8.19 扫描数字化的软件系统应具备下列基本功能:

1 图纸定向和校正;

2 数据采集和编码输入;

3 数据的计算、转(变)换和编辑;

4 图形的实时显示、检查和修改;

5 点、线、面状地形符号的绘制;

6 地形图要素的分层管理;

7 格栅数据的运算;

8 坐标转换;

9 线状格栅数据的细化;

10 格栅数据的自动跟踪矢量化;

11 人机交互式矢量化。

5.8.20 数字化图中的地形、地物要素和各种注记的图层设置及属性表示,应满足用户要求和数据入库需要。

5.8.21 纸质地形图数字化对原图的使用应符合下列规定:

1 原图的比例尺不应小于数字化地形图的比例尺;

2 原图宜采用聚酯薄膜底图;当无法获取聚酯薄膜底图时,在满足用户用图要求的前提下,也可选用其他纸质图;

3 图纸应平整无褶皱、无损毁;

4 对原图纸或扫描图像的变形,应进行修正。

5.8.22 扫描数字化的定向应符合下列规定:

1 宜选用内图廓的四角坐标点或格网点作为定向点;

2 定向点不应少于4点，位置应分布均匀；

3 当地形图发生变形时，应增加1个～2个图纸定向点；

4 定向完成后，应进行格网检查。格网坐标值与理论坐标值的较差，不应大于图上0.3mm。

5.8.23 地形图要素的数字化应符合下列规定：

1 对图纸中有坐标数据的控制点和建(构)筑物的细部坐标点的点位绘制，不得采用数字化的方式而应采用输入坐标的方式进行；无坐标数据的控制点可不绘制；

2 图廓及坐标格网的绘制，应采用输入坐标的方法由绘图软件按理论值自动生成，不得采用数字化方式产生；

3 原图中地形、地物符号与现行图式不相符时，应采用现行图式规定的符号；

4 点状符号、线状符号和地貌、植被的填充符号的绘制，应采用绘图软件生成；各种注记的位置应与符号相协调，重叠时可进行交互式编辑调整；

5 等高线、地物线等线条的数字化，应采用线跟踪法；采样间隔应符合要求、线划粗细应均匀、线条应连续光滑。

5.8.24 每幅图数字化完成后，应进行图幅接边和图边数据编辑；接边完成后，应输出检查图。

5.8.25 检查图与原图比较，点状符号及明显地物点的偏差不宜大于图上0.2mm，线状符号的误差不宜大于图上0.3mm。

Ⅳ 数字线划图修测

5.8.26 数字线划图修测前应进行实地踏勘，并应确定修测范围。若修测的面积超过原图总面积的1/5，应重新测绘。

5.8.27 数字线划图修测的图根控制应符合下列规定：

1 应利用经检查合格的原有邻近图根点，高程应从邻近的高程控制点引测；

2 局部修测时，测站点坐标可利用原图已有坐标的地物点按内插法或交会法确定，检核较差不应大于图上0.2mm；

3　局部地区少量的高程补点，也可利用3个固定的地物高程点作为依据进行补测，高程较差不得超过基本等高距的1/5，并应取用平均值；

4　当地物变动大、相互位置关系无法利用时，应补设图根控制。

5.8.28　数字线划图的修测应符合下列规定：

1　新测地物与原有地物的间距中误差，不得超过图上0.6mm；

2　数字线划图的修测方法，可采用RTK测图、全站仪测图和支距法等；

3　当原有地形图图式与现行图式不符时，应以现行图式为准；

4　地物修测的连接部分，应从未变化点开始施测；地貌修测的衔接部分应施测重合点；

5　除对已变化的地物、地貌修测外，还应对原有地形图上已有地物、地貌的错误或粗差进行修正；

6　修测完成后，宜按图幅记录修测情况，并应绘制略图。

5.8.29　纸质地形图的修测，宜将原图数字化再进行修测。

Ⅴ　数字线划图编绘

5.8.30　数字线划图的编绘应选用内容详细、现势性强、精度高的已有资料，包括图纸、数据文件、图形文件等进行编绘。

5.8.31　编绘图应以实测图为基础进行编绘，各种专业图应以地形图为基础结合专业要求进行编绘；编绘图的比例尺不应大于实测图的比例尺。

5.8.32　数字线划图编绘作业应符合下列规定：

1　原有资料的数据格式应转换成同一数据格式；

2　原有资料的坐标、高程系统应转换成编绘图所采用的系统；

3　地形图要素的综合取舍，应根据编绘图的用途、比例尺和区域特点确定；

4 编绘图应采用现行图式；

5 编绘完成后，应对图的内容、接边进行检查。

5.9 数字高程模型

5.9.1 数字高程模型（DEM）的数据源宜采用数字摄影测量数据、机载激光雷达数据、地面三维激光扫描数据，也可采用全野外实测数据。

5.9.2 数字高程模型的构建应符合下列规定：

1 模型构建的软件应进行测试，应在满足本标准有关要求及工程需要后，再投入使用；

2 构建模型的数据源应进行分类整理、统一格式及坐标转换，并应进行粗差检验与剔除；可通过模型与数字线划图等高线数据叠合对比的方法进行检查，差异之处应进行处理；无法处理差异之处时，应增补特征点线并重新构建模型；

3 一个数字高程模型应只有一个封闭的外边界线，内部的道路、建筑物、水域、地形突变等断裂线，应独立连成内边界线；不同的内边界线可相邻，但不应相交；

4 宜对构建的数字高程模型进行模型优化。

5.9.3 采用不规则三角网法构建数字高程模型时，应符合下列规定：

1 确定并应完整连接地性线、断裂线、边界线等特征线；

2 以同一特征线上相邻两点的连线，应作为构建三角形的必要条件；

3 构建三角形宜使三角形的边长接近等边、三角形的边长之和最小或三角形外接圆的半径最小；

4 当采用等高线数据构建三角网时，宜将等高线作为特征线处理，并应符合第1款～第3款规定；

5 不规则三角网点数据宜通过插值处理生成规则的格网点数据。

5.9.4 采用规则格网法构建数字高程模型时，应符合下列规定：

1 根据离散点数据插求格网点高程，可采用插值法、曲面拟合法，也可混合使用；

2 格网点的高程，也可由等高线数据插求；

3 特征线两侧的离散点，不应同时用于同一插值或拟合方程的建立。

5.9.5 采用数字摄影测量法构建数字高程模型时，应符合下列规定：

1 数据采集可采用系统自动生成方式或人机交互采集方式；

2 特征点线应采用人工立体量测，测标中心精确切准地面，对特征点或特征线进行三维坐标量测；

3 采用像方和物方的采集和编辑方式，对立体匹配生成的数字高程模型进行观测、检查、修改；等高程的范围所有格网点应设置为同一高程；有地物覆盖的区域应减去相应覆盖高度；

4 数字高程单模型接边时，应检查接边重叠带内同名格网点的高程，高程较差不应大于 2 倍数字高程模型高程中误差；

5 图幅数字高程模型应进行镶嵌、裁切与接边；相邻图幅数字高程模型接边后不应出现裂隙，重叠部分的高程值应一致，相邻存储单元的数字高程模型数据应平滑衔接。

5.9.6 数字高程模型建立后应进行检查，并应符合下列规定：

1 对于用实测数据所建立的数字高程模型，应进行外业实测检查并统计精度。每个图幅的检查点数，不应少于 20 点，检查点与模型插值点的高程较差不应大于本标准第 5.1.7 条相应格网点高程中误差的 2 倍。模型的高程中误差，按下式统计计算：

$$M_{\mathrm{h}} = \sqrt{\frac{[\Delta h_i \Delta h_i]}{n}} \tag{5.9.6}$$

式中：M_{h}——模型的高程中误差（m）；

n——检查点个数；

Δh_i——检测高程与模型高程的较差（m）。

2　等高线作为数据源所建立的数字高程模型，可采用等高线套合检验法。

5.10　数字正射影像图

5.10.1　数字正射影像图（DOM）的制作宜采用数字摄影影像、卫星遥感影像，比例尺可根据影像分辨率的大小及工程需要选用1∶500、1∶1000、1∶2000或1∶5000。

5.10.2　制作正射影像图的影像资料质量应符合下列规定：

1　数字正射影像图的黑白影像灰阶不应低于8bit，彩色影像灰阶不应低于24bit；灰度直方图应呈正态分布；

2　影像应清晰易读、反差适中、色调均衡，无明显像片拼接痕迹；

3　影像不应有重影、模糊或纹理断裂等现象，影像应连续完整，灰度无明显不同。对于彩色影像色彩应一致；

4　数字正射影像图的地物地貌应真实，应无扭曲变形，无噪声、云影等缺陷；

5　数字正射影像图的整体外观应整洁、美观。

5.10.3　影像数据作为数字正射影像图的主体数据，应以配有地理定位信息的Tiff格式或GeoTiff格式存储。也可套合地名、高程注记点及相关信息，并应进行图幅整饰。

5.10.4　数字正射影像图数据的地理定位信息应包括Tiff格式或GeoTiff格式，也可采用地理定位数据文件进行描述。当采用地理定位数据文件时，应包含下列内容：

1　影像数据的地面分辨率；

2　影像数据的西南角地理坐标；

3　影像数据的东西、南北方向的像元数。

5.10.5　数字正射影像纠正宜采用立体建模微分纠正法或单景影像微分纠正法，并应符合下列规定：

1　正射影像参数应按影像地面分辨率和成图比例尺要求进行设置；影像重采样方法宜选择双线性插值法或双三次卷积法；

2 利用像片内外方位元素以及数字高程模型对影像进行微分纠正和重采样，宜在建模后对左片、右片同时进行正射纠正，也可单独对左片或右片进行正射纠正，并应依次完成图幅范围内所有像片的正射纠正。

5.10.6 数字正射影像镶嵌与裁切应符合下列规定：

1 镶嵌应按图幅或分区进行，每一镶嵌单元应选取本范围内的所有影像；

2 在相邻影像之间，可人工选择镶嵌线，也可采用控制点连线作为镶嵌线，镶嵌的地物影像应完整；相邻影像镶嵌处的接边差不应大于 2 个像元；

3 镶嵌两侧存在纹理、色调差异时，应进行影像编辑；编辑后镶嵌线附近影像色调应一致，反差应适中，相邻影像之间不应存在明显镶嵌痕迹；

4 应按内图廓线最小外接矩形范围，外扩 10mm 进行影像裁切，裁切后生成 GeoTiff 格式栅格影像文件，也可按现行国家标准《地理空间数据交换格式》GB/T 17798 的要规定制作图幅正射数据文件及附加信息文件。

5.10.7 数字正射影像的数据检查应符合下列规定：

1 数学基础应正确，数据覆盖范围应符合要求。

2 采用左片、右片同时正射纠正时，应对左、右正射影像进行零立体观测检查，不应出现明显的地形起伏。

3 整幅影像应清晰，纹理、色调应一致，并应无明显的像片拼接痕迹。

4 数字正射影像图中影像之间接边限差，应符合表 5.10.7 的规定。

表 5.10.7 数字正射影像图中影像之间接边限差(m)

比　例　尺		1∶500	1∶1000	1∶2000	1∶5000
接边限差	平地、丘陵地	0.3	0.6	1.2	2.5
	山地、高山地	0.4	0.8	1.6	3.75

5　应对数字正射影像图范围内所有平面检测点进行量测，检测点的平面位置中误差应符合要求。

5.11　数字三维模型

5.11.1　数字三维模型（3D）的制作，宜以数字地形测量成果数据为基础，并应采用倾斜摄影测量、近景摄影测量、激光雷达扫描或实地测量等方式获取的信息数据进行建模。

5.11.2　数字三维模型制作采集的纹理数据应符合下列规定：

1　纹理数据应色调均匀、反差适中、自然美观，应真实反映实际材质的图案、质感、颜色等；

2　视角或镜头畸变引起的纹理数据变形应进行调整；

3　纹理数据中含有的建模影像以外的其他影像应进行处理；

4　纹理数据的影像应进行比例变换，应使相同层次模型的纹理分辨率相近。

5.11.3　数字三维模型的纹理应与模型细节层次相匹配，尺寸规格应为 2^n，不宜超过 2048×2048 像素。

5.11.4　数字三维模型应包含描述模型类型、用途和特征的基本属性信息和各自的专题属性信息。

5.11.5　数字三维模型建模单元的划分应符合下列规定：

1　建模单元宜以稳定的自然地形地物为界，并应兼顾建筑、生态景观等要素的完整；

2　建模单元宜结合行政区划界线，应实现无缝衔接；

3　建模单元应完整覆盖建模区域。

5.11.6　数字三维模型的建模应符合下列规定：

1　模型外形结构应表达完整、准确，模型底部应与附着面保持一致；

2　按照测量数据进行模型制作，比例应准确；特殊模型及细节结构宜进行实地测量；

3　模型自身表现效果及视觉效果满足用户需要时，宜减少模型的几何面数；

4 模型的摆放应以实际情况为依据，并应兼顾与周边模型的相对关系；

5 构建模型时，应将模型与对应的纹理数据进行有效融合。

5.11.7 数字三维模型及纹理的命名应唯一，宜使用字母、数字和下划线表示，命名应具有可扩充性。

5.11.8 数字三维模型数据应进行质量检查，并应符合下列规定：

1 不同类型、不同比例尺模型数据的集成关系和拓扑关系应完整，不宜有冗余、遗漏；

2 模型数据的平面坐标及高程应以实际测量值为准，并应符合不同模型类别的技术要求；

3 模型数据的属性信息描述应真实，并应具有现势性。

5.11.9 数字三维模型应使用专业软件输出模型成果和数据成果等，且应采用通用格式。

6 线路测量

6.1 一般规定

6.1.1 本章适用于铁路、公路、架空索道、各种自流和压力管线及架空输电线路工程的通用性测绘工作。

6.1.2 线路控制测量的坐标系统和高程基准应分别按本标准第3.1.5条、第4.1.3条中的规定选用。

6.1.3 线路的平面控制宜采用卫星定位测量或导线测量方法，并应沿线路布设。

6.1.4 线路的高程控制宜采用水准测量、电磁波测距三角高程测量或卫星定位高程测量方法，并应沿线路布设。

6.1.5 平面控制点的点位宜选在稳固地段、便于观测、易于保存的地方。高程控制点的点位，应选在施工干扰区外围稳固地段。

6.1.6 线路测图的比例尺可按表6.1.6选用。

表6.1.6 线路测图的比例尺

线路名称	带状地形图	工点地形图	纵断面图		横断面图	
			水平	垂直	水平	垂直
铁路	1∶1000 1∶2000 1∶5000	1∶200 1∶500	1∶1000 1∶2000 1∶10000	1∶100 1∶200 1∶1000	1∶100 1∶200	1∶100 1∶200
公路	1∶1000 1∶2000 1∶5000	1∶200 1∶500 1∶1000	1∶1000 1∶2000 1∶5000	1∶100 1∶200 1∶500	1∶100 1∶200	1∶100 1∶200
架空索道	1∶2000 1∶5000	1∶200 1∶500	1∶2000 1∶5000	1∶200 1∶500	—	—

续表 6.1.6

线路名称	带状地形图	工点地形图	纵断面图		横断面图	
			水平	垂直	水平	垂直
自流管线	1∶1000 1∶2000	1∶500	1∶1000 1∶2000	1∶100 1∶200	—	—
压力管线	1∶2000 1∶5000	1∶500	1∶2000 1∶5000	1∶200 1∶500	—	—
架空输电线路	—	1∶200 1∶500	1∶2000 1∶5000	1∶200 1∶500	1∶1000	1∶1000

注：1　1∶200 比例尺的工点地形图，可按对 1∶500 比例尺地形测图的技术要求测绘；

2　当架空输电线路通过市区的协议区或规划区时，应根据当地规划部门的要求，施测 1∶1000 或 1∶2000 比例尺的带状地形图。

6.1.7　带状地形图测绘，根据线路规模，可采用全站仪测图、RTK 测图、地面三维激光扫描测图、低空数字摄影测图或机载激光雷达测图等方法。工点地形图的测绘宜采用 RTK 测图、全站仪测图或地面三维激光扫描测图等方法。

6.1.8　当线路与已有的道路、管道、输电线路、通信线路等交叉时，应根据需要测量交叉角、交叉点的平面位置和高程及净空高或负高。

6.1.9　纵断面图中平面图栏内的地物，可根据需要实测位置、高程及必要的高度。

6.1.10　线路的起点、终点、转角点和铁路、公路的曲线起点、终点，应埋设固定桩。

6.1.11　线路施工前，应在定测线路复测结果满足要求后再进行放样。

6.2　铁路、公路测量

6.2.1　高速公路和一级公路的平面控制测量可采用卫星定位测

量或导线测量方法，应符合本标准第 3.2 节、第 3.3 节的有关规定，导线总长不宜超过相应等级导线长度限值的 2 倍；高程控制应布设成附合路线，应符合本标准第 4.2 节中四等水准测量的有关规定。高速铁路测量应符合现行行业标准《高速铁路工程测量规范》TB 10601 的有关规定。

6.2.2 铁路、二级及以下等级公路的平面控制测量应符合下列规定：

1 平面控制测量可采用卫星定位测量或导线测量方法。导线的起点、终点及每间隔不大于 30km 的点上，应与高等级控制点联测检核；当不具备联测条件时，可分段增设卫星定位测量控制点。

2 导线测量的主要技术要求应符合表 6.2.2 的规定。

表 6.2.2 铁路、二级及以下公路导线测量的主要技术要求

导线长度(km)	边长(m)	仪器精度等级	测回数	测角中误差(″)	测距相对中误差	联测检核	
						方位闭合差(″)	相对闭合差
≤30	400～600	2″级仪器	1	12	≤1/2000	$24\sqrt{n}$	≤1/2000
		6″级仪器		20		$40\sqrt{n}$	

注：n 表中为测站数。

3 分段增设卫星定位测量控制点时，测量的主要技术要求应符合本标准第 3.2 节的规定。

6.2.3 铁路、二级及以下等级公路的高程控制测量应符合下列规定：

1 高程控制测量的主要技术要求应符合表 6.2.3 的规定。

表 6.2.3 铁路、二级及以下公路高程控制测量的主要技术要求

等级	每千米高差全中误差(mm)	路线长度(km)	往返较差、附合或环线闭合差(mm)
五等	15	30	$30\sqrt{L}$

注：L 为水准路线长度(km)。

2 水准路线应每隔 30km 与高等级水准点联测 1 次。

6.2.4 定测放线测量应符合下列规定：

1 作业前，应收集初测导线或航测像控点的测量成果，并应对初测高程控制点逐一检测。高程较差的限值，应按下式计算：

$$\Delta_h = 30\sqrt{L} \tag{6.2.4}$$

式中：Δ_h——高差较差的限值(mm)；

L——检查路线长度，单位为 km。

2 放线测量应根据图纸上定线线位，采用 RTK 法、极坐标法、拨角法或支距法进行。

3 若需要测放线路交点时，应对交点的水平角进行观测，正交点应观测一测回，副交点应观测两测回。副交点测回间角值较差的限值，应符合表 6.2.4-1 的规定。

表 6.2.4-1　副交点测回间角值较差的限差(″)

仪器精度等级	副交点测回间角值较差的限差
2″级仪器	15
6″级仪器	20

4 线路中线测量应与初测导线、航测像控点或卫星定位测量控制点联测。联测间隔宜为 5km，特殊情况下不应大于 10km。中线联测闭合差的限差应符合表 6.2.4-2 的规定。

表 6.2.4-2　中线联测闭合差的限差

线路名称	方位角闭合差(″)	相对闭合差
铁路、一级及以上公路	$30\sqrt{n}$	1/2000
二级及以下公路	$60\sqrt{n}$	1/1000

注：n 为测站数；计算相对闭合差时，长度应采用初、定测闭合环长度。

6.2.5 定测中线桩位测量应符合下列规定：

1 线路中线上应设立线路起终点桩、千米桩、百米桩、平曲线控制桩、桥梁或隧道轴线控制桩、转点桩和断链桩，并应根据竖曲线的变化加桩。

2 线路中线桩的间距，直线部分不应大于 50m，平曲线部分宜为 20m。当铁路曲线半径大于 800m 且地势平坦时，中线桩间距可为 40m。当公路曲线半径为 30m～60m 或缓和曲线长度为 30m～50m 时，中线桩间距不应大于 10m；对于公路曲线半径小于 30m、缓和曲线长度小于 30m 或回头曲线段，中线桩间距不应大于 5m。

3 中线桩位测量误差，直线段不应超过表 6.2.5-1 的规定，曲线段不应超过表 6.2.5-2 的规定。

表 6.2.5-1 直线段中线桩位测量限差(m)

线路名称	纵向误差	横向误差
铁路、一级及以上公路	$\frac{S}{2000}+0.10$	0.10
二级及以下公路	$\frac{S}{1000}+0.10$	0.15

注：S 为转点桩至中线桩的距离(m)。

表 6.2.5-2 曲线段中线桩位测量闭合差限差

线路名称	纵向相对闭合差		横向闭合差(m)	
	平地	山地	平地	山地
铁路、一级及以上公路	1/2000	1/1000	0.10	0.10
二级及以下公路	1/1000	1/500	0.10	0.15

4 断链桩应设立在线路的直线段，不得在桥梁、隧道、平曲线、公路立交或铁路车站范围内设立。

5 中线桩的高程测量宜布设成附合路线，附和路线闭合差不应超过 $50\sqrt{L}$ mm。附和路线长度 L 的单位应为 km。

6.2.6 横断面测量的误差不应超过表 6.2.6 的规定。

表 6.2.6 横断面测量的限差(m)

线路名称	距离	高程
铁路、一级及以上公路	$\frac{l}{100}+0.1$	$\frac{h}{100}+\frac{l}{200}+0.1$

续表 6.2.6

线路名称	距离	高程
二级及以下公路	$\frac{l}{50}+0.1$	$\frac{h}{50}+\frac{l}{100}+0.1$

注：1 l 为测点至线路中线桩的水平距离(m)；

2 h 为测点至线路中线桩的高差(m)。

6.2.7 施工前应复测中线桩，当中线桩复测与原测成果较差的限差符合表 6.2.7 的规定时，应采用原测成果。

表 6.2.7 中线桩复测与原测成果较差的限差

线路名称	水平角(″)	距离相对中误差	转点横向误差(mm)	曲线横向闭合差(mm)	中线桩高程(mm)
铁路、一级及以上公路	≤30	≤1/2000	每 100m 小于 5，点间距大于或等于 400m 小于 20	≤100	≤100
二级及以下公路	≤60	≤1/1000	每 100m 小于 10	≤100	≤100

6.3 架空索道测量

6.3.1 架空索道的平面控制测量可采用卫星定位测量方法，也可采用导线测量方法。

6.3.2 当采用卫星定位测量方法时，不宜低于本标准表 3.2.7 中二级精度；当采用导线测量方法时，导线测量的相对闭合差不应大于 1/1000；方位角闭合差不应超过 $30''\sqrt{n}$，n 应为测站数。

6.3.3 当架空索道起点至转角点或转角点间的距离大于 1km 时，应增加 1 个～2 个方向点。方向点偏离直线，应在 180°±20″以内。

6.3.4 架空索道的起点、终点、转点和方向点的高程测量，可采用图根水准测量或图根电磁波测距三角高程测量的方法。

6.3.5 纵断面测量，在转角点及方向点之间应进行附合。距离相对闭合差不应大于 1/300，高程闭合差不应超过 $0.1\sqrt{n}$，n 应为测站数。山脊、山顶的纵断面点，不应少于 3 点；山谷、沟底，可简化。

6.3.6 当线路走向与等高线平行时，线路临近的陡峭地段，应根据需要加测横断面。

6.4 自流和压力管线测量

6.4.1 自流和压力管线平面控制测量可采用 RTK 图根控制测量方法或导线测量方法，并应符合下列规定：

1 当采用 RTK 图根控制测量方法时，应符合下列规定：

1) 应沿线路每隔 10km 成对布设卫星定位测量控制点并应埋设标石，标石的埋设规格应符合本标准附录 B 的规定；

2) 所有卫星定位测量控制点应靠近线路中心布设；

3) 卫星定位测量控制点应采用静态模式进行观测，并应符合本标准第 3.2 节的有关规定；

4) 线路其他控制点可采用卫星定位实时动态图根控制测量，并符合本标准第 5.2.8 条的规定。

2 当采用导线测量方法时，应符合下列规定：

1) 自流和压力管线导线测量的主要技术要求应符合表 6.4.1的规定。

表 6.4.1 自流和压力管线导线测量的主要技术要求

导线长度(km)	边长(km)	测角中误差(″)	联测检核		适用范围
			方位角闭合差(″)	相对闭合差	
≤30	<1	12	$24\sqrt{n}$	1/2000	压力管线
≤30	<1	20	$40\sqrt{n}$	1/1000	自流管线

注：n 为测站数。

2) 导线的起点、终点及每间隔不大于 30km 的点上，应与高等级平面控制点联测。当不具备导线联测条件时，可分段测设卫星定位测量检核控制点。

3）导线点宜埋设在管道线路附近且在施工干扰区的外围。管道线路的起点、终点和转角点也可作为导线点。

6.4.2 自流和压力管线高程控制测量应符合下列规定：

1 自流和压力管线高程控制测量的主要技术要求应符合表6.4.2的规定。

表 6.4.2 自流和压力管线高程控制测量的主要技术要求

等级	每千米高差全中误差(mm)	路线长度(km)	往返较差、附合或环线闭合差(mm)	适用范围
五等	15	30	$30\sqrt{L}$	自流管线
图根	20	30	$40\sqrt{L}$	压力管线

注：1 L 为路线长度(km)；

2 作业时，根据需要压力管线的高程控制测量限差，不宜超过表中相应限值的1倍，最大不得超过2倍。

2 卫星定位高程测量应符合本标准第4.4节的有关规定。

6.4.3 自流和压力管线的中线测量应符合下列规定：

1 当管道线路相邻转角点间的距离大于1km或不通视时，应加测方向点。

2 线路的起点、终点、转角点和方向点的位置和高程应实测，并应符合下列规定：

1）当采用极坐标法测量时，应一测回测定角度、距离，距离读数较差应小于20mm；高程可采用变化镜高的方法各测一次，两次所测高差较差不应大于0.2m；

2）当采用RTK测量方法时，每点应观测两次，两次测量的纵、横坐标及高程的较差不应大于0.2m。

3 当管道线路的转弯为曲线时，应实测线路偏角、计算曲线元素、测设曲线的起点、中点和终点。

4 断链桩应设置在管道线路的直线段，不得设置在穿跨越段或曲线段；断链桩上应注明管道线路来向和去向的里程。

6.4.4 管线的断面测量应符合下列规定：

1 纵断面测量时，在转角点与转角点之间或转角点与方向点之间应进行附合；距离相对闭合差不应大于 1/500，高程闭合差不应超过 $0.2\sqrt{n}$，n 应为测站数；

2 纵断面测量的相邻断面点间距不应大于图上 50mm；在地形变化处应加测断面点，局部高差小于 0.5m 的沟坎可舍去；当线路通过河流、水塘、道路或其他管道时，也应加测断面点；

3 横断面测量的相邻断面点间距不应大于图上 20mm。

6.5 架空输电线路测量

6.5.1 架空输电线路的平面控制宜采用卫星定位测量方法，精度不宜低于本标准表 3.2.7 中一级精度的要求。高程控制宜采用电磁波测距三角高程测量或卫星定位高程测量方法，精度不宜低于五等；控制点间距不宜大于 10km，宜沿线路中线两侧布设。长距离架空输电线路宜每 100km 与国家控制点联测一次。

6.5.2 架空输电线路的相邻直线桩、塔位桩的横向偏差不应大于 50mm，高差之差不应大于 300mm。

6.5.3 现场选线、定线或定位测量时，卫星定位接收机的选用应符合本标准第 3.2.20 条的规定，全站仪宜选用 6″级仪器，大跨越全站仪测量宜选用 2″级仪器。

6.5.4 输电线路路径调绘宜使用既有地形图或影像图，并应符合下列规定：

1 调绘的范围应根据设计需要、输电线路的电压等级、现场环境确定，路径宽度宜为中心线两侧各 100m～300m，地形地貌困难处可扩大范围；

2 调绘的内容应包括主要的交叉跨越、沿线的植被，以及影响路径方案的重要建(构)筑物、新增建(构)筑物和规划区等；

3 调绘时，应标注交叉跨越处的公路、铁路、河流、渡槽、电力线路、通信线路、架空或埋地管线和重要建(构)筑物的名称;设计需要时,还应调查并标注铁路、公路交叉处的里程,电力线路的电压等级、杆塔号和杆塔高度,通信线路的等级、走向和线高。

6.5.5 架空输电线路的选线应根据批准的路径方案执行,并应符合下列规定:

1 应配合设计进行实地选线;也可根据航空摄影、机载激光扫描、卫星遥感的影像及地形图先进行室内选线,再进行实地放样;

2 选线测量的转角坐标相对邻近的控制点或转角桩的坐标中误差不应大于 50mm,高程中误差不应大于 70mm;坐标系统、高程基准应与控制测量保持一致;

3 线路转角角度测量宜精确至 1′,转角点的平面坐标和高程测量宜精确至 0.01m;

4 选线测量宜包括主要交叉跨越测量、影响设计的主要地物位置测量、拥挤路段房屋分布图测量、大跨越塔位测量;

5 线路通过新建主要地物、协议区、工矿区、建(构)筑物密集地段时,还应进行相关的联系测量。

6.5.6 定线测量应符合下列规定:

1 定线测量可采用直接定线或间接定线。直接定线可采用 RTK 法、全站仪水平角测量或正倒镜分中法;间接定线可采用全站仪导线法。

2 定线测量的主要技术要求应符合表 6.5.6 的规定。

表 6.5.6 定线测量的主要技术要求

定线方式	仪器对中误差(mm)	水准器气泡偏离值(格)	测水平角法	正倒镜定点法	距离相对误差
直接定线	≤3	≤1	180°±1′	每 100m 不大于 60mm	—
间接定线	≤3	≤1	—	每 10m 不大于 3mm	≤1/2000

注:RTK 定线要求直线桩位横向偏差不应大于 50mm。

3　定线桩之间距离测量和高差测量可采用 RTK 或全站仪两测回观测，全站仪还可采用对向观测各一测回或同向变换棱镜高度观测两测回。全站仪测回间距离较差的相对误差不应大于1/1000，测距边长 S 的单位应为 km，高差较差不应大于 0.4S，当 S 小于 0.1km，取 0.1km 计算。

4　当边长超过 400m 时，全站仪测距应进行大气折光系数改正和地球曲率改正。

6.5.7　交叉跨越测量应符合下列规定：

1　交叉跨越测量宜采用 RTK 配合全站仪测量，交叉点的悬高宜采用全站仪就近桩位设站测量；

2　交叉跨越点对于邻近直线桩或塔位桩的距离相对误差不应大于 1/200，高差误差不应大于 0.3m；

3　跨越已有线路时，应测量交叉点的顶点位置和高程；下穿已有线路时，应测量交叉点的低点位置和高程；地下管线可测量交叉点的地面位置和高程；当左右边线与中心线交叉处不等高或交叉角小时，应测量有影响的边线点、危险点的位置和高程；线路边线范围内或邻近的已有线路杆塔应施测杆塔顶点高程；

4　交叉跨越二级及以上通信线、10kV 及以上的电力线、有危险影响的建（构）筑物的交叉跨越点，应测量一个测回；

5　交叉跨越 35kV 及以上的电力线路，宜测量交叉处两侧的杆塔顶点、导线或地线悬挂点的位置和高程，并应标注线路名称和杆塔编号；通信线应标注等级和交叉角，其他交叉跨越物应标注名称、材料；设计有要求时，还应标注测量时的温度，并应精确至0.5℃；

6　交叉的铁路、公路及管线应测量交叉处的轨顶高、路面高、管顶高，其中铁路、公路应标注去向和交叉处中心的里程；电气化铁路的牵引线按交叉线路要求测量和标注；

7　二级以上通信线、10kV 以上电力线路、铁路和等级公路等应在平面图栏里注记交叉角度，角度应注记锐角值，并应精确至1′；

8 交叉跨越边线范围外的横向坡度超过1∶3时，应测量风偏；

9 交叉跨越处的河流、水库、湖区或水淹区，宜测绘洪水位或积水位高程，并应标注时间；

10 重要交叉跨越可根据设计专业需要测绘交叉跨越分图。

6.5.8 路径平断面图测量应符合下列规定：

1 路径平断面图测量宜起始于变电站或已有线路连接杆塔；需分段测量时，宜从转角桩处分段，且相邻两段应联测分段处的桩位；线路转角处的平断面测量应以角平分线为界，分支塔应以横担方向为界。

2 路径平断面图测量宜采用RTK或全站仪测量。断面点间距不宜大于20m，平地不宜大于50m，地形变化处应加密断面点，独立山头断面点不应少于3点。

3 在航测、遥感或激光雷达点云所生成的数字高程模型上提取断面点时，断面点间距宜为5m。

4 输电导线对地安全距离接近相应限值时，应加密测量断面点；线路中线至风偏范围内，突兀的地形点应作为危险点测量。

5 当边线地形高出中心线0.5m时，应施测边线的纵断面。

6 当输电线路通过和接近斜坡、陡岸或高层建(构)筑物时，应施测风偏横断面或风偏危险点。

7 在线路经过山谷、深沟等不影响输电导线对地距离安全段，纵断面线可中断。

8 路径平断面图的平面图测量还应符合下列规定：

1) 500kV及以下电压等级的平面测量宽度应为线路中线两侧各50m，500kV以上测量宽度应为75m；

2) 平面图应测量线路范围内有危险影响的建(构)筑物、道路、管线、河、沟、塘、渠、水库、坟地、陡坎、悬崖、地类界等；

3)房屋应测量平面位置、地面高程和屋面高程,并应标注离线路最近点的偏距,且应区分平顶房、尖顶房;房屋离线路中线偏距的测量中误差不应大于0.1m,房屋边长较差不应大于0.04S,房屋的边长S单位应为m;

4)应对输电线路走廊内的植被进行测绘,林木应标注种类、高度、胸径、密度和边界。

9 路径平断面图的图式应按现行国家标准《330kV～750kV架空输电线路勘测标准》GB/T 50548 的有关规定执行。

6.5.9 线路边线宽度外的横向断面坡度超过1∶3时,应测绘横断面图,横断面图的横向、竖向测图比例尺宜为1∶1000。

6.5.10 杆塔桩定位时,RTK法宜在邻近的控制桩上架设基准站,全站仪法宜在邻近的直线桩上设站测量。

6.5.11 水中立塔时,宜测绘水下塔位地形图,比例尺宜为1∶500,测点间距不宜大于5m,地形地貌困难时,应加密测量水下地形点。

6.5.12 杆塔基断面图、塔位地形图测量应符合下列规定:

1 杆塔基断面图测量宜与杆塔定位测量同步进行,测量范围应超出基础保护范围或由设计专业指定,杆塔基断面图应反映地形变化情况;

2 杆塔基断面图的纵、横比例尺宜为1∶100或1∶200,不同方向的杆塔基断面应以文字或字母进行标注;

3 测量杆塔基断面时,应根据工程需要测量塔位地形图;塔位地形图可采用国家坐标系或独立坐标系,测量时应绘出线路中心线且在边界处标注相邻杆塔位编号;塔位地形图的测量范围不应小于塔基断面图的范围,比例尺宜为1∶200或1∶300,图式应采用1∶500比例尺地形图图式。

6.5.13 在定位过程中,应进行下列校测:

1 有危险影响的中线、边线、横断面等;

2 主要交叉跨越的位置、高程、交叉角等;

3 线路的直线偏离度和转角度数等；

4 检查主要地物是否遗漏，若有遗漏应补测。

6.5.14 线路施工前，应对杆塔位桩或直线桩进行复测，并符合下列规定：

1 直线偏离度、线路转角的复测成果与原成果的较差，不应大于1′30″；

2 桩间距离的相对误差不应大于1/500，高程较差不应大于0.3m；

3 交叉跨越距离的相对误差不应大于1/200，高差较差不应大于0.3m；

4 地形点的高程较差不应大于0.5m。

7 地下管线测量

7.1 一般规定

7.1.1 地下管线应包括电力、电信、给水、排水、燃气、热力、工业管线、综合管廊及其他管线。管线要素分类与代码应符合表7.1.1的规定。

表7.1.1 管线要素分类与代码

管线类型	字母代码	简写
电力	DL	L
通信	TX	D
给水	JS	J
排水	PS	P
燃气	RQ	M
热力	RL	R
工业	GY	G
综合管廊	ZH	Z
其他管线	QT	B

7.1.2 地下管线测量的内容宜包括查明地下管线的种类、平面位置、走向、埋深或高程、规格、性质、材质等，编绘地下管线图应根据需要建立地下管线信息管理系统。

7.1.3 地下管线测量的项目类型可包括地下管线普查、建设工程地下管线详查、地下管线竣工测量。

7.1.4 地下管线测量的坐标系统和高程基准宜与原有基础资料一致。平面和高程控制测量可根据测区范围大小及工程要求，分别按本标准第3章、第4章有关规定执行。

7.1.5 地下管线测量成图比例尺宜选用 1∶500 或 1∶1000，长距离专用管线可选用 1∶2000 或 1∶5000。

7.1.6 地下管线图的精度应满足实际地下管线的线位与邻近地上建（构）筑物、道路中心线或相邻管线的间距中误差不超过图上 0.6mm 的要求。

7.1.7 作业前应收集测区已有的管线资料并应进行现场踏勘，应根据踏勘结果对拟定的探查方法与技术要求进行有效性试验。

7.1.8 地下管线的开挖、调查，必须采取安全防护措施。电缆和燃气管道的开挖，必须有专业人员的配合。

7.2 地下管线探查

7.2.1 地下管线探查应查清各种地下管线的敷设状况、在地面上的投影位置和埋深，同时宜查明管线的种类、性质、规格、材质、流向、电缆根数及相关附属设施等属性。

7.2.2 管线点可分为明显管线点和隐蔽管线点二类。明显管线点应进行实地调查、测量有关数据和采集信息，隐蔽管线点应采用物探或开挖方法进行探测。

7.2.3 隐蔽管线点探查的水平位置偏差 ΔS 和埋深较差 ΔH 应分别满足下列公式的要求：

$$\Delta S \leqslant 0.10 \times h \qquad (7.2.3\text{-}1)$$

$$\Delta H \leqslant 0.15 \times h \qquad (7.2.3\text{-}2)$$

式中：h——管线埋深（m），当 $h<1$m 时，可按 1m 计。

7.2.4 管线点的位置应设置在管线的起止点、转折点、分支点、变径处、变坡处、交叉点、变材点、出（入）地口、附属设施中心点等特征点上，管线直线段的采点间距宜为图上 100mm～300mm，隐蔽管线点应有地面标识。

7.2.5 地下管线的调查项目和取舍标准宜根据工程项目委托单位要求确定，也可根据管线疏密程度、管径大小和重要性按表 7.2.5确定。

表 7.2.5 地下管线调查项目和取舍标准

管线类型		埋深		断面尺寸		材质	取舍要求	其他要求
		外顶	内底	管径	宽×高			
给水		*	—	*	—	*	内径≥50mm	—
排水	管道	—	*	*	—	*	内径≥200mm	注明流向
	方沟	—	*	—	*	*	方沟断面≥300mm×300mm	
燃气		*	—	*	—	*	干线和主要支线	注明压力
热力	直埋	*	—	—	—	*	干线和主要支线	注明流向
	沟道	—	*	—	—	*	全测	
工业管道	自流	—	*	*	—	*	工艺流程线不测	—
	压力	*	—	*	—	*		自流管道注明流向
电力	直埋	*	—	—	—	—	电压≥380V	注明电压
	沟道	—	*	—	*	*	全测	注明电缆根数
通信	直埋	*	—	*	—	—	干线和主要支线	—
	管块	*	—	—	*	—	全测	注明孔数
综合管廊		—	*	—	*	*	全测	权属单位和埋设年代

注:1 * 为调查或探查项目;

2 管道材质主要包括钢、铸铁、钢筋混凝土、混凝土、石棉水泥、陶土、PVC 塑料等,沟道材质主要包括砖石、管块等。

7.2.6 在明显管线点上,应查明各种与地下管线有关的建(构)筑物和附属设施。

7.2.7 地下管线详查应依据工程建设的需要进行,管线探查区域应包含工程的施工区域及周边有影响的区域,踏勘范围宜拓宽。

7.2.8 详查项目的管线点设置间距不宜大于 50m;对于管线曲线段,管线点设置应能反映管线弯曲特征。

7.2.9 地下管线详查应在下列位置加测管线点:

1 在工程设计的桩位(基础)邻近应加测管线点,并应标明已有管线与设计桩位的实际距离;

2　在设计管线与已有管线交叉点的两侧应加测管线点，并应标明已有管线的深度。

7.2.10　采用探测手段无法查明地下管线的空间位置时，宜进行局部开挖或打样洞探查；若现场条件不允许开挖及打样洞时，则应采用权属单位提供的资料或根据实地标志进行管线定位，但应在管线图件或记录表的备注中说明数据来源，并应在管线图中以虚线表示。

7.2.11　地下管线的实地调查宜有相关单位人员参加。实地调查应开启各类检查井，应查看井内情况，并应对明显管线点做调查、量测和记录，同时应调查河涌及桥梁边的管线情况。

7.2.12　地下管线的物探探查应在收集现况资料、实地调查的基础上，根据不同的地球物理条件，选用不同的物探方法进行定位、定深，并应遵循下列原则：

1　应从已知到未知；

2　应从简单到复杂；

3　宜采取实用、轻便、快速、成本低的方法；

4　工况条件复杂的，应采用多种探查方式或方法，互相验证。

7.2.13　地下管线的物探探查应具备下列条件：

1　被探查的地下管线应与周围介质之间有明显的物性差异；

2　被探查的地下管线所产生的异常场应能被仪器捕获；

3　接收信号应能从干扰背景或处理后的数据中分辨出被探管线产生的异常。

7.2.14　地下管线施工详查探测应联系有关单位共同实施完成。对无法探明的管线或探测信号明确且与管线资料不符的管线，应由有关单位人员现场指认。

7.2.15　常规方法难以查明的管线、涉及重要工程的地下管线以及埋深大于 4m 的管线，应进行专项地下管线探查，宜采用磁梯度与钻孔技术等探测。

7.2.16　隐蔽管线的探查应符合下列规定：

1 探查作业应按仪器的操作规定进行；

2 作业前，应在测区的明显管线点上进行比对，应确定探查仪器的修正参数；

3 对隐蔽管线点探查结果，应采用重复探查或开挖验证的方法进行质量检验，并应分别符合下列规定：

1)重复探查的点位应随机抽取，点数不宜少于探查点总数的5%，并应按下列公式计算隐蔽管线点的平面位置中误差m_H和埋深中误差m_V，数值不应超过本标准第7.2.3条限差的1/2：

隐蔽管线点的平面位置中误差：

$$m_H = \sqrt{\frac{[\Delta S_i \Delta S_i]}{2n}} \tag{7.2.16-1}$$

隐蔽管线点的埋深中误差：

$$m_V = \sqrt{\frac{[\Delta H_i \Delta H_i]}{2n}} \tag{7.2.16-2}$$

式中：ΔS_i——复查点位与原点位间的平面位置偏差(mm)；

ΔH_i——复查点位与原点位的埋深较差(mm)；

n——复查点数。

2)开挖验证的点位应随机抽取，点数不宜少于隐蔽管线点总数的0.5%，并不应少于2个点；所有点的平面位置误差和埋深误差，不应超过本标准第7.2.3条的规定。

7.3 地下管线施测

7.3.1 图根控制宜采用RTK图根测量、图根导线、极坐标法等，按本标准第5.2节的有关规定执行。

7.3.2 管线点相对于邻近控制点的点位测量中误差不应大于50mm、高程测量中误差不应大于20mm。

7.3.3 地下管线图测量应包括管线线路、管线附属设施和地上相关的主要建(构)筑物等。

7.3.4 管线点的平面坐标可采用全站仪极坐标法或卫星定位RTK法施测,高程可采用水准测量或电磁波测距三角高程测量的方法施测。点位的调查编号应与测量点号一致或对应。

7.3.5 管线附属设施以及地上相关的主要建(构)筑物、道路、围墙等的测量,应按本标准第5.3.1条~第5.3.17条执行。

7.4 地下管线图绘制

7.4.1 地下管线应绘制综合管线图。当线路密集或工程需要时,还应绘制专业管线图。

7.4.2 地下管线图的图幅与编号宜与测区原有地形图保持一致,也可采用现行设计图幅尺寸A0、A1、A2等。

7.4.3 地下管线图的图式和要素分类与代码应符合下列规定:

1 地下管线图图式应符合现行国家标准《国家基本比例尺地图图式 第1部分:1∶500 1∶1000 1∶2000地形图图式》GB/T 20257.1的有关规定;对于长距离专用管线,应符合现行国家标准《国家基本比例尺地图图式 第2部分:1∶5000 1∶10000地形图图式》GB/T 20257.2的有关规定;

2 地下管线及其附属设施的要素分类与代码应符合本标准表7.1.1和现行国家标准《基础地理信息要素分类与代码》GB/T 13923的有关规定;

3 对于图式和要素分类与代码中的不足部分,应进行补充。

7.4.4 地下管线图的绘图软件应符合本标准第5.8.2条的规定。

7.4.5 数字地下管线图的编辑处理应符合下列规定:

1 综合管线图宜分色、分层表示;

2 管线图上高程点的注记应精确至0.01m;

3 管线图的编辑处理应按本标准第5.8.2条~第5.8.6条、第5.8.9条、第5.8.10条的有关规定执行。

7.4.6 三维地下管线模型的平面精度、高程精度、属性等应与地下管线及附属设施的探测数据保持一致。

7.4.7 纸质地下管线图的绘制应符合下列规定：

1 管线图的绘制应符合本标准第5.8.6条、第5.8.9条的有关规定；

2 综合管线图可分色表示；

3 管线的起点、分支点、转折点及终点的细部坐标、高程及管径等，宜注记在图上；坐标和高程的注记应精确至0.01m；当图面的负荷大时，可编制细部坐标成果表并应在图上注记分类编号；但对同一个工程或同一区域，应采用同一种方法；

4 直立排列或密集排列的管线，可用一条线上分别注记各管线代号的方法表示；当密集管线需要分别表示时，若图上间距小于0.2mm，应按压力管线让自流管线、分支管线让主干管线、小管径管线让大管径管线、可弯曲管线让不易弯曲管线的原则，偏移避让管线，绘图间距宜为0.2mm；根据需要，管线局部可绘制放大图；

5 同专业管线立体相交时，宜绘出上方的管线，下方的管线两侧各断开0.2mm；不同专业管线相交时不应断开；

6 管沟的绘制宜用双线表示，双线间距为2.5mm；当管沟宽度大于图上2.5mm时，应按实际宽度比例绘制；管沟尺寸应在图上标注。

7.5 地下管线信息系统

7.5.1 地下管线信息系统可按城镇大区域建立，也可按居民小区、校园、医院、工厂、矿山、民用机场、车站、码头等独立区域建立，还可按管线的专业功能类别如供油、燃气、热力等分别建立。

7.5.2 地下管线数据库应按照统一的数据标准，实现信息的实时交换、共建共享、动态更新。

7.5.3 地下管线数据库设计应在需求调查基础上进行需求分析，需要调查内容应包括已有管线资料情况、管线管理要求、管线更新需求、已有软硬件平台等。

7.5.4 地下管线信息系统建设应包括立项可行性论证、需求分析、系统总体设计、系统详细设计、编码实现、样区实验、系统集成与试运行、成果提交与验收、系统维护等工作阶段，每个阶段应编制相应的报告。

7.5.5 地下管线要素分类应按照一致性、稳定性、完整性、适用性的原则。

7.5.6 地下管线要素的扩充应在同级分类的基础上逐级进行，扩充的下级类应能归入相应的上级类中，同时应在相关数据中说明，但码位不得扩充。

7.5.7 地下管线应按管线要素的点、线、面、辅助点、辅助线和注记等不同数据类型分层，综合管廊可按点、线结构进行区分。

7.5.8 地下管线属性结构设计时，应确定字段数量、字段名称、字段类型、字段长度、小数位数、完整性约束、域值等，填写各管线点表、管线线表、管线面表、管线辅助点表、管线辅助线表、管线注记点表。

7.5.9 地下管线的属性字段数量可根据实际需要在现有基础上扩展，扩展的字段名称或语义不应与所在数据表中已有的字段名称或语义重复，已有的字段、字段类型不应重新定义，已有字段的字段长度、小数位数可根据实际需要扩充。

7.5.10 地下管线的材质、埋设方式、使用状态、特征、附属物等属性应编制数据字典。

7.5.11 地下管线信息系统应具有下列基本功能：

1 地下管线图数据库的建库、数据库管理和数据交换；

2 管线数据和属性数据的输入和编辑；

3 管线数据的检查、更新和维护；

4 管线系统的检索查询、统计分析、量算定位和三维观察；

5 用户权限的控制；

6 网络系统的安全监测与安全维护；

7 数据、图表和图形的输出；

8 系统的扩展功能。

7.5.12 地下管线信息系统的建立应包括下列内容：

1 地下管线图库和地下管线空间信息数据库；

2 地下管线属性信息数据库；

3 数据库管理子系统；

4 管线信息分析处理子系统；

5 扩展功能管理子系统。

7.5.13 地下管线信息系统建立后，应根据管线的变化情况和用户要求进行维护、更新。

7.5.14 当对地下管线信息系统的软硬件进行升级或更新时，必须进行相关数据备份，并在系统和数据安全的情况下进行。

8 施工测量

8.1 一般规定

8.1.1 本章适用于工业与民用建筑、水工建筑物、桥梁、核电厂、隧道及综合管廊的施工测量。

8.1.2 施工测量前，应收集有关测量资料和施工设计图纸，应明确施工方法和放样精度要求，并应制定施工测量方案。

8.1.3 施工项目宜先建立场区控制网，再分别建立建筑物施工控制网；小规模或精度高的独立施工项目可直接布设建筑物施工控制网。

8.1.4 场区控制网应利用勘察阶段已有平面和高程控制网。原有平面控制网的边长应归算到场区的主施工高程面上，并应进行复测检查。精度满足施工要求时，可作为场区控制网使用，精度不满足要求时，应重新建立场区控制网。

8.1.5 新建立场区控制网应符合下列规定：

1 平面控制网宜布设为自由网；

2 平面控制网的观测数据不宜进行高斯投影改化，观测边长宜归算到测区的主施工高程面上；

3 自由网可利用原控制网中的点组进行定位，小规模场区控制网也可选用原控制网中一个点的坐标和一条边的方位进行定位；

4 控制网的平面坐标和高程系统宜与规划设计阶段保持一致。

8.1.6 建筑物施工控制网应根据场区控制网进行定位、定向和起算，控制网的坐标轴应与工程设计所采用的主副轴线一致，建筑物的±0 高程面应根据场区水准点测设。

8.1.7 控制网点应根据设计总平面图和施工总布置图布设，并应满足建筑物施工测设的需要。

8.2 场区控制测量

Ⅰ 场区平面控制网

8.2.1 场区平面控制网可根据场区的地形条件和建(构)筑物的布置情况，布设成建筑方格网、卫星定位测量控制网、导线网或三角形网等形式。

8.2.2 场区平面控制网应根据工程规模和工程需要分级布设。对于建筑场地大于 $1km^2$ 的工程项目或重要工业区，应建立一级及以上精度等级的平面控制网；对于场地面积小于 $1km^2$ 的工程项目或一般建筑区，可建立二级精度的平面控制网。场区平面控制网相对于勘察阶段控制点的定位精度，不应大于 50mm。

8.2.3 控制网点位应选择相互通视、便于施测、易于保存的地点，并应埋设标石，标石顶面宜加装强制对中装置。标石的埋设深度应根据地质条件、冻深和场地设计标高确定。

8.2.4 建筑方格网的建立应符合下列规定：

1 建筑方格网测量的主要技术要求应符合表 8.2.4-1 的规定。

表 8.2.4-1 建筑方格网测量的主要技术要求

等级	边长(m)	测角中误差(″)	测距相对中误差
一级	100～300	5	≤1/30000
二级	100～300	8	≤1/20000

2 建筑方格网点的布设应与建(构)筑物的设计轴线平行，并应构成正方形或矩形格网。

3 建筑方格网的测设方法可采用布网法或轴线法。采用布网法时，宜增测方格网的对角线；采用轴线法时，长轴线的定位点不得少于 3 点，点位偏离直线应在 5″以内，短轴线应根据长轴线定向，直角偏差应在 5″以内。水平角观测的测角中误差不应大于 2.5″。

4　建筑方格网点应埋设顶面为标志板的标石，标石埋设应符合本标准附录D的规定。

5　建筑方格网的水平角观测可采用方向观测法，水平角观测的主要技术要求应符合表8.2.4-2的规定。

表8.2.4-2　水平角观测的主要技术要求（″）

等级	仪器精度等级	测角中误差	测回数	半测回归零差	一测回内2C互差	各测回方向较差
一级	1″级仪器	5	2	≤6	≤9	≤6
	2″级仪器	5	3	≤8	≤13	≤9
二级	2″级仪器	8	2	≤12	≤18	≤12
	6″级仪器	8	4	≤18	—	≤24

6　建筑方格网的边长应采用电磁波测距仪器往返观测各一测回测定，并应进行温度、气压和仪器加、乘常数改正。

7　观测数据经平差处理后，应将测量坐标与设计坐标进行比较，应确定归化数据，并应在标石标志板上将点位归化至设计位置。

8　点位归化后，应进行角度和边长的复测检查。建筑方格网角度和边长复测检查的偏差限值应符合表8.2.4-3的规定。

表8.2.4-3　建筑方格网角度和边长复测检查的偏差限值

等级	角度偏差	边长偏差
一级	≤8″	≤D/25000
二级	≤12″	≤D/15000

注：D为方格网的边长。

8.2.5　场区控制网采用卫星定位测量的主要技术要求应符合表8.2.5的规定。

表8.2.5　场区控制网采用卫星定位测量的主要技术要求

等级	边长（m）	固定误差A（mm）	比例误差系数B（mm/km）	边长相对中误差
一级	300～500	≤5	≤5	≤1/40000
二级	100～300			≤1/20000

8.2.6　场区控制网采用导线网时，相邻边的长度比不宜超过1∶3，

场区导线测量的主要技术要求应符合表 8.2.6 的规定。

表 8.2.6 场区导线测量的主要技术要求

等级	导线长度(km)	平均边长(m)	测角中误差(″)	测距相对中误差	测回数		方位角闭合差(″)	导线全长相对闭合差
					2″级仪器	6″级仪器		
一级	2.0	100～300	5	1/30000	3	—	$10\sqrt{n}$	≤1/15000
二级	1.0	100～200	8	1/14000	2	4	$16\sqrt{n}$	≤1/10000

注:n 为测站数。

8.2.7 场区控制网采用三角形网测量的主要技术要求应符合表 8.2.7 的规定。

表 8.2.7 场区三角形网测量的主要技术要求

等级	边长(m)	测角中误差(″)	测边相对中误差	最弱边边长相对中误差	测回数		三角形最大闭合差(″)
					2″级仪器	6″级仪器	
一级	300～500	5	≤1/40000	≤1/20000	3	—	15
二级	100～300	8	≤1/20000	≤1/10000	2	4	24

8.2.8 卫星定位测量控制网、导线网及三角形网测量的其他技术要求可按本标准第 3 章的有关规定执行。

Ⅱ 场区高程控制网

8.2.9 场区的高程控制网应布设成闭合环线、附合路线或结点网。

8.2.10 大中型施工项目的场区高程测量精度不应低于三等水准,主要技术要求应按本标准第 4.2 节的有关规定执行。

8.2.11 水准点可单独布设在场地稳定的区域,也可设置在平面控制点的标石上。水准点间距宜小于 1km,距离建(构)筑物不宜小于 25m,距离回填土边线不宜小于 15m。

8.2.12 施工中,高程控制点标石不能保存时,应将控制点高程引测至稳固的建(构)筑物上,引测的精度不应低于原控制点的精度等级。

8.3 工业与民用建筑施工测量

Ⅰ 建筑物施工控制网

8.3.1 建筑物施工控制网，应根据建筑物的设计形式和特点，布设成十字轴线或矩形控制网，施工控制网的定位应符合本标准第 8.1.6 条的规定。

8.3.2 建筑物施工平面控制网，应根据建筑物的分布、结构、高度、基础埋深和机械设备传动的连接方式、生产工艺的连续程度，分别布设一级或二级控制网。建筑物施工平面控制网主要技术要求应符合表 8.3.2 的规定。

表 8.3.2 建筑物施工平面控制网的主要技术要求

等级	边长相对中误差	测角中误差
一级	≤1/30000	$7''/\sqrt{n}$
二级	≤1/15000	$15''/\sqrt{n}$

注：n 为建筑物结构的跨数。

8.3.3 建筑物施工平面控制网的建立应符合下列规定：

1 控制点应选在相互通视的稳固地段，便于观测、保存、施工放样的地方。

2 控制网加密的指示桩宜选在建筑物行列线或主要设备中心线方向上。

3 主要的控制网点和主要设备中心线端点应埋设固定标桩。

4 控制网轴线起始点的定位误差不应大于 20mm；两建筑物（厂房）间有联动关系时，不应大于 10mm，定位点不得少于 3 个。

5 水平角观测的测回数应根据本标准表 8.3.2 中测角中误差的大小，按表 8.3.3-1 选定。

表 8.3.3-1 水平角观测的测回数

仪器精度等级 \ 测角中误差	2.5″	3.5″	4.0″	5″	10″
1″级仪器	4	3	2	—	—

续表 8.3.3-1

仪器精度等级＼测角中误差	2.5″	3.5″	4.0″	5″	10″
2″级仪器	6	5	4	3	1
6″级仪器	—	—	—	4	3

6 矩形网的角度闭合差不应大于测角中误差的 4 倍。

7 边长测量宜采用电磁波测距的方法,作业的主要技术要求应符合本标准表 3.3.16 的有关规定。二级网的边长测量也可采用钢尺量距,对量距边长应进行温度、坡度和尺长改正;作业前应对钢尺进行检定,检定的相对误差不应大于 1/100000。普通钢尺量距的技术要求应符合表 8.3.3-2 的规定。

表 8.3.3-2 普通钢尺量距的技术要求

等级	边长量距较差相对误差	作业尺数	量距总次数	定线最大偏差(mm)	尺段高差较差(mm)	读定次数	估读值至(mm)	温度读数值至(℃)	同尺各次或同段各尺的较差(mm)
二级	1/20000	1～2	2	50	≤10	3	0.5	0.5	≤2

8 矩形网应按平差结果进行实地修正,应调整到设计位置。当增设轴线时,可采用现场改点法进行配赋调整;点位修正后,应进行矩形网角度的检测。

8.3.4 建筑物的围护结构封闭前,应根据施工需要将建筑物外部控制转移至内部。内部的控制点,宜设置在浇筑完成的预埋件上或预埋的测量标板上。引测的投点误差,一级不应超过 2mm,二级不应超过 3mm。

8.3.5 建筑物高程控制应符合下列规定:

1 建筑物高程控制应采用水准测量,附合路线闭合差不应低于四等水准的要求;

2 水准点可设置在平面控制网的标桩或外围的固定地物上,也可单独埋设;水准点的个数,不应少于 2 个;

3 当场地高程控制点距离施工建筑物小于200m时，可直接利用。

8.3.6 当施工中高程控制点标桩不能保存时，应将高程引测至稳固的建筑物或构筑物上，引测的精度，不应低于四等水准。

Ⅱ 建筑物施工放样

8.3.7 建筑物施工放样应具备下列资料：

1 总平面图；

2 建筑物的设计与说明；

3 建筑物的轴线平面图；

4 建筑物的基础平面图；

5 设备的基础图；

6 土方的开挖图；

7 建筑物的结构图；

8 管网图；

9 场区控制点坐标、高程及点位分布图。

8.3.8 放样前，应对建筑物施工平面控制点和高程控制点进行检核。

8.3.9 建筑物轴线放样应符合下列规定：

1 放样宜采用2″级全站仪，应先由控制点放样出建筑物外廓主要轴线点，偏差不应大于4mm；

2 检核和调整主要轴线点位置，轴线点间距离偏差应符合本标准表8.3.11的规定；

3 内部轴线点可由主要轴线点采用内分法放样；

4 检核相邻轴线点间距，偏差应小于5mm。

8.3.10 在施工的建(构)筑物外围应建立线板或轴线控制桩。线板应注记中心线编号，并应测设标高。线板和轴线控制桩应保存。

8.3.11 建筑物施工放样应符合下列规定：

1 建筑物施工放样、轴线投测和标高传递的测量允许偏差应符合表8.3.11的规定。

表 8.3.11 建筑物施工放样、轴线投测和标高传递的测量允许偏差

项目	内容		测量允许偏差(mm)
基础桩位放样	单排桩或群桩中的边桩		±10
	群桩		±20
各施工层上放线	轴线点		±4
	外廓主轴线长度 L(m)	$L \leqslant 30$	±5
		$30 < L \leqslant 60$	±10
		$60 < L \leqslant 90$	±15
		$90 < L \leqslant 120$	±20
		$120 < L \leqslant 150$	±25
		$150 < L \leqslant 200$	±30
		$L > 200$	按 40%的施工限差取值
	细部轴线		±2
	承重墙、梁、柱边线		±3
	非承重墙边线		±3
	门窗洞口线		±3
轴线竖向投测	每层		3
	总高 H(m)	$H \leqslant 30$	5
		$30 < H \leqslant 60$	10
		$60 < H \leqslant 90$	15
		$90 < H \leqslant 120$	20
		$120 < H \leqslant 150$	25
		$150 < H \leqslant 200$	30
		$H > 200$	按 40%的施工限差取值

续表 8.3.11

项　目	内　容		测量允许偏差(mm)
标高竖向传递	每层		±3
	总高 H(m)	$H \leqslant 30$	±5
		$30 < H \leqslant 60$	±10
		$60 < H \leqslant 90$	±15
		$90 < H \leqslant 120$	±20
		$120 < H \leqslant 150$	±25
		$150 < H \leqslant 200$	±30
		$H > 200$	按40%的施工限差取值

2 施工层标高的传递宜采用悬挂钢尺代替水准尺的水准测量方法进行，并应对钢尺读数进行温度、尺长和拉力改正；传递点的数目，应根据建筑物的大小和高度确定。一般的工业建筑或多层民用建筑，宜从两个位置处分别向上传递，重要的工业建筑或高层民用建筑，宜从三个位置处分别向上传递；传递的标高较差小于3mm时，可取平均值作为施工层的标高基准，大于3mm时，应重新传递。

3 施工层的轴线投测宜使用2″级激光经纬仪或激光铅直仪进行。控制轴线投测至施工层后，应在结构平面上按闭合图形对投测轴线进行校核；本施工层上的其他测设工作应在投测轴线的校核结果满足要求后进行。

4 施工的垂直度测量精度应根据建筑物的高度、施工的精度要求、现场观测条件和垂直度测量设备等分析确定，但不应低于轴线竖向投测的精度要求。

5 大型设备基础浇筑过程中，应检测位置及标高。当发现位置及标高与施工要求不符时，应通知施工人员。

8.3.12 结构安装测量的精度应符合下列规定：

1　柱子、桁架或梁安装测量的允许偏差应符合表 8.3.12-1 的规定。

表 8.3.12-1　柱子、桁架或梁安装测量的允许偏差

测量内容		允许偏差(mm)
钢柱垫板标高		±2
钢柱±0 标高检查		±2
预制混凝土柱±0 标高检查		±3
柱子垂直度检查	钢柱牛腿	5
	柱高 10m 以内	10
	柱高 10m 以上	H/1000，且≤20
桁架和实腹梁、桁架和钢架的支承结点间相邻高差的偏差		±5
梁间距		±3
梁面垫板标高		±2

注：H 为柱子高度(mm)。

2　构件预装测量的允许偏差应符合表 8.3.12-2 的规定。

表 8.3.12-2　构件预装测量的允许偏差(mm)

测量内容	允许偏差
平台面抄平	±1
纵横中心线的正交度	$\pm 0.8\sqrt{l}$
预装过程中的抄平工作	±2

注：l 为自交点起算的横向中心线长度(m)，长度小于 5m 时，应以 5m 计。

3　附属构筑物安装测量的允许偏差应符合表 8.3.12-3 的规定。

表 8.3.12-3　附属构筑物安装测量的允许偏差(mm)

测量项目	允许偏差
栈桥和斜桥中心线的投点	±2
轨面的标高(平整度)	±2
相邻轨面的高差	±4

续表 8.3.12-3

测 量 项 目	允许偏差
轨道跨距的丈量	±2
管道构件中心线的定位	±5
管道标高的测量	±5
管道垂直度的测量	$H/1000$

注：H 为管道垂直部分的长度(mm)。

8.3.13 设备安装测量的主要技术要求应符合下列规定：

1 设备基础竣工中心线应进行复测，两次测量的较差不应大于 5mm；

2 对于埋设有中心标板的设备基础，中心线应由竣工中心线引测，同一中心标点的偏差不应超过±1mm；纵横中心线应进行正交度的检查，并应调整横向中心线；同一设备基准中心线的平行偏差或同一生产系统的中心线的直线度应小于±1mm；

3 每组设备基础应设立临时标高控制点。普通设备基础的标高偏差应小于±2mm，与传动装置有联系的设备基础的相邻两标高控制点标高偏差应小于±1mm。

8.4 水工建筑物施工测量

8.4.1 水工建筑物施工平面控制网的建立应符合下列规定：

1 施工平面控制网可采用卫星定位测量控制网、导线网、三角形网等形式，首级施工平面控制网等级应根据工程规模和建筑物的施工精度要求按表 8.4.1-1 选用。

表 8.4.1-1 首级施工平面控制网等级

工程规模	混凝土建筑物	土石建筑物
大型工程	二等	二等或三等
中型工程	三等	三等或四等
小型工程	四等或一级	一级

2　各等级水工建筑物施工平面控制网的平均边长应符合表8.4.1-2的规定。

表 8.4.1-2　各等级水工建筑物施工平面控制网的平均边长(m)

等级	二等	三等	四等	一级
平均边长	800	600	500	300

注:对于施工场地大且受布点限制的水工建筑物,平均边长可放长,但不宜大于表中规定长度的2倍。

3　水工建筑物施工平面控制网宜按两级布设。一般工程项目控制网的相邻点位中误差不应大于10mm;对于中小型一次布网的工程项目控制网最弱点的点位中误差不应大于10mm;对于大型或有特殊精度要求的控制网,最末级平面控制点相对于起始点或首级网点的点位中误差不应大于10mm。

4　施工平面控制测量的其他技术要求应符合本标准第3章的有关规定。

8.4.2　水工建筑物施工高程控制网的建立应符合下列规定:

1　施工高程控制网宜布设成环形或附合路线。

2　施工高程控制网等级的选用应符合表8.4.2的规定。

表 8.4.2　施工高程控制网等级的选用

工程规模	混凝土建筑物	土石建筑物
大型工程	二等	三等
中型工程	三等	四等
小型工程	四等	五等

3　施工高程控制网的最弱点相对于起算点的高程中误差,对于混凝土建筑物不应大于10mm,对于土石建筑物不应大于20mm。根据需要,计算时应兼顾起始数据误差的影响。

4　施工高程控制测量的其他技术要求应符合本标准第4章的有关规定。

8.4.3　水工建筑物施工控制网应复测,复测精度应与首次测量精度相同。复测周期宜为一年。受施工影响使点位遭到破坏或遇外界因素影响点位稳定性时，应加密复测。

8.4.4 填筑及混凝土建筑物轮廓点施工放样的允许偏差应符合表 8.4.4 的规定。

表 8.4.4 填筑及混凝土建筑物轮廓点施工放样的允许偏差(mm)

建筑材料	建筑物名称	允许偏差	
		平面	高程
混凝土	主坝、厂房等各种主要水工建筑物	±20	±20
	各种导墙及井、洞衬砌	±25	±20
	副坝、围堰心墙、护坦、护坡、挡墙等	±30	±30
土石料	碾压式坝(堤)边线、心墙、面板堆石坝等	±40	±30
	各种坝(堤)内设施定位、填料分界线等	±50	±30

注：允许偏差是指放样点相对于邻近控制点的偏差。

8.4.5 建筑物混凝土浇筑及预制构件拼装的竖向测量的允许偏差应符合表 8.4.5 的规定。

表 8.4.5 建筑物混凝土浇筑及预制构件拼装的竖向测量的允许偏差(mm)

工 程 项 目	相邻两层对接中心线的相对允许偏差	相对基础中心线的允许偏差	累计偏差
厂房、开关站等的各种构架、立柱	±3	$H/2000$	±20
闸墩、栈桥墩，船闸、厂房等侧墙	±5	$H/1000$	±30

注：H 为建(构)筑物的高度(mm)。

8.4.6 水工建筑物附属设施安装测量的允许偏差应符合表 8.4.6 的规定。

表 8.4.6 水工建筑物附属设施安装测量的允许偏差(mm)

设备种类	细部项目	允许偏差		备　　注
		平面	高程(差)	
压力钢管安装	始装节管口中心位置	±5	±5	相对钢管轴线和高程基点
	有连接的管口中心位置	±10	±10	
	其他管口中心位置	±10	±15	

续表 8.4.6

<table>
<tr><th rowspan="2">设备种类</th><th rowspan="2">细部项目</th><th colspan="2">允许偏差</th><th rowspan="2">备注</th></tr>
<tr><th>平面</th><th>高程(差)</th></tr>
<tr><td>平面闸门安装</td><td>轨间间距</td><td>−1～+4</td><td>—</td><td>相对门槽中心线</td></tr>
<tr><td>弧形门、人字门安装</td><td>—</td><td>±2</td><td>±3</td><td>相对安装轴线</td></tr>
<tr><td rowspan="3">天车、起重机轨道安装</td><td>轨距</td><td>±5</td><td>—</td><td rowspan="3">一条轨道相对于另一条轨道</td></tr>
<tr><td>平行轨道相对高差</td><td>—</td><td>±10</td></tr>
<tr><td>轨道坡度</td><td>—</td><td>$L/1500$</td></tr>
<tr><td rowspan="2">水轮发电机</td><td>座环安装(中心和方位)</td><td>±5</td><td>±3</td><td rowspan="2">相对机组中心线和高程基准点</td></tr>
<tr><td>机坑里衬及蜗壳安装(中心)</td><td>±10</td><td>±10</td></tr>
</table>

注:1 L 为天车、起重机轨道长度(mm);

2 垂直构件安装,同一铅垂线上的安装点点位中误差不应大于 2mm。

8.5 桥梁施工测量

Ⅰ 桥梁控制测量

8.5.1 桥梁施工项目应建立桥梁施工专用控制网。对于跨越宽度较小的桥梁,也可利用勘测阶段所布设的等级控制点,但应经过复测,并应满足桥梁控制网的等级和精度要求。

8.5.2 桥梁施工控制网等级的选择应根据桥梁的结构和设计要求确定,桥梁首级施工控制网等级的选择,应符合表 8.5.2 的规定。

表 8.5.2 桥梁首级施工控制网等级的选择(m)

桥长 L	跨越的宽度 l	平面控制网的等级	高程控制网的等级
$L>5000$	$l>1000$	二等或三等	二等
$2000<L\leqslant5000$	$500<l\leqslant1000$	三等或四等	三等
$500<L\leqslant2000$	$200<l\leqslant500$	四等或一级	四等
$L\leqslant500$	$l\leqslant200$	一级	四等或五等

注:1 L 为桥的总长(m);

2 l 为跨越的宽度指桥梁所跨越的江(河、峡谷)的宽度。

8.5.3 桥梁施工平面控制网的建立应符合下列规定：

1 桥梁施工平面控制网宜布设成自由网，并应根据线路测量控制点定位；

2 控制网可采用卫星定位测量控制网、三角形网或导线网等形式，可采用一次布网，也可采用分级布网；

3 控制网的边长宜为主桥轴线长度的50%～150%；

4 当控制网跨越江河峡谷时，每岸控制点不应少于3点；

5 施工平面控制测量的其他技术要求应符合本标准第3章的有关规定。

8.5.4 桥梁施工高程控制网的建立应符合下列规定：

1 两岸的水准测量路线应组成一个统一的水准网；

2 每岸水准点不应少于3点；

3 跨越江河峡谷时，根据需要可进行跨河水准测量；

4 施工高程控制测量的其他技术要求应符合本标准第4章的有关规定。

8.5.5 桥梁控制网在使用过程中应检测，检测周期宜为1年，检测精度应与首次测量精度相同。

Ⅱ 桥梁施工放样

8.5.6 桥梁施工放样前，应根据桥梁施工设计图和施工的特点确定放样方法。平面位置放样宜采用极坐标法、多点交会法等，高程放样宜采用水准测量方法。

8.5.7 桥梁基础施工测量的允许偏差应符合表8.5.7的规定。

表8.5.7 桥梁基础施工测量的允许偏差(mm)

类别	测量内容		允许偏差
灌注桩	群桩		40
	单排桩		20
沉桩	群桩	中间桩	$d/5$，且≤100
		外缘桩	$d/10$

续表 8.5.7

<table>
<tr><th>类　别</th><th colspan="2">测量内容</th><th>允许偏差</th></tr>
<tr><td rowspan="2">沉桩</td><td rowspan="2">单排桩</td><td>顺桥纵轴线方向</td><td>16</td></tr>
<tr><td>垂直桥纵轴线方向</td><td>20</td></tr>
<tr><td rowspan="2">沉井</td><td rowspan="2">顶面中心、底面中心</td><td>一般</td><td>$h/125$</td></tr>
<tr><td>浮式</td><td>$h/125+100$</td></tr>
<tr><td rowspan="2">垫层</td><td colspan="2">轴线位置</td><td>20</td></tr>
<tr><td colspan="2">顶面高程</td><td>0～－8</td></tr>
</table>

注：1　d 为桩径(mm)；

2　h 为沉井高度(mm)；

3　允许偏差是指相对于邻近控制点的偏差。

8.5.8　桥梁下部构造施工测量的允许偏差应符合表 8.5.8 的规定。

表 8.5.8　桥梁下部构造施工测量的允许偏差(mm)

<table>
<tr><th>类别</th><th colspan="2">测量内容</th><th>允许偏差</th><th>备注</th></tr>
<tr><td rowspan="2">承台</td><td colspan="2">轴线位置</td><td>6</td><td rowspan="5">相对控制点</td></tr>
<tr><td colspan="2">顶面高程</td><td>±8</td></tr>
<tr><td rowspan="2">墩台身</td><td colspan="2">轴线位置</td><td>4</td></tr>
<tr><td colspan="2">顶面高程</td><td>±4</td></tr>
<tr><td rowspan="4">墩、台帽或盖梁</td><td colspan="2">轴线位置</td><td>4</td></tr>
<tr><td colspan="2">支座位置</td><td>2</td><td>相对轴线点</td></tr>
<tr><td rowspan="2">支座处顶面高程</td><td>简支梁</td><td>±4</td><td rowspan="2">相对控制点</td></tr>
<tr><td>连续梁</td><td>±2</td></tr>
</table>

8.5.9　桥梁上部构造施工测量的允许偏差应符合表 8.5.9 的规定。

表 8.5.9 桥梁上部构造施工测量的允许偏差(mm)

类别	测量内容		允许偏差	备注
梁、板安装	支座中心位置	梁	2	相对轴线点
		板	4	
	梁板顶面纵向高程		±2	相对控制点
悬臂施工梁	轴线位置	跨距小于或等于 100m	4	相对轴线点
		跨距大于 100m	$L/25000$	
	顶面高程	跨距小于或等于 100m	±8	相对控制点
		跨距大于 100m	$\pm L/12500$	
		相邻节段高差	4	—
主拱圈安装	轴线横向位置	跨距小于或等于 60m	4	相对轴线
		跨距大于 60m	$L/15000$	
	拱圈高程	跨距小于或等于 60m	±8	相对控制点
		跨距大于 60m	$\pm L/7500$	
腹拱安装	轴线横向位置		4	相对轴线
	起拱线高程		±8	相对控制点
	相邻块件高差		2	—
钢筋混凝土索塔	塔柱底水平位置		4	相对控制点
	倾斜度		$H/7500$,且≤12	—
	系梁高程		±4	相对控制点
钢梁安装	钢梁中线位置		4	相对轴线
	墩台处梁底高程		±4	相对控制点
	固定支座顺桥向位置		8	相对轴线点

注:1 L 为跨径(mm);

2 H 为索塔高度(mm)。

8.6 核电厂施工测量

Ⅰ 平面控制网

8.6.1 核电厂施工平面控制网的等级可划分为初级网、次级网和微网；初级网的精度不应低于本标准第 3 章四等平面控制网测量精度，次级网不应低于本标准第 3 章三等平面控制网测量精度，微网宜根据项目的要求确定精度。

8.6.2 初级平面控制网的网点应在厂区均匀布设，网的平均边长不超过 1km，最弱点点位中误差不应大于 30mm，网形可采用卫星定位网或三角形网形式；初级网观测与数据处理的其他技术要求应分别按本标准第 3.2 节和第 3.4 节中四等平面控制网的有关规定执行。

8.6.3 次级平面控制网应依初级网进行定位、定向；点位宜按核电厂总平面布置图和施工总布置图布设，网的平均边长宜为 200m，控制点应采用永久性强制对中观测墩，网形可采用三角形网或卫星定位网形式，次级网观测与数据处理的其他技术要求应分别按本标准第 3.4 节和第 3.2 节的三等平面控制网的有关规定执行。

8.6.4 微网宜布设成短边三角形网或导线网形式，厂房内部微网相邻点间距宜为 5m～30m，平均边长宜为 20m；微网观测宜采用多联脚架法，水平角观测的测回数 0.5″级仪器宜为四测回观测，1″级仪器宜为六测回观测；控制点的坐标中误差和相邻点相对坐标中误差不应大于 2mm；控制网中的插点宜采用自由设站法同精度观测；微网观测和数据处理的其他技术要求应分别按本标准第3.4 节和第 3.3 节一级网的有关规定执行。

8.6.5 次级网、微网的观测数据不得进行高斯投影改化，宜将观测边长归算到核岛、常规岛等主厂房区域的场平标高面上。

8.6.6 厂房内部的微网观测、安装的定位和检查、局部控制网加密等精密测量工作，宜在同等气象条件下进行。当环境因素变化大时，应对温度、气压的影响进行改正。

Ⅱ 高程控制网

8.6.7 核电厂施工高程控制网可划分为初级高程控制网、次级高程控制网、微型高程控制网。

8.6.8 初级高程控制网应布设成闭合环线、附合路线或结点网形式，最弱点高程中误差不应超过 10mm，观测精度不应低于四等水准。初级网水准点的布置还应符合本标准第 8.2.11 条的规定。

8.6.9 次级高程控制网应布设成闭合环线，网点的数量不应少于 3 个，最弱点高程中误差不应超过 1mm，观测应采用水准测量方法往返观测，并应符合表 8.6.9-1 和表 8.6.9-2 的规定。点位宜布设在施工变形区以外的稳定区域；若在建筑区内，点位与邻近建筑物的距离宜大于建筑物基础最大宽度的 2 倍，标石埋深应大于邻近建筑物基础的深度；也可将点位镶嵌在裸露的基岩上，或在原状土层内采用深埋式水准标志。次级网、微网高程控制测量的主要技术要求，应符合表 8.6.9-1 的规定，次级网、微网水准观测的主要技术要求，应符合表 8.6.9-2 的规定。

表 8.6.9-1 次级网、微网高程控制测量的主要技术要求(mm)

项目	每千米高差全中误差	相邻点高差中误差	每站高差中误差	往返较差、附合或环线闭合差	检测已测高差较差
次级网、微网	2	0.5	0.15	$0.3\sqrt{n}$	$0.4\sqrt{n}$

注：n 为测站数。

表 8.6.9-2 次级网、微网水准观测的主要技术要求

项目	水准仪级别	水准尺	视线长度(m)	前后视的距离较差(m)	前后视的距离较差累积(m)	视线离地面最低高度(m)	基本分划、辅助分划读数较差(mm)	基本分划、辅助分划所测高差较差(mm)
次级网、微网	DS05、DSZ05	因瓦	30	0.5	1.5	0.5	0.3	0.4

注：1 数字水准仪观测，不受基、辅分划读数较差指标的限制，但测站两次观测的高差较差，应满足表中相应等级基、辅分划所测高差较差的限值；

2 水准路线跨越江河时，应进行相应等级的跨河水准测量，其指标不受该表的限制，按本标准第 4 章的规定执行；

3 DS05、DSZ05 级水准仪视准轴与水准管轴的夹角不得大于 10″。

8.6.10 微型高程控制网应由埋设在各厂房内底板基础平台上的 2 个～3 个水准点组成闭合水准路线，应采用水准测量方法往返观测，并应符合本标准表 8.6.9-1 和表 8.6.9-2 的规定。底板以上各楼层的高程控制测量应以底板微型网水准点为基准进行传递，也可在各单体厂房内部另外引测高程控制点传递高程。

8.6.11 水准观测的其他技术要求应符合本标准第 4 章二等水准测量的有关规定，水准标石的埋设应按本标准附录 C 的规定执行。

8.6.12 核电厂建设与运营期，应对控制网进行复测，并应符合下列规定：

1 建网初期每 1 个～3 个月复测一次，点位稳定后宜半年复测一次；

2 受到爆破、地震等外界影响时，应复测，并应对次级网点位的稳定性、可靠性进行评估；

3 次级网每期复测的结果应与当前使用的成果进行较差分析，当较差不超过较差中误差的 2 倍时，宜采用原测量成果；

4 微网应独立复测，不宜再与次级网联测，应只做内部相对位置的检查和调整；每期复测的结果应与前期成果进行较差分析，并应对点位的变化趋势作出判断；

5 次级网复测数据处理，应依据控制点稳定性分析结果，并应以稳定点为起算数据进行严密平差计算；

6 微网复测数据处理，应先选取拟稳点和非拟稳点，并采用拟稳平差法进行计算。

8.6.13 底板微网的坐标竖向投测宜采用天底准直法，坐标竖向投点误差不宜超过 1mm。新投测的底板平面基点应与本楼层新增的加密点共同构网，并应采用多联脚架法进行边、角组合观测。

8.6.14 底板微网的高程竖向传递宜采用悬吊钢尺、水准仪读数的方法进行，观测时应采用两台水准仪楼上和楼下同时读数，并应量取环境温度，对观测高差应进行温度和尺长改正。

Ⅲ 核岛、常规岛施工放样

8.6.15 核岛、常规岛施工放样前，应收集下列技术资料：

1 施工图纸，包括土石方开挖图、总平面图、厂房基础图、各楼层平面图、结构模板图、设备基础图、设备安装图及技术条件、管网图等；

2 建筑物或设备的设计与说明，特别是限差的要求；

3 设计变更；

4 各级控制网资料。

8.6.16 施工测量控制基准的选择应符合下列规定：

1 对于基坑开挖土石方工程及独立的建(构)筑物，施工测量基准应为初级网或次级网；

2 对于相互联系的建筑物，施工测量基准应为次级网或该区域厂房内部微网；

3 对于某一建筑物内部结构或设备，施工测量基准应采用本区域的微网；

4 当已有控制点不能满足施工放样时，可建立加密控制网点和临时加密点；

5 每个厂房应只有一个高程基准点，各厂房高程基准的高程值确定后，不应改变。

8.6.17 核电厂施工放样应符合下列规定：

1 施工放样可采用全站仪极坐标法、距离方向交会法和基准线法、弦线支距法等方法；高程放样应采用水准测量方法；

2 施工放样的位置精度宜与设计人员共同确定，常规的设备基础、构件与设备安装放样要求可按本标准第 8.6.19 条、第 8.6.20

条执行；

3 对重要的和精度要求高的结构、设备及构件，宜编制专用的测量放样方案；

4 施工放样完成后，应按同等精度复核；

5 对施工现场各种点、线、部件的测量放线应标识，墨迹弹线的线划宽度不宜大于 1.5mm。

8.6.18 大型设备基础浇筑过程中，应进行测量监测。当发现位置及标高与设计要求不符时，应即时通知施工人员。

8.6.19 当混凝土工程施工及构件安装测量的允许偏差无设计要求时，应符合表 8.6.19 的规定。

表 8.6.19 混凝土工程施工及构件安装测量的允许偏差(mm)

项　目	测量内容	允许偏差
垫层、墙、柱、基础、楼板	平面位置控制线	±10
	标高线	±10
各施工层上放线	轴线位置	±10
	墙、梁、柱边线	±10
普通预埋件	位置、标高	±10
预埋螺栓	中心线位置	±5
预埋管	中心线位置	±5
预留洞	中心线位置	±10
钢衬里	衬里平整度	±15
筒体	径向位置(半径)	±50
截锥体	径向位置(半径)	±50
环形吊车牛腿	位置	±25
	顶面标高	0～－8
支承环	平整度	±3

续表 8.6.19

项　目	测量内容		允许偏差
柱	中心线对轴线位置		±5
	上下柱接口中心线位置		±3
	垂直度	$H \leqslant 5m$	±5
		$5m < H < 10m$	±10
		$H \geqslant 10m$	$H/1000$，且$\leqslant 20$
	牛腿上表面和柱顶标高	$H \leqslant 5m$	0～－5
		$H > 5m$	0～－8
梁或吊车梁	中心线对轴线位置		±5
	梁上表面标高		0～－5

注：H 为柱子高度（mm）。

8.6.20 核岛主要系统的测量允许偏差应符合下列规定：

1 核岛主系统设备预埋件测量允许偏差应符合表 8.6.20-1 的规定。

表 8.6.20-1 核岛主系统设备预埋件测量允许偏差（mm）

类　别	允许偏差		
	平面	平整度	标高
蒸汽发生器下部水平支撑预埋件	±10	5	±3
蒸汽发生器上部水平支撑预埋件		5	±3
主管道过渡段支架预埋件		10	±5
阻尼器埋件		10	—
稳压器垂直支撑预埋件		—	0～10
稳压器水平防甩支架预埋件		10	—
主管道穿墙套管		—	±5
蒸汽发生器和冷却剂泵垂直支撑预埋件		10	±3

2 反应堆相关的测量允许偏差应符合表 8.6.20-2 的规定。

表 8.6.20-2 反应堆相关的测量允许偏差(mm)

项目	测量内容		允许偏差
反应堆压力容器环形支承在二次灌浆前后	平面位置尺寸	X方向	±0.5
		Y方向	±0.5
	标高Z方向		±1
	平整度		0.5
反应堆压力容器	平面位置尺寸	X方向	±0.5
		Y方向	±0.5
	标高Z方向		±0.5
	平整度		0.16
	侧向间隙		(0,+0.1)
堆腔密封环	上部支承环平行度		≤2
	上部支承环内径		±5
	凸缘上表面与密封环槽底间的距离		±2

3 蒸汽发生器、主泵泵壳相关的测量允许偏差应符合表 8.6.20-3 的规定。

表 8.6.20-3 蒸汽发生器、主泵泵壳相关的测量允许偏差(mm)

项目	测量内容		允许偏差
蒸汽发生器垂直支撑基板在二次灌浆前后	垂直支撑底板标高		±3
	垂直支撑底板平整度		1
	垂直支撑基板	位置尺寸	±2
		角度	±30″
	垂直支撑	位置尺寸	±2
		角度	±30″
	垂直支撑垂直度		±5

续表 8.6.20-3

项目	测量内容		允许偏差
蒸汽发生器水平支撑	下部水平支撑最终安装位置		±5
	下部水平支撑最终安装标高		±5
	下部水平支撑档架与档块的间隙	前端	±4
		两侧	±2
	蒸汽发生器上部支撑环安装标高		±10
	上部滑板与蒸汽发生器支撑环间间隙	主泵对面侧	±5
		主泵侧	±5
	阻尼器基板平面度		0.15mm/800
	阻尼器基板安装标高		±10
	阻尼器基板安装垂直度		±2
	阻尼器支座中心标高		±15
蒸汽发生器	设备垂直度		±5
	蒸汽发生器热段入口管嘴中心标高		±2
主泵泵壳	泵壳上表面标高		±1
	泵壳上表面平整度		2

4 稳压器及其支撑的允许偏差应符合表 8.6.20-4 的规定。

表 8.6.20-4 稳压器及其支撑的允许偏差(mm)

项目	测量内容		允许偏差
稳压器支撑	稳压器支撑环板	平整度	≤1
		标高	±2
		位置尺寸	±7
	水平档块标高		±20
	水平档块安装	轴线角向	±20
		径向	±1

续表 8.6.20-4

项目	测量内容	允许偏差
稳压器	稳压器安装垂直度	±5
	稳压器安装位置偏移量	±7

5 反应堆堆坑贯穿件、汽轮机基座预埋件的允许偏差应符合表 8.6.20-5 的规定。

表 8.6.20-5 反应堆堆坑贯穿件、汽轮机基座预埋件的允许偏差(mm)

项目	测量内容	允许偏差
反应堆堆坑贯穿件	反应堆堆腔贯穿件安装位置	±1
	主回路管道热段中心线标高	±4
	防甩限位器与主回路管道间间隙	±15
汽轮机基座预埋件	标高及中心轴线	≤2
	水平倾斜度	≤1/2500
	垂直面相对机组中心线的垂直度	≤1/2500
	中轴线与机组中心线的平行度或准直度	≤1/10000
	汽门台板中心线与机组中心线的平行度	≤1/500
	直埋的地脚螺栓或钢套管铅垂偏差	$<L/450$

注:L 为预埋件长度(mm)。

8.7 隧道施工测量

8.7.1 隧道工程施工前,应根据隧道设计图、隧道长度、线路形状和对贯通误差的要求,进行隧道测量控制网的设计。

8.7.2 隧道工程的相向施工中线在贯通面上的贯通误差的限差应符合表 8.7.2 的规定。

表 8.7.2 贯通面上的贯通误差的限差

类别	两开挖洞口间长度 L(km)	贯通误差限差(mm)
横向	$L<4$	100
	$4\leqslant L<8$	150
	$8\leqslant L<10$	200
高程	不限	70

注:作业时,根据隧道施工方法和隧道用途的不同,当贯通误差的调整不会影响隧道中线几何形状和工程性能时,横向贯通限差可放宽1倍～1.5倍。

8.7.3 隧道控制测量对贯通中误差影响值的限值应符合表8.7.3的规定。

表 8.7.3 隧道控制测量对贯通中误差影响值的限值

两开挖洞口间的长度 L(km)	横向贯通中误差(mm)				高程贯通中误差(mm)	
	洞外控制测量	洞内控制测量		竖井联系测量	洞外	洞内
		无竖井的	有竖井的			
$L<4$	25	45	35	25	25	25
$4\leqslant L<8$	35	65	55	35		
$8\leqslant L<10$	50	85	70	50		

8.7.4 隧道洞外平面控制测量的等级应根据隧道的长度按表8.7.4选取。

表 8.7.4 隧道洞外平面控制测量的等级

洞外平面控制网类别	洞外平面控制网等级	测角中误差(″)	隧道长度 L(km)
卫星定位测量控制网	二等	—	$L>5$
	三等	—	$L\leqslant 5$
三角形网	二等	1.0	$L>5$
	三等	1.8	$2<L\leqslant 5$
	四等	2.5	$0.5<L\leqslant 2$
	一级	5	$L\leqslant 0.5$

续表 8.7.4

洞外平面控制网类别	洞外平面控制网等级	测角中误差(″)	隧道长度 L(km)
导线网	三等	1.8	2<L≤5
	四等	2.5	0.5<L≤2
	一级	5	L≤0.5

8.7.5 隧道洞内平面控制测量的等级应根据隧道两开挖洞口间长度按表 8.7.5 选取。

表 8.7.5 隧道洞内平面控制测量的等级

洞内平面控制网类别	洞内导线网测量等级	导线测角中误差(″)	两开挖洞口间长度 L(km)
导线网	三等	1.8	L≥5
	四等	2.5	2≤L<5
	一级	5	L<2

8.7.6 隧道洞外、洞内高程控制测量的等级应分别根据洞外水准路线的长度和隧道长度按表 8.7.6 选取。

表 8.7.6 隧道洞外、洞内高程控制测量的等级

高程控制网类别	等级	每千米高差全中误差(mm)	洞外水准路线长度或两开挖洞口间长度 S(km)
水准网	二等	2	S>16
	三等	6	6<S≤16
	四等	10	S≤6

8.7.7 隧道洞外平面控制网的建立应符合下列规定：

1 控制网宜布设成自由网，并应根据线路测量的控制点进行定位和定向；

2 控制网可采用卫星定位测量控制网、三角形网或导线网等形式，并应沿隧道两洞口的连线方向布设；

3　隧道的各个洞口应布设不少于2个相互通视的控制点；

4　隧道洞外平面控制测量的其他技术要求应符合本标准第3章的有关规定。

8.7.8　隧道洞内平面控制网的建立应符合下列规定：

1　洞内的平面控制网宜采用导线形式，并应以洞口投点（插点）为起始点沿隧道中线或隧道两侧布设成直伸的长边导线或狭长多环导线；

2　导线的边长宜近似相等，直线段不宜短于200m，曲线段不宜短于70m；导线边距离洞内设施不应小于0.2m；

3　当双线隧道或其他辅助坑道同时掘进时，应分别布设导线，并应通过横通道连成闭合环；

4　当隧道掘进至导线设计边长的2倍～3倍时，应进行1次导线延伸测量；

5　工程需要时，可加测陀螺经纬仪定向边；

6　当隧道封闭采用全气压法施工时，对观测距离应作相应的气压、温度改正；

7　洞内导线测量的其他技术要求应符合本标准第3.3节的有关规定。

8.7.9　隧道高程控制测量应符合下列规定：

1　隧道洞内、外的高程控制测量宜采用水准测量方法；

2　隧道两端的洞口水准点，斜井、竖井、平洞口水准点和临近的洞外水准点，应组成闭合或往返水准路线；

3　洞内每隔200m～500m应设立一个水准点，水准测量应往返观测；

4　隧道高程控制测量的其他技术要求应符合本标准第4章的有关规定。

8.7.10　隧道竖井联系测量的方法应根据竖井的大小、深度和结构确定，并应符合下列规定：

1　作业前，应对联系测量的平面和高程起算点进行检核；

2 竖井联系测量的平面控制，宜采用光学投点法、激光准直投点法、陀螺仪定向法或联系三角形法；

3 竖井联系测量的高程控制，宜采用悬挂钢尺或钢丝导入的水准测量方法。

8.7.11 隧道洞内施工测量应符合下列规定：

1 隧道的施工中线宜根据洞内控制点采用极坐标法测设；当掘进距离在直线段延伸到200m、曲线段延伸到70m时，导线点应同时延伸，并应测设新的中线点；

2 当采用中线法测量时，中线点的间距，直线段不宜小于100m，曲线段不宜小于50m；

3 对于掘进机械施工的隧道，宜采用激光指向仪、激光经纬仪或陀螺仪导向，也可采用掘进自动导向系统，方位应进行校核；

4 隧道衬砌前，应对中线点进行复测检查，并应根据需要加密；加密时，中线点间距不宜大于10m，点位的横向偏差不应大于5mm。

8.7.12 陀螺经纬仪的选择与定向测量应符合下列规定：

1 陀螺经纬仪按照定向精度的不同可分为三类，Ⅰ类标称精度宜为±5″，Ⅱ类标称精度宜为±10″，Ⅲ类标称精度宜为±15″；作业时，宜根据贯通精度和隧道长度确定仪器类型；

2 隧道内陀螺经纬仪定向边，宜选择长度大于70m的长边，视线距隧道边或障碍物的距离不小于0.5m；地面陀螺定向常数的已知边，应选择在无震动、无风、无交通及人流影响的站点，站点宜选择强制对中观测站；

3 陀螺经纬仪定向作业步骤宜先在地面已知常数边三测回定向，再在隧道定向边测定陀螺方位角两测回，最后回到地面在地面常数边再次三测回定向；

4 陀螺经纬仪定向的观测限差应符合下列规定：

1）陀螺方位角测回间较差及测前、测后仪器常数平均值较差，Ⅰ类仪器不应超过10″，Ⅱ类仪器不应超过20″，Ⅲ类

仪器不应超过30″;

2)悬挂带类陀螺经纬仪绝对零位偏移大于0.5格时,应进行陀螺零位校正;观测中的测前、测后零位平均值大于0.5格时,应进行零位改正;悬挂带扭力矩误差修正应满足测量精度要求;

3)悬挂带类陀螺经纬仪采用跟踪逆转点法观测时,应连续观测5个逆转点,并应计算3个陀螺摆动中值;对于Ⅲ类陀螺全站仪,各中值的较差不应大于20″;

4)悬挂带类陀螺经纬仪采用中天法观测时,应连续观测5个中天时间,应计算3个陀螺摆动时间差;对于Ⅲ类陀螺经纬仪,相邻时间差较差不应大于0.4″,间隔时间差较差不应大于0.6″;

5)磁悬浮类陀螺经纬仪可不进行零位观测和扭力矩误差改正;

6)磁悬浮类光电力矩闭环反馈陀螺全站仪和悬挂带类积分式陀螺全站仪,观测较差应符合本款中第1项对Ⅰ类、Ⅱ类仪器的要求。

8.7.13 在施工过程中,应对隧道控制网按规定周期进行复测。

8.7.14 隧道贯通后,应对贯通误差进行测定,并应在调整段内进行中线调整。

8.7.15 在易燃易爆环境中进行测量作业,必须使用防爆型测量仪器。

8.8 综合管廊施工测量

8.8.1 综合管廊控制测量应符合下列规定:

1 综合管廊的施工平面控制网的精度不应低于一级,高程控制网的精度不应低于四等;

2 管廊内坐标、方位角及高程可利用管廊两端的地面控制点按支导线和水准测量的方式分别进行传递;

3　管廊内支导线应采用 2″级仪器测定左右角，应各观测一测回，边长应往返观测。

8.8.2　综合管廊施工放样作业应符合下列规定：

1　应根据综合管廊施工工艺过程，确定在基础工程施工、现浇钢筋混凝土结构施工或预制拼装钢筋混凝土结构安装施工、砌体结构施工、附属工程施工等阶段的测量技术要求；

2　各施工阶段开展前，应根据施工图纸要求编写综合管廊施工测量技术方案；对施工图有疑问或发现差错时，应提出意见和建议；

3　利用地面等级控制点测设现场施工控制点时，应在施工控制点上按照设计图纸放样线路中线桩和开挖边线桩，并应标注里程；利用水准测量方法测设高程时，应标注中线桩的开挖深度；

4　基槽开挖完成后，应复测验算底口宽度、高程及边坡比，并应逐一将复测数据与设计要求进行比对，同时应检查点位间的几何尺寸关系及与管廊有关结构边线的相对关系尺寸并做好记录；

5　放样综合管廊结构物相关轴线的参考线、外廊主要轴线点，内部轴线点可由主要轴线点采用内分法放样；

6　综合管廊两侧回填前，应测设外壁角点的坐标和高程。

8.8.3　综合管廊施工采用暗挖法时，施工测量作业应符合本标准第 8.7.11 条的规定。

8.8.4　综合管廊本体测量宜在建造阶段进行，应分别测量干线综合管廊、支线综合管廊、缆线管廊和结构厚度及附属设施的空间特征，并应符合下列规定：

1　应测量综合管廊两端、坡度或走向变化处的内壁角点坐标和高程、横断面形状与尺寸、底部中线位置及高程，底部中线点位置及高程测量的间隔不宜大于 30m；

2　应测量综合管廊各个舱室的位置、内底高程及形状、尺寸；

3　应测量综合管廊检修井（人孔）、转折点、变坡点的位置及内底高程；

4 应测量地面出入口、通风口、投料口等附属设施的位置及高程。

8.8.5 综合管廊入廊管线测量应符合下列规定：

1 入廊管线测量可通过量测管线与综合管廊内壁的相对位置关系进行，量测时，可使用手持测距仪、钢尺、投点尺等工具；

2 电力、通信等安放在综合管廊两侧墙壁上并利用托架固定的管线，应量测管线相对于综合管廊内底的高度，并应调查电缆尺寸、电缆条数以及走向等；

3 给水、热力等安放在固定墩上的管线，应量测相对于综合管廊内底的高度及控制阀等管点设施的位置，并应调查管线的管径、材质、走向等。

8.8.6 综合管廊测量成果宜包括特征成果表、平面图、横断面图等。

8.8.7 综合管廊三维模型宜包括干线管廊、支线管廊、缆线管廊及其附属设施等，管廊三维模型的建立应符合下列规定：

1 综合管廊本体位置和形状等应根据现状测绘、竣工测绘等成果资料确定，高程信息可实地测量或由相关资料获得；

2 综合管廊的材质特征宜实地采集，无法采集真实纹理的，应采用标准纹理；

3 综合管廊模型宜利用施工测量资料、竣工测量资料和管线普查资料生成，也可利用交互式计算机辅助设计进行几何建模或激光扫描方式建模；

4 综合管廊附属设施应建立通用模型库。

9 竣工总图的编绘与实测

9.1 一般规定

9.1.1 建设工程项目施工完成后，应根据工程需要编绘或实测竣工总图。竣工总图应采用数字竣工图。

9.1.2 竣工总图的比例尺，厂区宜选用 1∶500，线状工程宜选用 1∶2000；坐标系统、高程基准、图幅大小、图上注记、线条规格，应与原设计图一致；图例符号应符合现行国家标准《总图制图标准》GB/T 50103 的有关规定。

9.1.3 竣工总图应根据设计和施工资料进行编绘。当资料与实地不符时，应进行实测。

9.1.4 竣工总图编绘完成后，应经委托方审核。

9.2 竣工总图的编绘

9.2.1 竣工总图的编绘应收集下列资料：

1 总平面布置图；

2 施工设计图；

3 设计变更文件；

4 施工检测记录；

5 竣工测量资料；

6 其他有关资料。

9.2.2 编绘前，应对所收集的资料进行实地对照检核，并应实测不符之处的位置、高程及尺寸。

9.2.3 竣工总图的编制应符合下列规定：

1 地面建(构)筑物应按实际竣工位置和形状进行编制；

2 地下管道及隐蔽工程应根据回填前的实测坐标和高程记

录进行编制；

3 施工中若有变更，应根据设计变更文件编制；

4 资料与实地不符时，应按实测资料编制。

9.2.4 竣工总图的绘制应符合下列规定：

1 应绘出地面的建（构）筑物、道路、铁路、地面排水沟渠、树木及绿化地等；

2 矩形建（构）筑物的外墙角应注明两个以上点的坐标；

3 圆形建（构）筑物应注明中心坐标及接地处半径；

4 主要建筑物应注明室内地坪高程；

5 道路的起终点、交叉点应注明中心点的坐标和高程，弯道处应注明交角、半径及交点坐标，路面应注明宽度及铺装材料；

6 铁路中心线的起终点、曲线交点应注明坐标，曲线上应注明曲线的半径、切线长、曲线长、外矢矩、偏角等曲线元素，铁路的起终点、变坡点及曲线的内轨轨面应注明高程；

7 当不绘制分类专业图时，给水管道、排水管道、动力管道、工艺管道、电力及通信线路等在总图上的绘制，还应符合本标准第9.2.5条～第9.2.7条的规定。

9.2.5 给水排水管道专业图的绘制应符合下列规定：

1 给水管道应绘出地面给水建筑物及各种水处理设施和地上、地下各种管径的给水管线及附属设备；管道的起终点、交叉点、分支点应注明坐标；变坡处应注明高程；变径处应注明管径及材料；不同型号的检查井应绘制详图；当图上无法按比例绘制管道结点时，可用放大详图表示；

2 排水管道应绘出污水处理构筑物、水泵站、检查井、跌水井、水封井、雨水口、排出水口、化粪池以及明渠、暗渠等；检查井应注明中心坐标、出入口管底高程、井底高程、井台高程；管道应注明管径、材质、坡度；对不同类型的检查井，应绘出详图；

3 给水排水管道专业图上，还应绘出地面有关建（构）筑物、铁路、道路等。

9.2.6 动力、工艺管道专业图的绘制应符合下列规定：

1 应绘出管道及有关建(构)筑物；管道的交叉点、起终点应注明坐标、高程、管径和材质；

2 对于沟道敷设的管道，应在适当地方绘制沟道断面图，并应标注沟道的尺寸及各种管道的位置；

3 动力、工艺管道专业图上，还应绘出地面有关建(构)筑物、铁路、道路等。

9.2.7 电力及通信线路专业图的绘制应符合下列规定：

1 电力线路应绘出总变电所、配电站、车间降压变电所、室内外变电装置、柱上变压器、铁塔、电杆、地下电缆检查井等；并应注明线径、输电导线数、电压及送变电设备的型号、容量；

2 通信线路应绘出中继站、交接箱、分线盒(箱)、电杆、地下通信电缆人孔等；

3 各种线路的起终点、分支点、交叉点的电杆应注明坐标，线路与道路交叉处应注明净空高；

4 地下电缆应注明埋设深度或电缆沟的沟底高程；

5 电力及通信线路专业图上，还应绘出地面有关建(构)筑物、铁路、道路等。

9.2.8 当竣工总图中图面负载大但管线不密集时，除绘制总图外，可将各种专业管线合并绘制成综合管线图。综合管线图的绘制应符合本标准第 9.2.5 条～第 9.2.7 条的规定。

9.3 竣工总图的实测

9.3.1 竣工总图的实测与编辑宜采用全站仪测图、RTK 测图、地面三维激光扫描测图及数字编辑成图的方法。成图软件的选用应符合本标准第 5.8.2 条的规定。

9.3.2 竣工总图中建(构)筑物细部点的点位和高程中误差应符合本标准表 5.1.6-3 的规定。

9.3.3 竣工总图的实测应在已有的施工控制点上进行。当控制点被破坏时，应进行恢复。

9.3.4 对已收集的资料应进行实地对照检核。满足要求时应利用，无法利用时应重新测量。

9.3.5 竣工总图实测的其他技术要求应按本标准第 5.6 节的有关规定执行。

10 变形监测

10.1 一般规定

10.1.1 本章适用于工业与民用建(构)筑物、建筑场地、地基基础、水工建筑物、地下工程建(构)筑物、桥梁、滑坡、核电厂等的变形监测。

10.1.2 重要的工程建(构)筑物,在工程设计时,应对变形监测的内容和范围做出要求,并应由有关单位制订变形监测技术设计方案。首次观测宜获取监测体初始状态的观测数据。

10.1.3 变形监测的等级划分及精度要求应符合表10.1.3的规定。

表10.1.3 变形监测的等级划分及精度要求(mm)

等级	垂直位移监测		水平位移监测	适用范围
	变形观测点的高程中误差	相邻变形观测点的高差中误差	变形观测点的点位中误差	
一等	0.3	0.1	1.5	变形特别敏感的高层建筑、高耸构筑物、工业建筑、重要古建筑、大型坝体、精密工程设施、特大型桥梁、大型直立岩体、大型坝区地壳变形监测等
二等	0.5	0.3	3.0	变形比较敏感的高层建筑、高耸构筑物、工业建筑、古建筑、特大型和大型桥梁、大中型坝体、直立岩体、高边坡、重要工程设施、重大地下工程、危害性较大的滑坡监测等

续表 10.1.3

等级	垂直位移监测		水平位移监测	适用范围
	变形观测点的高程中误差	相邻变形观测点的高差中误差	变形观测点的点位中误差	
三等	1.0	0.5	6.0	一般性的高层建筑、多层建筑、工业建筑、高耸构筑物、直立岩体、高边坡、深基坑、一般地下工程、危害性一般的滑坡监测、大型桥梁等
四等	2.0	1.0	12.0	观测精度要求较低的建(构)筑物、普通滑坡监测、中小型桥梁等

注:1 变形观测点的高程中误差和点位中误差,是指相对于邻近基准点的中误差;

2 特定方向的位移中误差可取表中相应等级点位中误差的 $1/\sqrt{2}$ 作为限值;

3 垂直位移监测可根据需要按变形观测点的高程中误差或相邻变形观测点的高差中误差,确定监测精度等级。

10.1.4 变形监测网的点位的构成宜包括基准点、工作基点和变形观测点,点位布设应符合下列规定:

1 基准点应选在变形影响区域之外稳固的位置;每个工程至少应有 3 个基准点;大型工程项目,水平位移基准点应采用带有强制归心装置的观测墩,垂直位移基准点宜采用双金属标或钢管标;

2 工作基点应选在比较稳定且方便使用的位置;设立在大型工程施工区域内的水平位移监测工作基点宜采用带有强制归心装置的观测墩,垂直位移监测工作基点可采用钢管标;对通视条件好的小型工程,可不设立工作基点,可在基准点上直接测定变形观测点;

3 变形观测点应设立在能反映监测体变形特征的位置或监测断面上,监测断面应分为关键断面、重要断面和一般断面。需要时,还应埋设应力、应变传感器。

10.1.5 监测基准网应由基准点和部分工作基点构成。监测基准网应每半年复测一次；当对变形监测成果产生怀疑时，应随时检核监测基准网。

10.1.6 变形监测网应由部分基准点、工作基点和变形观测点构成。监测周期应根据监测体的变形特征、变形速率、观测精度和工程地质条件等因素综合确定。监测期间应根据变形量的变化情况调整。

10.1.7 首期监测应进行两次独立测量，之后各期的变形监测宜符合下列规定：

1 宜采用相同的图形(观测路线)和观测方法；

2 宜使用同一仪器和设备；

3 观测人员宜相对固定；

4 宜记录工况及相关环境因素，包括荷载、温度、降水、水位等；

5 宜采用同一基准处理数据。

10.1.8 变形监测作业前，应收集相关水文地质、岩土工程资料和设计图纸，并应根据岩土工程地质条件、工程类型、工程规模、基础埋深、建筑结构和施工方法等因素，进行变形监测方案设计。方案设计应包括监测的目的、技术依据、精度等级、监测方法、监测基准及基准网精度估算和点位布设、观测周期、项目预警值、使用的仪器设备、数据处理方法和成果质量检验等内容。

10.1.9 观测前，应对所使用的仪器和设备进行检查、校正，并应做好记录。每期观测结束后，应将观测数据转存至计算机，并应进行处理。

10.1.10 变形监测出现下列情况之一时，必须通知建设单位，提高监测频率或增加监测内容：

1 变形量或变形速率达到变形预警值或接近允许值；

2 变形量或变形速率变化异常；

3 建(构)筑物的裂缝或地表的裂缝快速扩大。

10.1.11 重要的建(构)筑物及其附属设施的变形监测,应结合工程运营管理需要,逐步实现自动化监测或进行自动化监测改造。

10.2 水平位移监测基准网

10.2.1 水平位移监测基准网可采用三角形网、导线网、卫星定位测量控制网和视准轴线等形式。当采用视准轴线时,轴线上或轴线两端应设立校核点。

10.2.2 水平位移监测基准网宜采用独立坐标系统,并应进行一次布网。专项工程需要时,可与国家坐标系统联测。狭长形建筑物的主轴线或其平行线应纳入网内。大型工程布网时,应兼顾网的精度、可靠性和灵敏度等指标。

10.2.3 基准网点位宜采用有强制归心装置的观测墩。观测墩的制作与埋设应符合本标准附录B的有关规定。

10.2.4 水平位移监测基准网测量的主要技术要求应符合表10.2.4的规定。

表10.2.4 水平位移监测基准网测量的主要技术要求

等级	相邻基准点的点位中误差(mm)	平均边长 L(m)	测角中误差(″)	测边相对中误差	水平角观测测回数		
					0.5″级仪器	1″级仪器	2″级仪器
一等	1.5	≤300	0.7	≤1/300000	9	12	—
		≤200	1.0	≤1/200000	6	9	—
二等	3.0	≤400	1.0	≤1/200000	6	9	—
		≤200	1.8	≤1/100000	4	6	9
三等	6.0	≤450	1.8	≤1/100000	4	6	9
		≤350	2.5	≤1/80000	2	4	6
四等	12.0	≤600	2.5	≤1/80000	—	4	6

注:1 水平位移监测基准网的相关指标,是基于相应等级相邻基准点的点位中误差要求进行确定的;

2　具体作业时，也可根据监测项目的特点在满足相邻基准点的点位中误差要求前提下，进行专项设计；

3　卫星定位测量基准网不受测角中误差和水平角观测测回数指标的限制。

10.2.5　监测基准网的水平角观测宜采用方向观测法，水平角观测的技术要求应符合本标准第3.4.8条的规定。

10.2.6　监测基准网边长应采用全站仪测距，测距的主要技术要求应符合表10.2.6的规定。

表10.2.6　测距的主要技术要求

<table>
<tr><th rowspan="2">等级</th><th rowspan="2">仪器精度等级</th><th colspan="2">每边测回数</th><th rowspan="2">一测回读数较差(mm)</th><th rowspan="2">单程各测回较差(mm)</th><th colspan="2">气象数据测定的最小读数</th><th rowspan="2">往返较差(mm)</th></tr>
<tr><th>往</th><th>返</th><th>温度(℃)</th><th>气压(hPa)</th></tr>
<tr><td>一等</td><td>1mm级仪器</td><td>4</td><td>4</td><td>1</td><td>1.5</td><td rowspan="4">0.2</td><td rowspan="4">50</td><td rowspan="4">≤2(a+b·D)</td></tr>
<tr><td>二等</td><td>2mm级仪器</td><td>3</td><td>3</td><td>3</td><td>4</td></tr>
<tr><td>三等</td><td>5mm级仪器</td><td>2</td><td>2</td><td>5</td><td>7</td></tr>
<tr><td>四等</td><td>10mm级仪器</td><td>4</td><td>—</td><td>8</td><td>10</td></tr>
</table>

注：1　一测回是全站仪盘左、盘右各测量一次的过程；

2　根据具体情况，测边可采取不同时间段代替往返观测；

3　测量斜距应在经气象改正和仪器的加、乘常数改正后进行水平距离计算；

4　测距往返较差应依经加乘常数改正且归化至同一高程面的平距计算，改正计算时，a、b分别为相应等级所使用仪器标称的固定误差和比例误差系数，D为测量斜距(km)。

10.2.7　一、二等卫星定位测量基准网应采用精密星历进行数据处理。

10.2.8　水平位移监测基准网测量的其他技术要求应按本标准第3章的有关规定执行。一等三角形监测网的三角形闭合差不应超过2.5″。

10.3　垂直位移监测基准网

10.3.1　垂直位移监测基准网应布设成环形网，并应采用水准测量方法观测。

10.3.2　基准点的埋设应符合下列规定：

1 应将标石埋设在变形区以外稳定的原状土层内，或将标志镶嵌在裸露基岩上；

2 应利用稳固的建(构)筑物设立墙水准点；

3 当受条件限制时，在变形区内也可埋设深层钢管标或双金属标；

4 大型水工建筑物的基准点可采用平硐标志；

5 基准点的标石规格，可根据现场条件和工程需要，按本标准附录C进行选择。

10.3.3 垂直位移监测基准网的主要技术要求应符合表10.3.3的规定。

表10.3.3 垂直位移监测基准网的主要技术要求(mm)

等级	相邻基准点高差中误差	每站高差中误差	往返较差或环线闭合差	检测已测高差较差
一等	0.3	0.07	$0.15\sqrt{n}$	$0.2\sqrt{n}$
二等	0.5	0.15	$0.30\sqrt{n}$	$0.4\sqrt{n}$
三等	1.0	0.30	$0.60\sqrt{n}$	$0.8\sqrt{n}$
四等	2.0	0.70	$1.40\sqrt{n}$	$2.0\sqrt{n}$

注：n为测站数。

10.3.4 数字水准仪观测的主要技术要求应符合表10.3.4的规定。

表10.3.4 数字水准仪观测的主要技术要求

等级	水准仪级别	水准尺类别	视线长度(m)	前后视的距离较差(m)	前后视的距离较差累积(m)	数字水准仪重复测量次数
一等	$DS05$、$DSZ05$	条码式因瓦尺	15	0.3	1.0	4
二等	$DS05$、$DSZ05$	条码式因瓦尺	30	0.5	1.5	3

续表 10.3.4

等级	水准仪级别	水准尺类别	视线长度(m)	前后视的距离较差(m)	前后视的距离较差累积(m)	数字水准仪重复测量次数
三等	*DS*05、*DSZ*05	条码式因瓦尺	50	2.0	3	2
	*DS*1、*DSZ*1	条码式因瓦尺	50	2.0	3	3
四等	*DS*1、*DSZ*1	条码式因瓦尺	75	5.0	8	2
	*DS*1、*DSZ*1	条码式玻璃钢尺	75	5.0	8	3

注:水准观测时,若受地面震动影响时,应停止测量。

10.3.5 光学水准仪观测的主要技术要求应符合表 10.3.5 的规定。

表 10.3.5 光学水准仪观测的主要技术要求

等级	水准仪级别	水准尺类别	视线长度(m)	前后视的距离较差(m)	前后视的距离较差累积(m)	视线离地面最低高度(m)	基本分划、辅助分划读数较差(mm)	基本分划、辅助分划所测高差较差(mm)
一等	*DS*05、*DSZ*05	线条式因瓦尺	15	0.3	1.0	0.5	0.3	0.4
二等	*DS*05、*DSZ*05	线条式因瓦尺	30	0.5	1.5	0.5	0.3	0.4
三等	*DS*05、*DSZ*05	线条式因瓦尺	50	2.0	3	0.3	0.5	0.7
	*DS*1、*DSZ*1	线条式因瓦尺	50	2.0	3	0.3	0.5	0.7

续表 10.3.5

等级	水准仪级别	水准尺类别	视线长度（m）	前后视的距离较差（m）	前后视的距离较差累积（m）	视线离地面最低高度（m）	基本分划、辅助分划读数较差（mm）	基本分划、辅助分划所测高差较差（mm）
四等	*DS*1、*DSZ*1	线条式因瓦尺	75	5.0	8	0.2	1.0	1.5

注：水准路线跨越江河时，应进行相应等级的跨河水准测量，跨河水准测量的指标应不受本表的限制，应按本标准第 4 章的规定执行。

10.3.6 观测使用的水准仪和水准标尺应符合本标准第 4.2.2 条的规定，*DS*05、*DSZ*05 级水准仪视准轴与水准管轴的夹角不得大于 10″。

10.3.7 基准网宜采用测区原有高程系统。重要的监测工程宜与国家水准点联测，一般的监测工程可采用假定高程系统。

10.3.8 水准观测的其他技术要求应符合本标准第 4 章的有关规定。

10.4 基本监测方法与技术要求

10.4.1 变形监测的方法的选择应根据监测项目的特点、精度要求、变形速率以及监测体的安全性等指标按表 10.4.1 选用，也可同时采用多种方法联合监测。

表 10.4.1 变形监测方法的选择

类　别	监测方法
水平位移监测	三角形网、极坐标法、交会法、自由设站法、卫星定位测量、地面三维激光扫描法、地基雷达干涉测量法、正倒垂线法、视准线法、引张线法、激光准直法、精密测(量)距、伸缩仪法、多点位移计、倾斜仪等

续表 10.4.1

类　别	监 测 方 法
垂直位移监测	水准测量、液体静力水准测量、电磁波测距三角高程测量、地基雷达干涉测量方法等
三维位移监测	全站仪自动跟踪测量法、卫星定位实时动态测量法、摄影测量法等
主体倾斜	经纬仪投点法、差异沉降法、激光准直法、垂线法、倾斜仪、电垂直梁等
挠度观测	垂线法、差异沉降法、位移计、挠度计等
监测体裂缝	精密测(量)距、伸缩仪、测缝计、位移计、光纤光栅传感器、摄影测量等
应力、应变监测	应力计、应变计

10.4.2 采用三角形网测量时，技术要求应符合本标准第10.2节的有关规定。

10.4.3 交会法、极坐标法的主要技术要求应符合下列规定：

1 用交会法进行水平位移监测时，宜采用三点交会法；角交会法的交会角，应在60°～120°之间，边交会法的交会角，宜在30°～150°之间；

2 用极坐标法进行水平位移监测时，宜采用双测站极坐标法；

3 测站点应采用有强制对中装置的观测墩，变形观测点，可埋设安置反光镜或觇牌的强制对中装置或其他固定照准标志。

10.4.4 自由设站法的主要技术要求应符合下列规定：

1 控制点的数量不应少于3个，宜分布在三角形网的外围或两端；

2 水平角宜采用方向法观测，若需分组，归零方向应相同，并应至少重复观测一个方向；

3 自由设站法测量应边角同步观测且测回数应相同，并应符合本标准表 10.2.4 的规定；

4 水平角观测和距离测量的其他技术要求应符合本标准第 3.5 节的有关规定。

10.4.5 视准线法的主要技术要求应符合下列规定：

1 视准线两端的延长线外宜设立校核基准点。

2 视准线应离开障碍物 1m 以上。

3 各测点偏离视准线的距离不应大于 20mm；采用小角法时，小角角度不应超过 30′。

4 视准线测量可选用活动觇牌法或小角度法。当采用活动觇牌法观测时，监测精度宜为视准线长度的 1/100000；当采用小角度法观测时，监测精度应按下式估算：

$$m_s = m_\beta L/\rho \tag{10.4.5}$$

式中：m_s——位移中误差(mm)；

m_β——测角中误差(″)；

L——视准线长度(mm)；

ρ——206265″。

5 基准点、校核基准点和变形观测点应采用有强制对中装置的观测墩。

6 当采用活动觇牌法观测时，观测前应对觇牌的零位差进行测定。

10.4.6 引张线法的主要技术要求应符合下列规定：

1 引张线长度大于 200m 时，宜采用浮托式；

2 引张线两端可设置倒垂线作为校核基准点，也可将校核基准点设置在两端山体的平硐内；

3 引张线宜采用直径为 ϕ0.8mm～ϕ1.2mm 的不锈钢丝；

4 观测时，测回较差不应超过 0.2mm。

10.4.7 正、倒垂线法的主要技术要求应符合下列规定：

1 应根据垂线长度确定重锤重量或浮子的浮力；

2 垂线宜采用直径为 ϕ0.8mm～ϕ1.2mm 的不锈钢丝或因

瓦丝；

3 单段垂线长度不宜大于50m；

4 工程需要时，正倒垂可结合布设；

5 测站应采用有强制对中装置的观测墩；

6 垂线观测可采用光学垂线坐标仪，测回较差不应超过0.2mm。

10.4.8 激光测量的主要技术要求应符合下列规定：

1 激光器宜安置在变形区影响之外的区域；激光器应采取防尘、防水措施；

2 安置激光器后，应同时在激光器附近的激光光路上，设立固定的光路检核标志；

3 整个光路上应无障碍物，并应设立安全警示标志；

4 激光接收器应稳固设立在变形区域并应与光路垂直，目标板的刻划应均匀对比分明，观测时应将接收到的激光光斑调至最小、最清晰。

10.4.9 地面三维激光扫描可用于沉陷、挠度、高边坡、滑坡、倾斜和隧道收敛等变形监测，主要技术要求应符合下列规定：

1 扫描仪宜安置在具有强制对中装置的稳定控制点上；

2 用于基准点的标靶应设置在变形区域外，相邻基准点点位中误差和基准点的高差中误差应满足本标准表10.2.4和表10.3.3中三、四等的要求；

3 需要布设标靶时，应将标靶在扫描范围内均匀布设且高低错落，每一扫描站的标靶个数不应少于4个，相邻两扫描站的公共标靶个数不应少于3个；

4 扫描作业结束后，应将数据导入电脑，检查点云数据覆盖范围完整性、标靶数据完整性和可用性；对缺失和异常数据应补扫；

5 监测点的变形量宜采用同一测站激光点云数据与上一期的扫描结果进行比对；

6 可使用标靶、特征地物点对多站点云数据进行配准，配准次数不宜超过4次，扫描线路应闭合；

7 当需要将点云数据整体转换到地方坐标系时，标靶点的数量不应少于4个；

8 其他技术要求应符合本标准第5.3.18条～第5.3.26条的有关规定。

10.4.10 当采用水准测量方法进行垂直位移监测时，应符合下列规定：

1 垂直位移监测网的主要技术要求应符合表10.4.10的规定。

表10.4.10 垂直位移监测网的主要技术要求(mm)

等级	变形观测点的高程中误差	每站高差中误差	往返较差、附合或环线闭合差	检测已测高差较差
一等	0.3	0.07	$0.15\sqrt{n}$	$0.2\sqrt{n}$
二等	0.5	0.15	$0.30\sqrt{n}$	$0.4\sqrt{n}$
三等	1.0	0.30	$0.60\sqrt{n}$	$0.8\sqrt{n}$
四等	2.0	0.70	$1.40\sqrt{n}$	$2.0\sqrt{n}$

注：n为测站数。

2 数字水准仪观测的主要技术要求应符合本标准第10.3.4条的规定，光学水准仪观测的主要技术要求应符合本标准第10.3.5条的规定。

10.4.11 静力水准测量应符合下列规定：

1 静力水准观测的主要技术要求应符合表10.4.11的规定。

表10.4.11 静力水准观测的主要技术要求(mm)

等级	仪器类型	读数方式	两次观测高差较差	环线及附合路线闭合差
一等	封闭式	接触式	0.15	$0.15\sqrt{n}$
二等	封闭式、敞口式	接触式	0.30	$0.30\sqrt{n}$

续表 10.4.11

等级	仪器类型	读数方式	两次观测高差较差	环线及附合路线闭合差
三等	敞口式	接触式	0.60	$0.60\sqrt{n}$
四等	敞口式	目视式	1.40	$1.40\sqrt{n}$

注：n 为高差个数。

2 观测前，应对观测头的零点差进行检验。

3 应保持连通管路无压折，管内液体无气泡。

4 观测头的圆气泡应居中。

5 两端测站的环境温度宜相同。

6 仪器对中偏差不应大于 2mm，倾斜度不应大于 10′。

7 宜采用两台仪器对向观测，也可采用一台仪器往返观测。应在液面稳定后再开始测量；每观测一次，应读数三次，并应取平均值作为观测值。

10.4.12 电磁波测距三角高程测量宜采用中点单觇法，也可采用直返觇法。主要技术要求应符合下列规定：

1 垂直角宜采用 1″级仪器中丝法对向观测各六测回，测回间垂直角较差不应大于 6″；

2 测距长度宜小于 500m，测距中误差不应超过 3mm；

3 觇标（仪器）高应精确量至 0.1mm；

4 测站观测前后应各测量 1 次气温、气压，计算时加入相应改正。

10.4.13 主体倾斜和挠度观测应符合下列规定：

1 可采用监测体顶部及相应底部变形观测点的相对水平位移值计算主体倾斜；

2 可采用基础差异沉降推算主体倾斜值和基础的挠度；

3 直立监测体的挠度观测，工程需要时可采用正倒垂线法、电垂直梁法；

4 监测体的主体倾斜率和按差异沉降推算主体倾斜值，应按本标准附录 E 的公式计算。按差异沉降推算基础相对倾斜值和基础挠度，应按本标准附录 F 的公式计算。

10.4.14 当监测体出现裂缝时，应根据需要进行裂缝观测，并应符合下列规定：

1 裂缝观测点，应根据裂缝的走向和长度，分别布设在裂缝的最宽处和裂缝的末端；

2 裂缝观测标志应跨裂缝安装；标志可选用镶嵌式金属标志、粘贴式金属片标志、钢尺条、坐标格网板或专用量测标志等；

3 标志安装完成后，应拍摄裂缝观测初期的照片；

4 裂缝的量测可采用比例尺、小钢尺、游标卡尺或坐标格网板等工具进行，量测应精确至 0.1mm；

5 裂缝的观测周期应根据裂缝变化速度而定。裂缝初期可每半个月观测 1 次，裂缝变化速度减缓后宜每月观测 1 次，当发现裂缝加大时，应每周或每 3 天观测 1 次，并宜持续观测。

10.4.15 全站仪自动跟踪测量的主要技术要求应符合下列规定：

1 测站应设立在基准点或工作基点上，并应采用有强制对中装置的观测台或观测墩；测站视野应开阔无遮挡，周围应设立安全警示标志；应同时具有防水、防尘设施；

2 监测体上的变形观测点宜采用观测棱镜，也可采用反射片；

3 数据通信宜采用光缆、专用数据电缆通信，也可采用无线网络通信；

4 作业前，应将自动观测成果与人工测量成果进行比对，应在自动观测成果满足要求后，再进行自动监测；

5 测站和数据终端设备应备有不间断电源；

6 数据处理软件应具有观测数据自动检核，超限数据自动处理，不合格数据自动重测，观测目标被遮挡时可自动延时观测以及变形数据自动处理、分析、预报和预警等功能。

10.4.16 当采用摄影测量方法时，应符合下列规定：

1 应根据监测体的变形特点、监测规模和精度要求选用作业方法，可采用时间基线视差法、立体摄影测量方法或实时数字摄影测量方法等；

2 监测点标志可采用十字形或同心圆形，标志的颜色应与背景的颜色色差分明，可采用黑、白、黄色或两色相间；

3 像控点应布设在监测体的四周；当监测体的景深较深时，应在景深范围内均匀布设；像控点的点位精度不宜低于监测体监测精度的1/3；当采用直接线性变换法解算待定点时，一个像对的控制点宜布设6个～9个；当采用时间基线视差法时，一个像对宜布设4个以上控制点；

4 对规模较大的监测项目，宜进行监测方案专门设计；可采用多标志、多摄站、多相片及多量测的方法进行；

5 摄影站应设置在带有强制归心装置的观测墩上；对于长方形的监测体，摄影站宜布设在与物体长轴相平行的一条直线上，并应使摄影主光轴垂直于被摄物体的主立面；对于圆柱形监测体，摄影站可均匀布设在与物体中轴线等距的周围；

6 多像对摄影时，应布设像对间起连接作用的标志点；

7 变形摄影测量的其他技术要求应符合现行国家标准《工程摄影测量规范》GB 50167的有关规定。

10.4.17 当采用卫星定位实时动态测量方法时，主要技术要求应符合下列规定：

1 应设立永久性参考站作为变形监测的基准点，并应建立实时监控中心；

2 参考站应设立在变形区之外，对空开阔，无高度角超过10°的障碍物，无反射导航定位卫星信号的大面积水域或大型玻璃幕墙建(构)筑物等，无高压线、电视台、无线电发射站、微波站等干扰源；

3 流动站的接收天线应永久设置在监测体的变形观测点上，并应采取保护措施；接收天线的周围无高度角超过10°的障碍物；变形观测点的数目应根据具体的监测项目和监测体的结构布设；

有效观测卫星数不应少于5颗，并应采用固定解成果；

4 数据通信可根据工程需要采用光缆或专用数据电缆通信，也可采用无线通信网络传输数据。

10.4.18 应力、应变监测的主要技术要求应符合下列规定：

1 监测点应根据设计要求和工程需要综合布设；

2 传感器的强度应满足使用环境的要求，应具有抗腐蚀性、耐久性、抗震和抗冲击性能；传感器的量程宜为设计最大压力的1.2倍，精度应满足工程监控的要求；连接电缆应采用耐酸碱、防水、绝缘的专用电缆；

3 传感器埋设前，应进行密封性检验、力学性能检验和温度性能检验，应在满足要求后使用；

4 传感器埋设的回填土应夯实，承压面应与受力方向垂直；连接电缆应进行编号；

5 传感器埋设达到初始状态后，应测定静态初始值；

6 应力、应变的数据采集宜自动化，监测周期宜与变形监测周期同步。

10.4.19 地基雷达干涉测量设备用于变形监测，应符合下列规定：

1 作业前，应分析项目变形特点，预估变形速率，确定监测特性和监测周期，选用具有相应参数的雷达设备，搭建监测平台。

2 地基雷达干涉测量作业应符合下列规定：

1) 应以雷达波束中心线为参考设计雷达测量视角，并应将主要监测目标置于雷达波束最优辐射区域内，目标主变形方向和雷达视线夹角不宜超过60°；

2) 雷达设备启动后应进行预热，并应舍弃初始5景～10景影像；

3) 应选择雷达波束辐射范围内稳定区域作为主要变形区域变形计算的参考基准；

4) 测区目标应具有后向散射能力；当回波信号强度整体较弱时，可布设人工角反射器等协作目标，角反射器大小应根据雷达分辨能力综合确定；

5）连续性准实时变形监测系统设计时，应加快高相干点目标选取和干涉处理的速度。

3 分析处理影像数据提取变形时应符合下列规定：

1）数据处理与变形计算应基于稳定的高相干点目标进行，并应剔除虚假信号像元、低相干点目标像元；

2）连续性变形监测数据后处理可采用时域相位差分方式计算变形序列；周期性变形监测数据后处理可将各周期影像之间构成干涉对，采用差分干涉处理或时序分析思路提取变形序列；

3）地基雷达变形测量数据应借助外部地形数据进行唯一的地理编码、坐标变换和变形投影，恢复像元的三维位置；

4）应分析改正环境因素对雷达影像数据的影响；根据测区横纵跨度大小，可利用参考点采用距离的一元改正模型进行环境改正；也可采用多元改正模型或结合精细的气象模型进行环境改正；采用多元改正模型时，应在监测过程中同时采集气象参数；

5）预先确定主变形方向后，可将雷达视线向变形分量成果转换计算至主变形方向上。

4 地基雷达干涉测量作业还应符合下列规定：

1）观测时段应避开雷电、降雨和降雪等恶劣天气及强电磁场干扰，并应防止设备曝晒；

2）监测基础平台应避免震动，设备应连续供电，作业过程中应排除人员走动等干扰；

3）设备应连续供电，连续性变形监测应确保设备稳定持续的采集影像，因断电、人为调整或故障等原因导致影像采集中断的，中断后应重新开始影像采集；

4）对周期性变形监测，在每个监测周期内应连续稳定采集多景影像；

5)准实时变形监测应搭建能够实时传输和管理数据的网络数据库管理系统，并应配套准实时处理和分析雷达影像数据的软件平台。

10.4.20 光纤光栅传感器技术用于变形监测应符合下列规定：

1 传感器宜安置在监测体表面变形敏感区域，也可埋设在监测体内部；传感器的量测方向应与监测体的变形方向一致；传感器的量程宜为预计最大变形值的1.2倍；

2 安置光纤光栅解调器应与传感器和计算机连接；光缆连接应满足设计要求，并应采取保护措施，不得折损；

3 解调器不宜满负荷工作，应预留多个的传感器接口；

4 宜使用固定IP地址网络服务器传输数据。

10.5 工业与民用建筑变形监测

10.5.1 工业与民用建筑变形监测项目应根据工程需要按表10.5.1选择。

表10.5.1 工业与民用建筑变形监测项目

<table>
<tr><th colspan="2">项　目</th><th colspan="2">主要监测内容</th><th>备　注</th></tr>
<tr><td colspan="2">场地</td><td colspan="2">垂直位移</td><td>建筑施工前</td></tr>
<tr><td rowspan="10">基坑</td><td rowspan="7">支护边坡</td><td rowspan="3">不降水</td><td>垂直位移</td><td rowspan="3">回填前</td></tr>
<tr><td>水平位移</td></tr>
<tr><td>深层水平位移</td></tr>
<tr><td rowspan="4">降水</td><td>垂直位移</td><td rowspan="4">降水期</td></tr>
<tr><td>水平位移</td></tr>
<tr><td>地下水位</td></tr>
<tr><td>深层水平位移</td></tr>
<tr><td rowspan="3">地基</td><td colspan="2">基坑回弹</td><td>基坑开挖期</td></tr>
<tr><td colspan="2">分层地基土沉降</td><td>主体施工期、竣工初期</td></tr>
<tr><td colspan="2">地下水位</td><td>降水期</td></tr>
</table>

续表 10.5.1

项目		主要监测内容	备注
建筑物	基础变形	基础沉降	主体施工期、竣工初期
		基础倾斜	
	主体变形	水平位移	竣工初期
		主体倾斜	
		建筑裂缝	发现裂缝初期
		日照变形	竣工后

10.5.2 拟建建筑场地的沉降观测应在建筑施工前进行。变形观测可采用四等监测精度，点位间距宜为 30m～50m。

10.5.3 基坑的变形监测应符合下列规定：

1 基坑变形监测的精度不宜低于三等；

2 变形观测点的点位应根据工程规模、基坑深度、支护结构和支护设计要求综合布设；普通建筑基坑，变形观测点点位宜布设在基坑的顶部周边，点位间距宜为 10m～20m；危险性较大的基坑，变形观测点点位宜布设在基坑侧壁的顶部和中部；变形敏感的部位，还应加测断面或埋设应力和位移传感器；

3 水平位移监测可采用极坐标法、交会法等，垂直位移监测可采用水准测量方法、电磁波测距三角高程测量方法等；

4 基坑变形监测周期应根据施工进程确定；当开挖速度或降水速度加快引起变形速率增大时，应增加观测次数至每周或每 3 天观测 1 次；当变形量接近预警值或有事故征兆时，应持续观测；

5 基坑开始开挖至回填结束前或在基坑降水期间，还应对基坑边缘外围 1 倍～2 倍基坑深度范围内或受影响的区域内的建(构)筑物、地下管线、道路、地面等进行变形监测。

10.5.4 对有基坑回弹监测要求的建(构)筑物基坑，应根据需要或设计要求进行基坑回弹观测，并应符合下列规定：

1 回弹变形观测点宜布设在基坑的中心和基坑中心的纵横

轴线上能反映回弹特征的位置，轴线上距离基坑边缘外的 2 倍坑深处也应设置回弹变形观测点；

2 钻孔深度应钻至基底面下 200mm～500mm，钻孔应垂直，并应进行孔壁保护处理；

3 埋设的观测标志应埋入基底面下 100mm～200mm，钻孔底部应回填白灰或其他颜色材料 2m～3m；

4 基坑回弹变形观测精度等级宜采用三等变形监测精度；

5 回弹变形观测点的高程宜采用水准测量方法，并应在基坑开挖前、开挖后及浇灌基础前各测定 1 次。对传递高程的辅助设备，应进行温度、尺长和拉力等项修正。

10.5.5 重要的高层建筑或大型工业建(构)筑物，应根据工程需要或设计要求，进行地基土的分层垂直位移观测，并应符合下列规定：

1 地基土分层垂直位移观测点位应靠近建(构)筑物的地基中心布设；

2 观测标志埋设的深度，最浅层应埋设在基础底面下 500mm，最深层应超过理论压缩层厚度；

3 观测标志应由内管和保护管组成，内管顶部应设置半球状的立尺标志；

4 地基土的分层垂直位移观测宜采用三等精度，并应在基础浇灌前开始；观测的周期宜符合本标准第 10.5.8 条第 3 款的规定。

10.5.6 地下水位监测应符合下列规定：

1 监测孔(井)的布设应兼顾施工区至河流(湖、海)的距离、施工区地下水位、周边水域水位等因素；

2 监测孔(井)的建立可采用钻孔加井管进行，也可直接利用区域内的水井；

3 水位量测宜与沉降观测同步，但不得少于沉降观测的次数。

10.5.7 工业与民用建(构)筑物的水平位移测量应符合下列规定：

1 水平位移观测点应布设在建(构)筑物的下列部位：

1) 建筑物的四周墙角和柱基上以及建筑沉降缝的顶部和底部；

2) 当有建筑裂缝时，还应布设在裂缝的两边；

3) 大型构筑物的顶部、中部和下部。

2 观测标志宜采用反射棱镜、反射片、照准觇牌或变径垂直照准杆；

3 水平位移观测周期应根据工程需要和场地的工程地质条件确定。

10.5.8 工业与民用建(构)筑物的沉降观测应符合下列规定：

1 沉降观测点应布设在建(构)筑物的下列部位：

1) 建(构)筑物的四周墙角及沿外墙每 10m～15m 处或每隔 2 根～3 根柱基上；

2) 沉降缝、伸缩缝、新旧建(构)筑物或高低建(构)筑物接壤处的两侧；

3) 人工地基和天然地基接壤处、建(构)筑物不同结构分界处的两侧；

4) 烟囱、水塔和大型储藏罐等高耸构筑物基础轴线的对称部位，且每一构筑物不得少于 4 个点；

5) 基础底板的四角和中部；

6) 建(构)筑物出现裂缝时，布设在裂缝两侧。

2 沉降观测标志的埋设高度宜高出室内地坪 0.2m～0.5m。对于建筑立面后期有贴面装饰的建(构)筑物，宜预埋螺栓式活动标志。

3 高层建筑施工期间的沉降观测周期，应每增加 1 层～2 层观测 1 次；封顶后，应每 3 个月观测 1 次，应观测 1 年。若最后 2 个观测周期的平均沉降速率小于 0.02mm/日，可认为整体趋于稳定，若各沉降观测点的沉降速率均小于 0.02mm/日，可终止观测；不满足时，应继续按 3 个月间隔进行观测，应在最后两期建筑物稳定指标符合规定停止观测。

4 工业厂房或多层民用建筑的沉降观测总次数不应少于 5 次，竣工后的观测周期，可根据建(构)筑物的稳定情况确定。

10.5.9 建(构)筑物的主体倾斜观测应符合下列规定：

1 整体倾斜观测点宜布设在建(构)筑物竖轴线或其平行线的顶部和底部，分层倾斜观测点宜分层布设高低点；

2 倾斜观测标志可采用固定标志、反射片或建(构)筑物的特征点；

3 倾斜观测精度宜采用三等水平位移的观测精度；

4 观测方法可采用经纬仪投点法、前方交会法、正垂线法、激光准直法、差异沉降法、倾斜仪测记法等。

10.5.10 当建(构)筑物出现裂缝且裂缝不断发展时，应进行建筑裂缝观测。裂缝观测应满足本标准第 10.4.14 条的要求。

10.5.11 当对建(构)筑物进行日照变形观测时，应符合下列规定：

1 变形观测点宜设置在监测体受热面不同的高度处；

2 日照变形的观测时间宜选在夏季的高温天进行；普通观测项目，可在白天时间段观测，应从日出前开始定时观测，至日落后停止；

3 在每次观测的同时，应测出监测体向阳面与背阳面的温度，并应测定即时的风速、风向和日照强度；

4 观测方法应根据日照变形的特点、精度要求、变形速率以及建(构)筑物的安全性等指标确定，可采用交会法、极坐标法、激光准直法、正倒垂线法等。

10.6 水工建筑物变形监测

10.6.1 水工建筑物及附属设施的变形监测项目和内容应根据水

工建筑物结构及布局、基坑深度、水库库容、地质地貌、开挖断面和施工方法等因素确定。监测内容应在满足工程需要和设计要求的基础上按表10.6.1选择。

表 10.6.1　水工建筑物及附属设施的变形监测项目和内容

<table>
<tr><th>阶段</th><th colspan="2">项　目</th><th>主要监测内容</th></tr>
<tr><td rowspan="7">施工期</td><td colspan="2">高边坡开挖稳定性监测</td><td>水平位移、垂直位移、挠度、倾斜、裂缝</td></tr>
<tr><td colspan="2">堆石体监测</td><td>水平位移、垂直位移</td></tr>
<tr><td colspan="2">结构物监测</td><td>水平位移、垂直位移、挠度、倾斜、接缝、裂缝</td></tr>
<tr><td colspan="2">临时围堰监测</td><td>水平位移、垂直位移、挠度</td></tr>
<tr><td colspan="2">建筑物基础沉降观测</td><td>垂直位移</td></tr>
<tr><td colspan="2">近坝区滑坡监测</td><td>水平位移、垂直位移、深层位移</td></tr>
<tr><td colspan="2">库周跨断裂(断层)监测</td><td>水平位移、垂直位移、裂缝</td></tr>
<tr><td rowspan="9">运行期</td><td rowspan="4">坝体</td><td>混凝土坝</td><td>水平位移、垂直位移、挠度、倾斜、坝体表面接缝、裂缝、应力、应变等</td></tr>
<tr><td>土石坝</td><td>水平位移、垂直位移、挠度、倾斜、裂缝等</td></tr>
<tr><td>灰坝、尾矿坝</td><td>水平位移、垂直位移</td></tr>
<tr><td>堤坝</td><td>水平位移、垂直位移</td></tr>
<tr><td colspan="2">涵闸、船闸</td><td>水平位移、垂直位移、挠度、裂缝、张合变形等</td></tr>
<tr><td rowspan="4">库首区、库区</td><td>滑坡体</td><td rowspan="4">水平位移、垂直位移、深层位移、裂缝</td></tr>
<tr><td>地质软弱层</td></tr>
<tr><td>跨断裂(断层)</td></tr>
<tr><td>高边坡</td></tr>
</table>

10.6.2　施工期变形监测的精度要求不应超过表10.6.2的规定。

表 10.6.2　施工期变形监测的精度要求(mm)

项 目 名 称	位移量中误差		备　　注
	平面	高程	
高边坡开挖稳定性监测	3	3	岩石边坡
	5	5	岩土混合或土质边坡
堆石体监测	5	5	—
结构物监测	根据设计要求确定		
临时围堰监测	5	10	—
建筑物基础沉降观测	—	3	—
裂缝观测	1	—	混凝土构筑物、大型金属构件
	3	—	其他结构
近坝区滑坡监测	3	3	岩体滑坡体
	5～6	5	岩土混合或土质滑坡体

注:1　临时围堰位移量中误差指相对于围堰轴线,裂缝观测指相对于观测线,其他项目指相对于工作基点而言;

2　垂直位移观测应采用水准测量;不具备观测条件时,也可采用电磁波测距三角高程测量。

10.6.3　水坝变形监测的精度要求应符合下列规定:

1　混凝土水坝变形监测的精度要求应符合表 10.6.3 的规定。

表 10.6.3　混凝土水坝变形监测的精度要求

项　　目				测量中误差
水平位移(mm)	坝体	重力坝、支墩坝		1.0
		拱坝	径向	2.0
			切向	1.0
	坝基	重力坝、支墩坝		0.3

续表 10.6.3

项目				测量中误差
水平位移（mm）	坝基	拱坝	径向	1.0
			切向	0.5
垂直位移（mm）				1.0
挠度（mm）				0.3
倾斜（″）		坝体		5.0
		坝基		1.0
坝体表面接缝、裂缝（mm）				0.2

2　中小型混凝土水坝的水平位移监测精度不宜超过表10.6.3中测量中误差的2倍，土石坝的水平位移监测精度不宜超过表10.6.3中测量中误差的4倍。

3　中小型水坝的垂直位移监测精度，小型混凝土水坝不应超过2mm，中型土石坝不应超过3mm，小型土石坝不应超过5mm。

10.6.4　水坝坝体变形观测点的布设应符合下列规定：

1　坝体的变形观测点宜沿坝轴线的平行线布设；点位宜设置在坝顶和其他能反映坝体变形特征的部位；在关键断面、重要断面及一般断面上，应按断面走向相应布点；

2　混凝土坝每个坝段应至少设立1个变形观测点；土石坝变形观测点，可均匀布设，点位间距不应超过50m；

3　有廊道的混凝土坝可将变形观测点布设在基础廊道和中间廊道内；

4　水平位移与垂直位移变形观测点可共用同一桩位。

10.6.5　水坝的变形监测周期应符合下列规定：

1　坝体施工过程中，应每半个月或每个月观测1次；

2　坝体竣工初期，应每个月观测1次；相对稳定后，宜每3个月观测1次；

3 土坝宜在每年汛前、汛后各观测1次；

4 当出现下列情况之一时，应加密观测或持续观察。

1)水库首次蓄水或蓄水排空；

2)水库达到最高水位或警戒水位；

3)水库水位发生骤变；

4)位移量显著增大；

5)对大坝变形影响大的高低温气象天气；

6)库区发生地震。

10.6.6 灰坝、尾矿坝的变形监测，水平位移监测中误差宜为4mm，垂直位移监测中误差宜为6mm。

10.6.7 堤坝工程在施工期和运行期的变形监测内容、精度和观测周期，应根据堤防工程的级别、堤形、设计要求和水文、气象、地形、地质等条件综合确定。

10.6.8 大型涵闸除进行位移监测外，还应进行闸门、闸墙的张合变形监测。监测中误差不应超过1.0mm。大型涵闸的变形观测点，应在闸墙两边和靠近闸门位置布设。

10.6.9 库首区、库区地质缺陷、跨断裂及地震灾害监测，应符合下列规定：

1 库首区、库区地质缺陷监测的对象应包括滑坡体、地质软弱层、施工形成的高边坡等；监测项目、点位布设和观测周期，应符合本标准第10.9节的有关规定；

2 跨断裂及地震灾害监测应结合地震台网的分布及区域地质资料进行，并应符合下列规定：

1)监测点位应布设在地质断裂带的两侧，点位间距根据需要确定，工程需要时，还应进行平洞监测；

2)变形监测宜采用三角形网、卫星定位网、水准测量、精密测(量)距、裂缝观测等方法，监测点的点位和高程中误差不应超过1.0mm；

3)监测周期应按不同监测区域的重要性和危害程度确定；对于重要的、变形速率大的监测体，宜每周观测1次。

10.7 地下工程变形监测

10.7.1 地下工程变形监测项目和内容应根据埋深、地质条件、地面环境、开挖断面和施工方法等因素综合确定。监测内容应根据工程需要和设计要求按表10.7.1选择。应力监测和地下水位监测选项应满足工程监控和变形分析的需要。

表10.7.1 地下工程变形监测项目和内容

阶段	项目		主要监测内容	
地下工程施工阶段	地下建(构)筑物基坑	支护结构	位移监测	支护结构的水平侧向位移、垂直位移
				立柱的水平位移、垂直位移
			挠度监测	桩墙挠曲
			应力监测	桩墙侧向水土压力和桩墙内力、支护结构界面上侧向压力、水平支撑轴力、地基反力、地层压力、静水压力及浮力
		地基	位移监测	基坑回弹、分层地基土沉降
			地下水	基坑内外地下水位

续表 10.7.1

阶段	项目			主要监测内容
地下工程施工阶段	地下建(构)筑物	结构、基础	位移监测	主要柱基、墩台的垂直位移、水平位移、倾斜
				连续墙水平侧向位移、垂直位移、倾斜
				建筑裂缝
				底板的垂直位移
			挠度监测	桩墙(墙体)挠曲、梁体挠度
			应力监测	侧向地层抗力及地基反力、地层压力、静水压力及浮力
	地下隧道	隧道结构	位移监测	隧道拱顶下沉、隧道底面回弹、衬砌结构收敛变形
				衬砌结构裂缝
				围岩内部位移
			挠度监测	侧墙挠曲
			地下水	地下水位
			应力监测	围岩压力及支护间应力、锚杆内力和抗拔力、钢筋格栅拱架内力及外力、衬砌内应力及表面应力
	受影响的地面建(构)筑物、地表沉陷、地下管线	地表面、地面建(构)筑物、地下管线	位移监测	地表沉陷
				建(构)筑物水平位移、垂直位移、倾斜
				建(构)筑物裂缝
				地下管线的水平位移、垂直位移
				土体水平位移
			地下水	地下水位
地下工程运营阶段	地下建(构)筑物	结构、基础	位移监测	主要柱基、墩台的垂直位移、水平位移、倾斜
				连续墙水平侧向位移、垂直位移、倾斜
				建筑裂缝
				底板的垂直位移
			挠度监测	连续墙挠曲、梁体挠度
			地下水	地下水位
	地下隧道	结构、基础	位移监测	衬砌结构变形
				衬砌结构裂缝
				拱顶下沉
				底板垂直位移
			挠度监测	侧墙挠曲

10.7.2 地下工程变形监测的精度应根据工程需要和设计要求确定，并应符合下列规定：

1 重要地下建(构)筑物的结构变形和地基基础变形宜采用二等精度，一般的结构变形和基础变形可采用三等精度；

2 重要的隧道结构、基础变形可采用三等精度，一般的结构、基础变形可采用四等精度；

3 受影响的地面建(构)筑物的变形监测精度应符合本标准表 10.1.3 的规定，地表沉陷和地下管线变形的监测精度不宜低于三等。

10.7.3 地下工程变形监测的周期应符合下列规定：

1 地下建(构)筑物的变形监测周期应根据埋深、岩土工程条件、建筑结构特点和施工进度确定。

2 隧道变形监测周期应根据隧道的施工方法、支护衬砌工艺、横断面的大小以及隧道的岩土工程条件等因素综合确定。当采用新奥法施工时，新设立的拱顶下沉变形观测点的初始观测值应在隧道下次掘进爆破前获取。新奥法施工拱顶下沉变形监测的周期，应符合表 10.7.3-1 的规定。当采用盾构法施工时，对不良地质构造、断层和衬砌结构裂缝的隧道断面的变形监测周期，在变形初期宜每天观测 1 次，变形相对稳定后可延长，稳定后可终止观测。

表 10.7.3-1 新奥法施工拱顶下沉变形监测的周期

阶段(d)	0～15	16～30	31～90	＞90
观测周期	1 次/d～2 次/d	1 次/2d	1 次/周～2 次/周	1 次/月～3 次/月

3 对于基坑周围建(构)筑物的变形监测，应在基坑开始开挖或降水前进行初始观测，回填完成后可终止观测。周围建(构)筑物的变形监测宜与基坑变形监测同步。

4 对于受隧道施工影响的地面建(构)筑物、地表、地下管线等的变形监测，应在开挖面距前方监测体的距离等于隧道埋深和隧道高度之和时进行初始观测。观测初期，宜每天观测 1 次～2 次，相对稳定后可延长监测周期，恢复稳定后可终止观测。当采用新奥法施工时，地面建(构)筑物、地表沉陷的观测周期应符合表10.7.3-2的规定。

表10.7.3-2 新奥法施工地面建(构)筑物、地表沉陷的观测周期

监测体或监测断面距开挖工作面的前、后距离	$L<2B$	$2B\leqslant L<5B$	$L\geqslant 5B$
观测周期	1次/d～2次/d	1次/2d	1次/周

注：1 L为监测体或监测断面距开挖工作面的前、后距离(m)；B为开挖面宽度(m)；

2 新奥法施工时，当地面建(构)筑物、地表沉陷观测3个月后，可根据变形情况将观测周期调整为每月观测1次，恢复稳定后可终止观测。

5 地下工程施工期间，当监测体的变形速率明显增大时，应增加观测次数至每周多次或每日多次；当变形量达到预警值或有事故征兆时，应持续观测。

6 地下工程在运营初期，第一年宜每季度观测1次，第二年宜每半年观测1次，以后宜每年观测1次，但在变形速率增大时，应增加观测次数。

10.7.4 地下工程基坑变形监测的主要技术要求应符合本标准第10.5.3条第1款～第4款的规定；应力监测的计量仪表应满足测试要求的精度；基坑回弹、分层地基土和地下水位的监测应符合本标准第10.5.4条～第10.5.6条的规定。

10.7.5 地下建(构)筑物的变形监测应符合下列规定：

1 水平位移观测的基准点宜布设在地下建(构)筑物的出入口附近或地下工程的隧道内的稳定位置；工作基点应设置在底板上，并不应少于3个点；变形观测点应布设在变形敏感的柱基、墩台和梁体上；水平位移观测可采用交会法、视准线法、极坐标法、自由设站法、激光准直法、三维激光扫描法等，也可采用全站仪自动跟踪测量法；

2 垂直位移观测的基准点应选在地下建(构)筑物的出入口附近不受沉降影响的区域，也可将基准点选在地下工程的隧道横通道内，可设立深层钢管标，基准点个数不应少于3个点；变形观测点应布设在主要的柱基、墩台、地下连续墙墙体、地下建筑底板上；垂直位移观测宜采用水准测量方法或静力水准测量方法，精度满足要求时，也可采用电磁波测距三角高程测量法或三维激光扫描法。

10.7.6 隧道的变形监测应符合下列规定：

1 隧道的变形监测应对临近开挖面的隧道断面、不良地质构造、断层和衬砌结构裂缝较多的隧道断面的变形进行监测；

2 隧道内的基准点应埋设在变形区外相对稳定的地方或隧道横通道内；可设立深层钢管标，位移监测基准点个数不宜少于3个点；

3 变形观测点应按断面布设；当采用新奥法施工时，断面间距宜为10m～50m，点位应布设在隧道的顶部、底部和两腰，项目需要时可加密布设，新增设的监测断面宜靠近开挖面；当采用盾构法施工时，监测断面应选择并布设在不良地质构造、断层和衬砌结构裂缝的部位；

4 隧道拱顶下沉和底面回弹宜采用收敛计法、断面测量法和水准测量方法；三等及以下精度要求的，也可采用全站仪自动跟踪测量法；

5 衬砌结构收敛变形宜采用收敛计进行监测，也可采用极坐标法测量、全站仪自由设站法、三维激光扫描等方法；

6 可在地表布设沉降监测横断面，埋设土体分层沉降计、沉降磁环、测斜管等。

10.7.7 地下建筑物的建筑裂缝观测应按本标准第10.4.14条的要求执行。

10.7.8 地下建（构）筑物、地下隧道在施工和运营初期，还应对受影响的地面建（构）筑物、地表、地下管线等进行同步变形测量，并应符合下列规定：

1 地面建（构）筑物的垂直位移变形观测点应布设在建筑物

的柱基上，水平位移变形观测点宜布设在建筑物外墙的顶端和下部等变形敏感的部位。点位间距宜为15m～20m；

2 地表沉陷变形观测点应布设在地下工程的变形影响区内；新奥法隧道施工时，地表沉陷变形观测点应沿隧道地面中线呈横断面布设，断面间距宜为10m～50m，两侧的布点范围宜为隧道深度的2倍，每个横断面不少于5个变形观测点；

3 变形区内的燃气、上水、下水和热力等地下管线的变形观测点，宜设立在管顶或检修井的管道上；变形观测点可采用抱箍式和套筒式标志；当不能在管线上直接设点时，可在管线周围土体中埋设位移传感器间接监测管线的变形；

4 变形观测宜采用水准测量方法、极坐标法、交会法等。

10.7.9 地下工程变形监测的各种应力应变传感器应布设在不良地质作用、断层、衬砌结构裂缝和其他变形敏感的部位，应同时兼顾水平位移和垂直位移变形观测点的布设；应力、应变监测的主要技术要求应符合本标准第10.4.18的规定。

10.7.10 地下工程运营期间，变形监测的内容可减少，监测周期也可延长，但应满足运营安全监控的需要。运营期间变形监测的主要技术要求与施工期间相同。专项工程需要时，宜将监测方法升级为自动化监测系统。

10.8 桥梁变形监测

10.8.1 桥梁变形监测的内容应根据桥梁结构类型按表10.8.1选择。

表10.8.1 桥梁变形监测的内容

类型	施工期主要监测内容	运营期主要监测内容
梁式桥	桥墩垂直位移 梁体水平位移、徐变(垂直位移)、挠度(垂直位移)	桥墩垂直位移 桥面水平位移、挠度(垂直位移)

续表 10.8.1

类型	施工期主要监测内容	运营期主要监测内容
拱桥	桥墩垂直位移 装配式拱圈水平、垂直位移	桥墩垂直位移 桥面水平位移、垂直位移
悬索桥 斜拉桥	索塔倾斜、索塔摆动(塔顶水平位移)、塔基垂直位移 桥面线形(水平位移、垂直位移)、挠度(垂直位移) 锚碇水平位移、垂直位移	索塔倾斜、索塔摆动(塔顶水平位移)、塔基垂直位移 桥面线形(水平位移、垂直位移)、挠度(垂直位移)
桥梁两岸边坡	桥梁两岸边坡水平位移、垂直位移	桥梁两岸边坡水平位移、垂直位移

10.8.2 桥梁变形监测的精度应根据桥梁的类型、结构、用途等因素综合确定,特大型桥梁的监测精度不宜低于二等,大型桥梁不宜低于三等,中小型桥梁可采用四等。

10.8.3 变形监测可采用卫星定位测量、极坐标法、精密测距、导线测量、前方交会法、正垂线法、电垂直梁法、激光准直法、水准测量等。

10.8.4 大型桥梁的变形监测,必要时应同步观测梁体和桥墩的温度、水位和流速、风力和风向。

10.8.5 桥梁变形观测点的布设应符合下列规定:

1 桥墩的垂直位移变形观测点应沿桥墩的纵、横轴线布设在外边缘,也可布设在墩面上;每个桥墩的变形观测点数,根据桥墩大小应布设 1 个～4 个点;

2 梁体的徐变、挠度观测点应在支点、跨中梁体截面布点;每个梁体截面的观测点数,根据截面大小应布设 2 个～5 个点;悬臂法浇筑或安装梁体的桥面线形观测点,应布设在每段梁体的前端截面,每个梁体截面观测点数,根据截面大小应布设 2 个～5 个点;支架法浇筑或安装梁体的桥面线形观测点,应在桥墩和梁体的

1/4、1/2、3/4 处截面布点；每个梁体截面的观测点数，根据截面大小应布设 2 个～5 个点。

3 索塔垂直位移变形观测点宜布设在索塔底部的四角；索塔倾斜、摆动变形观测点宜在索塔的顶部、中部和下部并沿索塔横向轴线对称布设；

4 斜拉桥、悬索桥桥面线形、挠度观测点应在桥墩（索塔）和拉索锚固点梁体截面布点，每个梁体截面的观测点数，根据截面大小应布设 2 个～5 个点；

5 桥梁两岸边坡变形观测点宜成排布设在边坡的顶部、中部和下部，点位间距宜为 10m～20m。

10.8.6 桥梁施工期的变形监测周期应根据桥梁的类型、施工工序、设计要求等因素确定。

10.8.7 桥梁运营期的变形监测，每年应观测 1 次，也可在每年的夏季和冬季各观测 1 次。当洪水、地震、强台风等自然灾害发生时，或遇船只碰撞等特殊情况时，应加密观测或持续观测。

10.9 滑坡监测

10.9.1 滑坡监测的内容应根据滑坡危害程度或防治工程等级按表 10.9.1 选择。工程需要时，还应监测区域的降雨量和进行人工巡视。

表 10.9.1 滑坡监测内容(mm)

类型	阶段	主要监测内容
滑坡	前期	地表裂缝
	整治期	地表的水平位移和垂直位移、深部钻孔测斜、土体或岩体应力、水位
	整治后	地表的水平位移和垂直位移、深部钻孔测斜、地表倾斜、地表裂缝、土体或岩体应力、水位

10.9.2 滑坡监测的精度要求应符合表 10.9.2 的规定。

表 10.9.2 滑坡监测的精度要求(mm)

类　型	水平位移监测的点位中误差	垂直位移监测的高程中误差	地表裂缝的观测中误差
岩质滑坡	±5	±5	±0.5
土质滑坡	±10	±10	±3.0

注:水平位移和垂直位移的监测中误差是相对于基准点或工作基点。

10.9.3 滑坡水平位移观测可采用交会法、极坐标法、卫星定位测量和多摄站摄影测量方法;深层位移观测可采用深部钻孔测斜方法。垂直位移观测可采用水准测量和电磁波测距三角高程测量方法。地表裂缝观测可采用精密测(量)距方法。

10.9.4 滑坡监测变形观测点位的布设应符合下列规定:

1 对已明确主滑方向和滑动范围的滑坡,监测网可布设成十字形和方格形,纵向应沿主滑方向,横向应垂直于主滑方向;对主滑方向和滑动范围不明确的滑坡,监测网宜布设成放射形;

2 点位应选在地质、地貌的特征点上;

3 单个滑坡体的变形观测点不宜少于 3 个点;

4 地表变形观测点宜采用有强制对中装置的墩标,难以设置墩标地段可设立固定照准标志。

10.9.5 滑坡监测周期,宜每月观测 1 次,并可根据旱、雨季或滑移速度的变化进行调整。邻近江河的滑坡体,还应监测水位变化。水位监测次数不应少于变形观测的次数。

10.9.6 滑坡整治后的监测期限,宜在单元滑坡内所有监测点 3 年内变化不显著并预计若干年内周边环境无重大变化时,可延长监测周期或结束阶段性监测。

10.9.7 工程边坡和高边坡监测的点位布设,可根据边坡的高度,按上中下成排布点。监测方法、监测精度和监测周期宜与滑坡监测的要求一致。

10.10 核电厂变形监测

10.10.1 核电厂变形监测项目应包括厂区内核岛、常规岛等重要建(构)筑物、水工建筑物、边坡等的变形监测。

10.10.2 核电厂变形监测基准网宜由次级网的基准点和工作基点构成,并应符合下列规定:

1 基准点数量不应少于3个,点位应选在主厂区周边、变形影响区域之外、稳固的位置;

2 工作基点数量宜为6个~8个,宜选在核岛和常规岛等主厂房周围,且使用便利的位置;

3 基准点和工作基点的布设应整体设计,并应进行一次布网。

10.10.3 核电厂项目变形监测点应埋设在监测体上且最能反映变形特征的部位。

10.10.4 核电厂项目变形监测,应根据适用对象选择相应的精度等级,核岛、常规岛等主体建筑物变形监测应按本标准第10.1节中二等变形监测要求施测,附属设施、边坡、水库坝体、码头、环廊基础等的变形监测可按本标准第10.1节中三等变形监测要求施测。

10.10.5 核岛、常规岛等重要建(构)筑物应有独立的变形测量监测系统,同时应满足工程设计对变形监测的要求;在工程建设中,对各项监测设施应随施工的进度预先埋设。

10.10.6 核电厂项目水平位移监测可采用测角前方交会法、边角交会法、极坐标法、小角法、经纬仪投点法、视准线法、正垂线或倒垂线法。

10.10.7 核电厂项目核岛、常规岛等建筑物的垂直位移监测宜采用精密水准测量方法,在无通视条件或无法立尺观测的地方,可采用静力水准法监测。单体构件可采用测微水准仪或机械倾斜仪、电子倾斜仪等进行测量。

10.10.8 核岛、常规岛等建(构)筑物的沉降观测点应按照设计图埋设，在下列位置处宜设置观测点：

1 建筑物四角或沿着外墙每 10m～15m 处或每隔 2 根～3 根柱子柱基上；

2 裂缝、沉降缝或伸缩缝的两侧；

3 人工地基和天然地基的接壤处，可埋设在建筑物不同结构的分界处；

4 烟囱、水塔或大型储藏罐等高耸构筑物的基础轴线的对称部位，每个构筑物不得少于 4 个点。

10.10.9 核岛、常规岛等建筑物在施工期间的沉降观测周期应按照施工进度和荷载变化情况确定，施工期间，宜每 3 个月观测 1 次，施工过程中若遇暂停工，停工后及重新开工前，应各观测 1 次，停工期间的监测宜根据项目需要进行。运营期间，第 1 年应观测 1 次，之后宜每 3 年观测 1 次。

10.10.10 核电厂水坝变形监测的点位布设、精度和监测周期应符合本标准第 10.6.3 条～第 10.6.5 条的有关规定。

10.10.11 核电厂边坡和高边坡监测的点位布设可根据边坡的高度，按上、中、下成排布点，应同时进行水平位移和垂直位移监测。监测周期宜为每月观测 1 次，并可根据旱、雨季和位移速率的变化进行调整。

10.11 数据处理与变形分析

10.11.1 对变形监测的各项原始记录应进行整理、检查。

10.11.2 监测基准网的数据处理应符合下列规定：

1 观测数据的改正计算、检核计算和数据处理方法，应按本标准第 3 章、第 4 章的有关规定执行；

2 规模较大的网，还应对观测值、坐标和高程值、位移量进行精度评定；

3 应利用稳定的基准点作为起算点；监测基准网平差的起算

点，应为经过稳定性检验合格的点或点组。监测基准网点位稳定性的检验，可采用下列方法进行：

1）应采用最小二乘测量平差的检验方法；复测的平差值与首次观测的平差值较差 Δ，在满足下式要求时，可认为点位稳定。

$$\Delta < 2\mu\sqrt{2Q} \tag{10.11.2}$$

式中：Δ——平差值较差的限值；

μ——单位权中误差；

Q——权系数。

2）应采用数理统计检验方法。

3）应采用第 1）项、第 2）项相结合的方法。

10.11.3 变形监测网观测数据的改正计算和检核计算，应符合本标准第 10.11.2 条第 1 款、第 2 款的规定；监测网的数据处理可采用最小二乘法进行平差。

10.11.4 监测数据处理中的数值取位要求应符合表 10.11.4 的规定。

表 10.11.4 监测数据处理中的数值取位要求

等级	方向值（″）	边长（mm）	坐标（mm）	高程（mm）	水平位移量（mm）	垂直位移量（mm）
一、二等	0.01	0.1	0.1	0.01	0.1	0.01
三、四等	0.1	1	1	0.1	1	0.1

10.11.5 监测项目的变形分析，对于大中型工程或重点建设项目，宜包括下列所有内容；对小型工程项目，应不少于下列第 1 款～第 3 款的内容：

1 观测成果的可靠性；

2 监测体的累计变形量和两相邻观测周期的相对变形量和变形速率；

3 相关影响因素（荷载、气象和地质等）的作用分析；

4 回归分析；

5 有限元分析。

10.11.6 变形监测项目，应根据变形监测项目实际工程需要和委托方的要求，提交下列有关资料：

1 变形监测设计方案。

2 变形监测阶段性监测报告应包括下列主要内容：

1）每期观测成果；

2）与前一期观测间的变形量和变形速率；

3）本期观测后的累计变形及说明；

4）变形监测图表及说明；

5）监测过程中需要说明的事项。

3 变形监测技术总结报告应包括下列主要内容：

1）监测内容及基本技术要求；

2）作业过程及技术方法；

3）每期观测成果汇总；

4）变形监测图表及说明；

5）变形监测过程中需要说明的事项；

6）基准点稳定性分析资料；

7）变形分析方法、结论和建议；

8）其他需要说明的资料。

10.12 变形监测信息系统

10.12.1 变形监测的观测记录、计算资料的管理，数据处理及分析、建模和预警等宜采用变形监测信息管理系统进行，系统宜具备下列功能：

1 能接收和管理各种变形监测的原始数据和观测数据、计算数据、成果数据等资料；

2 能接入和接收存储各类传感器和设备的实时监测数据；

3 能对各期观测数据进行检核和处理；

4 能进行监测基准网和变形监测网观测数据的平差计算和基准点的稳定性分析；

5 能通过变形量和变形因子关系模型，对监测点的变化统计分析后，进行变化趋势预报；

6 具有数据查询、数据上传、数据共享和推送功能；

7 具有变形成果图表生成功能和实现监测结果的三维可视化表达功能；

8 能根据不同风险类型、风险级别建立预警及报警处置预案；

9 具有用户管理、数据与信息管理和系统安全管理等功能。

10.12.2 变形监测信息系统的基本性能应符合下列规定：

1 系统运行方式应支持 24h 不间断运行；

2 系统平均无故障时间应大于 6300h，系统的故障率应低于 5%；

3 系统应具有良好的开放性和可扩展性；

4 系统应具有完备的信息安全保障体系。

10.12.3 系统宜采用作图分析法、统计分析法、对比分析法、建模分析法等对监测数据进行变形的几何分析和物理解释；当利用变形量与变形因子关系模型进行变形趋势预报时，应给出预报结果的误差范围及适用条件。

10.12.4 系统在评审验收之前，应进行系统测试和试运行。验收内容应包括文档验收、程序验收等。

附录 A 精度要求较高工程的中误差评定方法

A.0.1 对于精度要求较高的工程，且多余观测数小于 20 时，可按本章方法评定观测精度。

A.0.2 评定对象的中误差应按下式计算：

$$\sigma = K_{M} m \tag{A.0.2}$$

式中：σ——评定对象的中误差(母体中误差估值)；

K_{M}——修正系数；

m——由观测数据计算的中误差(子样中误差)。

A.0.3 评定对象的中误差值应满足下式要求：

$$\sigma \leqslant \sigma_0 \tag{A.0.3}$$

式中：σ_0——评定对象的中误差值。

A.0.4 观测中误差修正系数应根据多余观测个数 n 按表 A.0.4 选取。

表 A.0.4 观测中误差修正系数表

多余观测个数(或自由度)n	K_{M} 值
1	2.22
2	1.47
3	1.29
4	1.20
5	1.15
6	1.12
7	1.10
8	1.08
9	1.07

续表 A.0.4

多余观测个数(或自由度)n	K_M 值
10	1.05
11	1.04
12	1.04
13	1.03
14	1.02
15	1.02
16	1.01
17	1.01
18	1.01
19	1.00
20	1

附录B　平面控制点标志及标石的埋设规格

B.1　平面控制点标志

B.1.1　二、三、四等平面控制标志可采用磁质或金属等材料制作磁质标志规格(图B.1.1-1)和金属标志规格(图B.1.1-2)。

B.1.2　一、二级小三角点，一级及以下导线点、埋石图根点等平面控制点标志可采用$\phi14\sim\phi20$、长度为300mm～400mm的普通钢筋制作，钢筋顶端应锯"十"字标记，距底端约50mm处应弯成勾状。

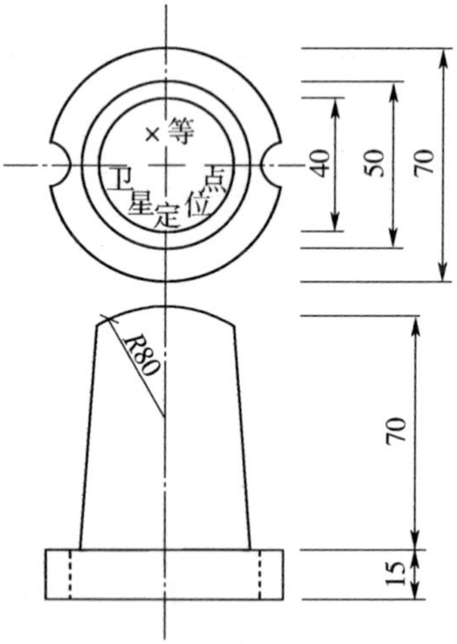

图B.1.1-1　磁质标志规格(mm)

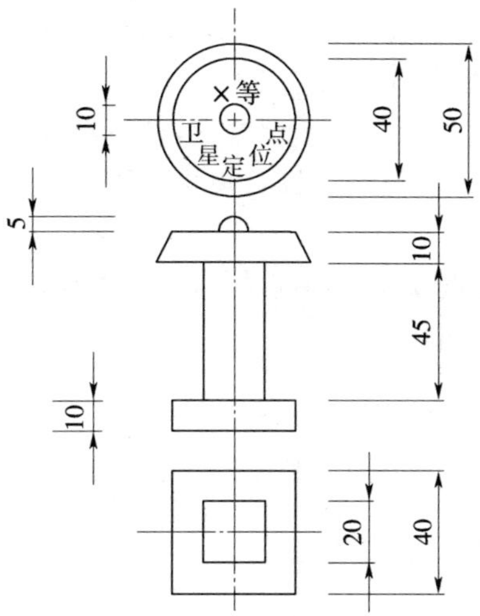

图 B. 1. 1-2　金属标志规格(mm)

B. 2　平面控制标石埋设

B. 2. 1　二、三等平面控制点标石规格及埋设结构应符合图 B. 2. 1

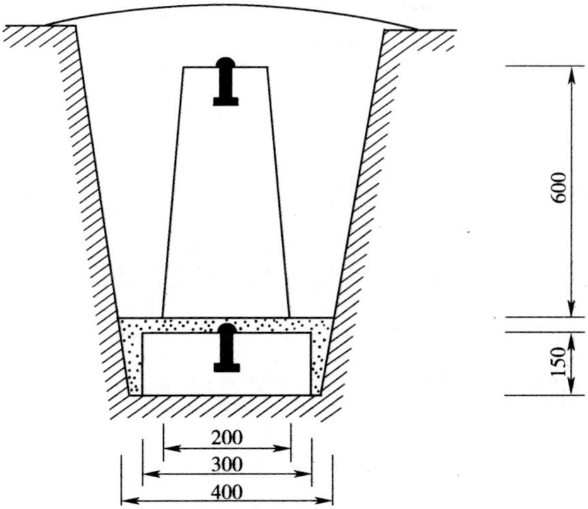

图 B. 2. 1　二、三等平面控制点标石规格及埋设结构(mm)

的规定，柱石与盘石间应放 10mm～20mm 厚粗砂，两层标石中心的最大偏差不应超过 3mm。

B.2.2 四等平面控制点可不埋盘石，柱石高度应加大。

B.2.3 一、二级平面控制点标石规格及埋设结构应符合图 B.2.2 的规定。

B.2.4 三级导线点、埋石图根点的标石规格及埋设可符合图 B.2.4 的规定，也可自行设计。

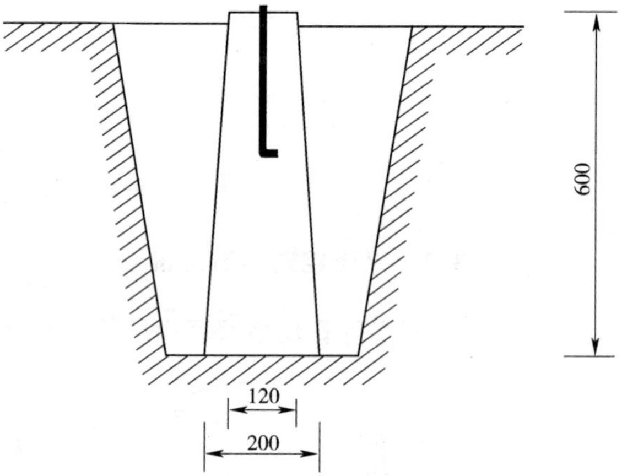

图 B.2.4 一、二级平面控制点标石规格及埋设结构（mm）

B.3 变形监测观测墩结构图

B.3.1 变形监测观测墩制作规格应符合图 B.3.1 的规定。

B.3.2 墩面尺寸可根据强制归心装置尺寸而定。

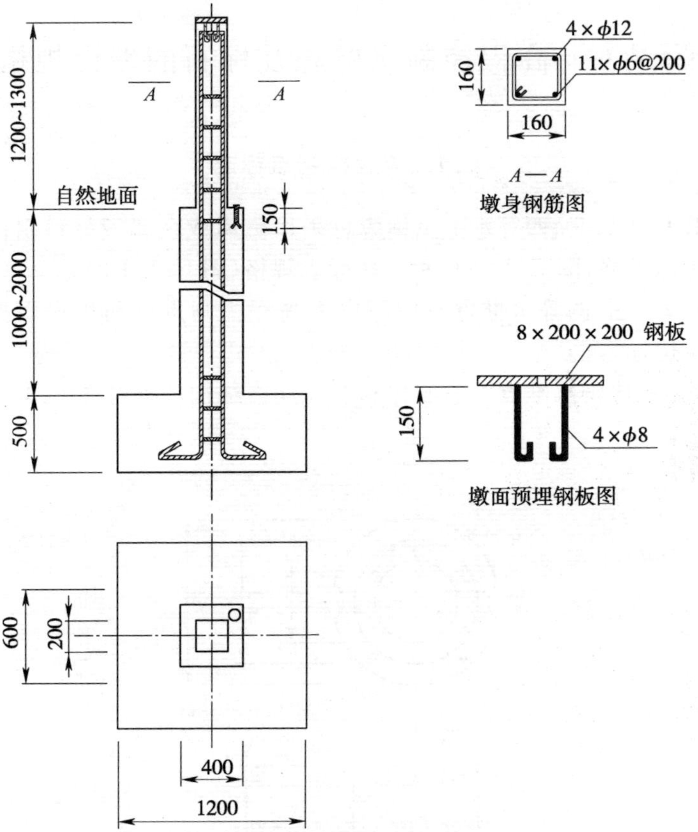

图 B.3.1　变形监测观测墩制作规格(mm)

附录C　高程控制点标志及标石的埋设规格

C.1　高程控制点标志

C.1.1　二、三、四等水准点标志可采用磁质或金属等材料制作磁质标志规格(图C.1.1-1)和金属标志规格(图C.1.1-2)。

C.1.2　三、四等水准点及四等以下高程控制点可利用平面控制点点位标志。

C.1.3　墙脚水准点标志制作和埋设规格结构应符合图C.1.3的规定。

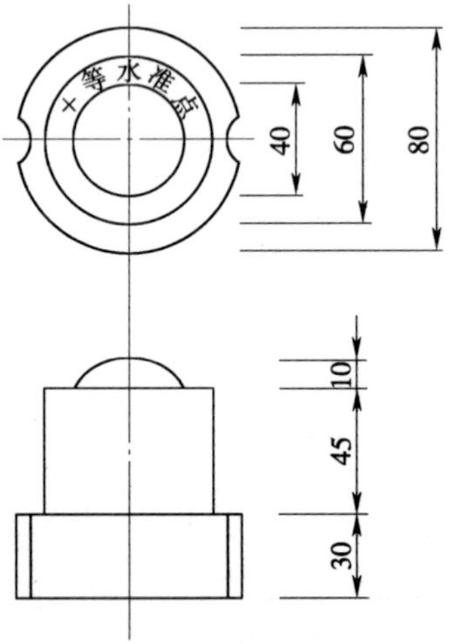

图C.1.1-1　磁质标志规格(mm)

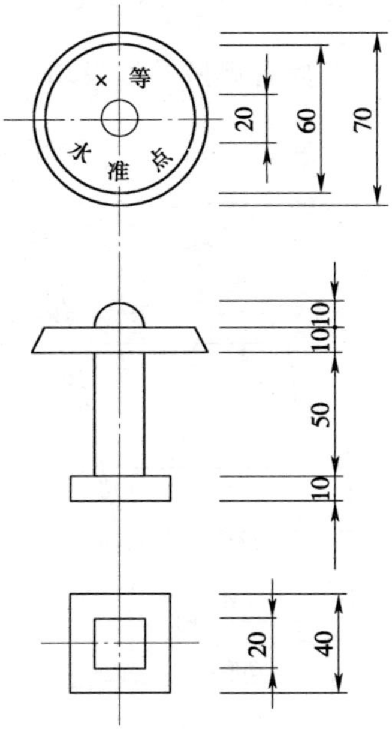

图 C. 1. 1-2　金属标志规格(mm)

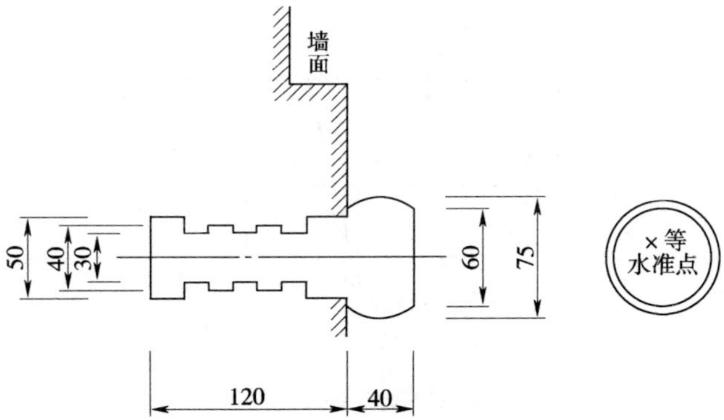

图 C. 1. 3　墙脚水准点标志制作和埋设规格结构(mm)

C.2 水准点标石埋设

C.2.1 二、三等水准点标石规格及埋设结构应符合图 C.2.1 的规定。

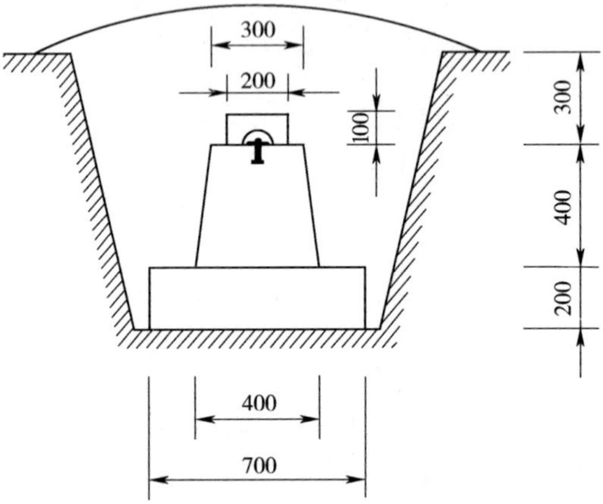

图 C.2.1 二、三等水准点标石规格及埋设结构(mm)

C.2.2 四等水准点标石规格及埋设结构应符合图 C.2.2 的规定。

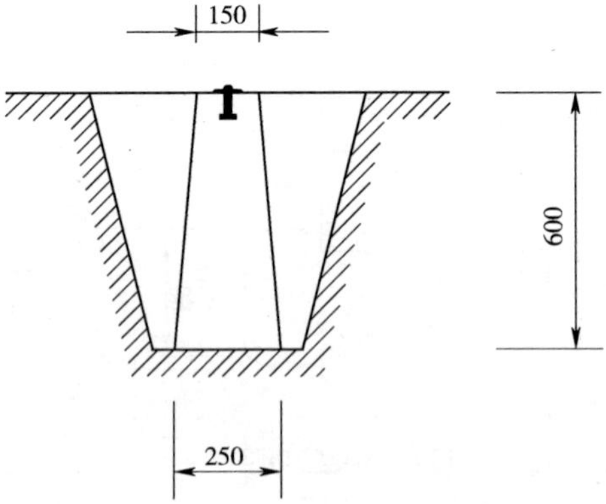

图 C.2.2 四等水准点标石规格及埋设结构(mm)

C. 2. 3 冻土地区的标石规格和埋设深度可自行设计。

C. 2. 4 线路测量专用高程控制点宜采用本标准图 C. 2. 2 规格，也可自行设计。

C. 3 深埋水准点结构图

C. 3. 1 测温钢管式深埋水准点规格及埋设结构剖面应符合图 C. 3. 1的规定。

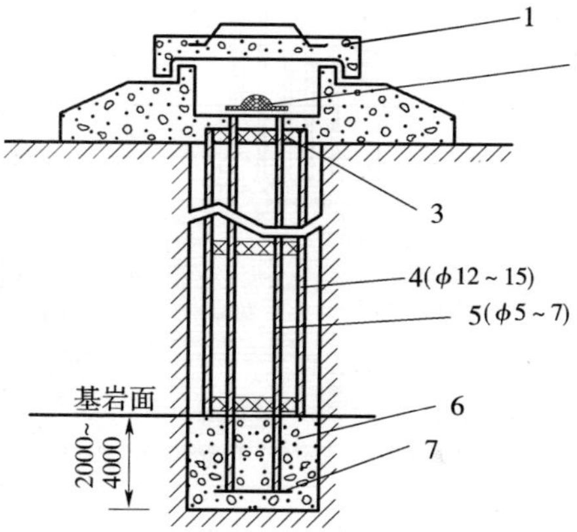

图 C. 3. 1 测温钢管式深埋水准点规格及埋设结构剖面(mm)

1—标盖；2—标心(有测温孔)；

3—橡皮环；4—钻孔保护钢管；

5—心管(钢管)；6—混凝土(或 M20 水泥砂浆)；

7—心管封底钢板与根络

C. 3. 2 双金属标深埋水准点规格及埋设结构剖面应符合图 C. 3. 2 的规定。

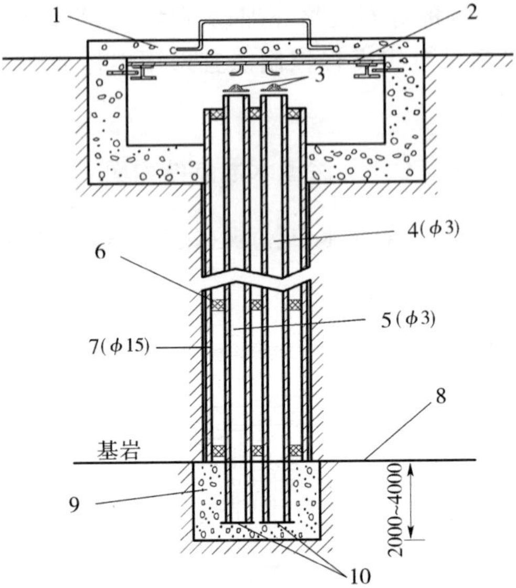

图 C.3.2 双金属标深埋水准点规格及埋设结构剖面(mm)

1—钢筋混凝土标盖;2—钢板标盖;3—标心;4—钢心管;5—铝心管;
6—橡胶环;7—钻孔保护钢管;8—新鲜基岩面;
9—M20 水泥砂浆;10—心管底板与根络

附录D　建筑方格网点标石规格及埋设

D.0.1　建筑方格网点标志规格、形式及埋设应符合图D.0.1的规定，标石顶面宜低于地面200mm～400mm，并应砌筑井筒加盖保护。

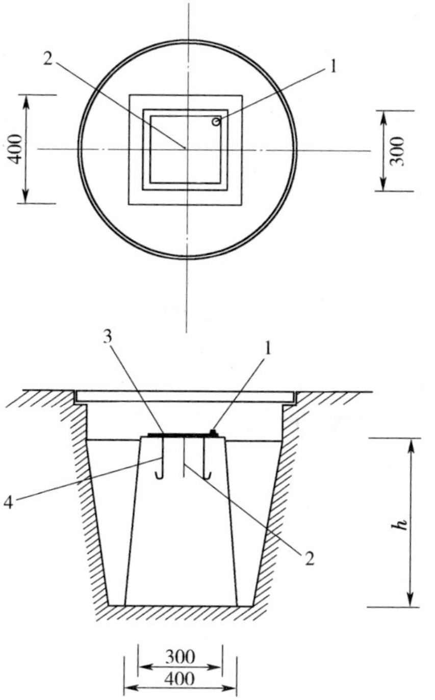

图D.0.1　建筑方格网点标志规格、形式及埋设(mm)

1—ϕ20mm铜质半圆球高程标志；2—ϕ1mm～ϕ2mm铜芯平面标志；3—200mm×200mm×5mm标志钢板；4—钢筋爪；h—埋设深度，根据地冻线和场地平整的设计高程确定

D.0.2　方格网点平面标志宜镶嵌铜芯表示，铜芯直径应为1mm～2mm。

附录E　建(构)筑物主体倾斜率和按差异沉降

E.0.1　建(构)筑物主体的倾斜率应按下式计算。

$$i = \tan\alpha = \frac{\Delta D}{H} \qquad (E.0.1)$$

式中：i——主体的倾斜率；

$\frac{\Delta D}{H}$——建(构)筑物顶部观测点相对于底部观测点的偏移值(m)；

H——建(构)筑物的高度(m)；

α——倾斜角(°)。

E.0.2　按差异沉降推算主体的倾斜值，应按下式计算。

$$\Delta D = \frac{\Delta S}{L}H \qquad (E.0.2)$$

式中：ΔD——倾斜值(m)；

ΔS——基础两端点的沉降差(m)；

L——基础两端点的水平距离(m)；

H——建(构)筑物的高度(m)。

附录 F　基础相对倾斜值和基础挠度计算公式

F. 0. 1　基础的相对倾斜值 ΔS_{AB}（图 F. 0. 1)应按下式计算：

$$\Delta S_{AB} = \frac{S_A - S_B}{L} \qquad (F.0.1)$$

式中：ΔS_{AB}——相对倾斜值；

S_A、S_B——倾斜段两端观测点 A、B 的沉降量(m)；

L——A、B 间的水平距离(m)。

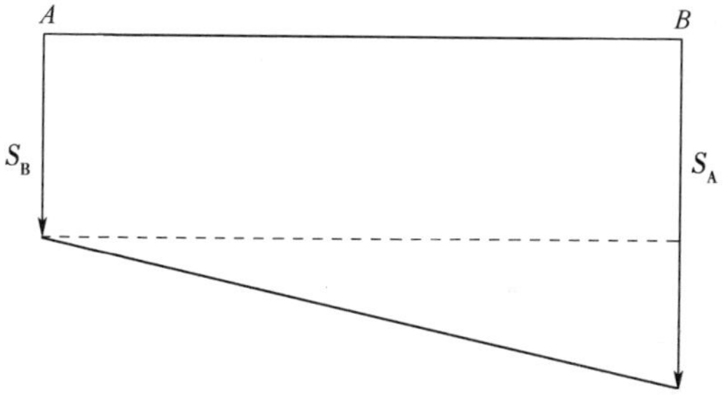

图 F. 0. 1　基础的相对倾斜

F. 0. 2　基础的挠度 f_C（图 F. 0. 2)应按下式计算。

$$f_C = \Delta S_{BC} - \frac{L_1}{L_1 + L_2}\Delta S_{AB} \qquad (F.0.2)$$

式中：f_C——挠度(m)；

ΔS_{BC}——B、C 两点的沉降差(m)；

ΔS_{AB}——A、B 两点的沉降差(m)；

L_1——B、C 两点间的水平距离(m)；

L_2——A、C 两点间的水平距离(m)。

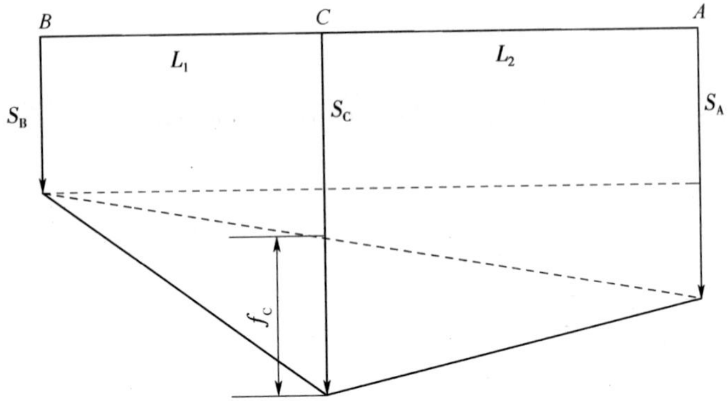

图 F.0.2　基础的挠度

本标准用词说明

1 为便于在执行本标准条文时区别对待，对要求严格程度不同的用词说明如下：

1)表示很严格，非这样做不可的：

正面词采用“必须”，反面词采用“严禁”；

2)表示严格，在正常情况下均应这样做的：

正面词采用“应”，反面词采用“不应”或“不得”；

3)表示允许稍有选择，在条件许可时首先应这样做的：

正面词采用“宜”，反面词采用“不宜”；

4)表示有选择，在一定条件下可以这样做的，采用“可”。

2 条文中指明应按其他有关标准执行的写法为：“应符合……的规定”或“应按……执行”。

引用标准名录

《总图制图标准》GB/T 50103

《工程摄影测量规范》GB 50167

《330kV～750kV 架空输电线路勘测标准》GB/T 50548

《基础地理信息要素分类与代码》GB/T 13923

《地理空间数据交换格式》GB/T 17798

《国家基本比例尺地图图式　第1部分:1∶500　1∶1000　1∶2000 地形图图式》GB/T 20257.1

《国家基本比例尺地图图式　第2部分:1∶5000　1∶10000 地形图图式》GB/T 20257.2

《基础地理信息数字成果数据组织及文件命名规则》CH/T 9012

《车载移动测量数据规范》CH/T 6003

《机载激光雷达数据获取技术规范》CH/T 8024

《高速铁路工程测量规范》TB 10601

《低空数字航空摄影规范》CH/Z 3005

中华人民共和国国家标准

工程测量标准

GB 50026－2020

条 文 说 明

编 制 说 明

《工程测量标准》GB 50026-2020，经住房和城乡建设部 2020 年 11 月 10 日以第 249 号公告批准发布。

本标准是在《工程测量规范》GB 50026-2007 的基础上修订而成，上一版的主编单位是中国有色金属工业西安勘察设计研究院，参编单位是深圳市勘察测绘院有限公司、西安长庆科技工程有限责任公司、北京国电华北电力工程有限公司、中国化学工程南京岩土工程公司、机械工业勘察设计研究院、中交第二航务工程勘察设计院、西北综合勘察设计研究院、湖南省电力勘测设计院，主要起草人员是王百发、牛卓立、郭渭明、丁吉峰、王双龙、王博、刘广盈、何军、杨雷生、张潇、周美玉、郝埃俊、徐柏松、翁向阳、褚世仙。

本标准修订过程中，编制组进行了广泛的调查研究，总结了我国工程测量领域有关科研和技术发展的成果，同时参考了国外先进技术法规、技术标准。

为便于广大测绘、勘察、设计、建设、管理、科研、学校等单位有关人员在使用本标准时能正确理解和执行条文规定，《工程测量标准》编制组按章、节、条顺序编制了本标准的条文说明，对条文规定的目的、依据以及执行中需要注意的有关事项进行了说明，还着重对强制性条文的强制性理由做了解释。但是，本条文说明不具备与标准正文同等的法律效力，仅供使用者作为理解和把握标准规定的参考。

目　　次

1 总 则

1.0.1 本标准是根据住房和城乡建设部《关于印发〈2016 年工程建设标准规范制订、修订计划〉的通知》(建标〔2015〕274 号)的要求,在《工程测量规范》GB 50026-2007(以下简称《07 规范》)的基础上修订而成的,并将名称变更为《工程测量标准》。

《07 规范》执行以来,对保证工程测量作业质量,促进测绘事业的发展,起到了应有的作用。十多年来,测绘科技与测绘技术装备发生了较大的变化,因此,在维持《07 规范》总体框架基本不变的情况下,对其进行了一次全面修订。作为全国测绘行业的一部大型基础性的国家标准,修订主要体现原则性的和全国通用性的技术要求,因地制宜的具体细节和技术指标,留给相关的行业标准和地方标准规定。

1.0.2 工程建设通常包括勘察、设计、施工、生产运营和维护管理等阶段,每个阶段都需要进行相应的测绘工作。

1.0.3 关于工程测量的精度衡量标准。

(1)根据偶然中误差出现的规律,以二倍中误差作为极限误差时,其误差出现的偶然率不大于 5%,这样规定是合理的。

(2)对精度要求较高的工程,当多余观测数较少时,可采用本标准附录 A 中数理统计方法计算测量精度,说明如下。

根据数理统计原理中子样中误差与母体方差的 x^2 分布关系,有:

$$\sigma = m\sqrt{\frac{n}{x^2}} \tag{1}$$

令

$$K_M = \sqrt{\frac{n}{x^2}} \tag{2}$$

则有 $$\sigma = K_M m \tag{3}$$

式中：σ——母体中误差估值（评定对象的中误差）；

K_M——子样中误差的修正系数；

m——子样中误差（由观测数据计算的中误差）；

n——多余观测个数。

令标准规定的中误差为 σ_0，则母体中误差估值小于或等于标准规定的中误差的概率为：

$$P(\sigma \leqslant k\sigma_0) = P = 1 - \alpha \tag{4}$$

或 $$P(\sigma > k\sigma_0) = 1 - P = \alpha \tag{5}$$

式中：α——显著水平；

$1-\alpha$——置信水平或置信概率。

α 在数理统计理论中一般的取值为 0.1、0.05 和 0.001。但 α 的这种取值跟工程测量的实际观测特点不尽一致。工程测量是用少量的观测个数算得的中误差（子样中误差）与标准规定的中误差（母体中误差 σ_0）进行比较，判别其是否达到要求。

在正态分布的概率统计中，小于 1 倍中误差（即 $k = 1$）的概率为 0.68268，则 $\alpha = 1 - 0.68268 = 0.31732$。

在 x^2 检验中，对测量中误差置信概率的取值，应与正态分布的检验相同，即其右尾的 α 也应为 0.31732。

按式（2）计算的 K_M 结果见表 1。

表 1　置信概率为 0.68268 的 K_M 值及归算值

自由度（或多余观测个数）n	K_M 值	K_M 归算值
1	2.4461	2.2244
2	1.6186	1.4718
3	1.4151	1.2868
4	1.3218	1.2020
5	1.2675	1.1526
6	1.2316	1.1200

续表 1

自由度(或多余观测个数)n	K_M 值	K_M 归算值
7	1.2059	1.0966
8	1.1865	1.0789
9	1.1712	1.0650
10	1.1588	1.0538
11	1.1486	1.0444
12	1.1399	1.0366
13	1.1324	1.0298
14	1.1260	1.0239
15	1.1203	1.0188
16	1.1153	1.0142
17	1.1107	1.0101
18	1.1067	1.0064
19	1.1030	1.0030
20	1.0997	1
40	1.0649	—
100	1.0382	—
500	1.0159	—
∞	1	—

从表 1 可以看出，只有当 n 为无穷大时，K_M 为 1。也就是说，由观测数据统计的子样中误差等于估算的母体中误差，除此之外，所有由观测数据统计的子样中误差均需要修正。

但从测量的角度，多余观测数不可能是无穷多，通常认为多余观测数为 20 以上时，子样中误差等于估算的母体中误差(其差异小于 10%)，即 $n = 20$ 时，令 $K_M = 1$，按比例将多余观测数小于 20 的 K_M 值进行归算，见表 1 第 3 列的 K_M 归算值，取其小数两位作为附录 A 表 A.0.4 的修正系数。

现以由 8 个三角形构成的某四等三角形网为例，说明附录 A 表 A.0.4 的应用。

如果按 8 个三角形闭合差算得的测角中误差 m_β 为 2.3″(其测角的多余观测数为 8＜20)，则其母体中误差的估算值为：$\sigma = K_M m = 1.08 \times 2.3'' = 2.48'' < 2.5''$，即满足四等三角形网对测角中误差的要求。如果 m_β 为 2.4″，则 $\sigma = 2.59'' > 2.5''$ 不能满足四等三角形网对测角中误差的要求。

1.0.4 区域类型划分是根据工程测量部门多年来的实践经验确定的，主要是便于生产应用。

1.0.5 测量仪器是工程测量的主要工具，其良好的运行状态对工程测量作业起到至关重要的作用，所以本标准要求对测量仪器和相关设备要加强管理、定期检定；新购置的数据处理软件在测试或验证合格后方可使用。

1.0.6 对工程中所引用的测量成果资料进行严格的检核，是工程测量作业的一项必要环节和重要工作内容。

2 术语、符号和缩略语

2.1 术　　语

2.1.1 卫星定位测量的概念，主要是面向多元化的全球空间卫星定位系统而提出的，如美国的 GPS、俄罗斯的 GLONASS、中国的北斗 BeiDou Navigation Satellite System(BDS)和欧洲的 GALILEO 等卫星导航定位系统，不仅局限于美国的 GPS。

卫星定位测量泛指利用卫星定位接收机同时接收多个系统的多颗定位卫星信号，确定地面点位置的技术和方法，不仅包括相对定位，也包括单点定位或精密单点定位，同时包括实时与事后的动态定位，甚至还包括伪距定位。定位方式的划分只是观测原理或观测模式的不同而已，并不影响这一总体概念的使用。

关于 GNSS 测量的概念，在 20 世纪 50 年代末，美国海军着手建立 Navy Navigation Satellite System，简称 NNSS，即海军卫星导航系统，是利用多普勒卫星定位技术进行测速和定位的卫星导航系统。由于该系统中卫星的轨道都通过地极，也称为子午卫星系统，该系统可以认为是 GPS 系统的前身。而俄罗斯格洛纳斯卫星导航系统的英文名称为Global Navigation Satellite System，简称为 GLONASS，取词方式为英文名称下划线的字母，英文名称却是全球卫星导航系统。国际民航组织(ICAO)为打破美俄对全球卫星导航系统独霸，于 20 世纪 90 年代初提出了纯民间的建立“GNSS 系统”计划方案。国内很多学者或教科书也喜欢用Global Navigation Satellite System 首个字母的缩写 GNSS 泛指全球所有的卫星导航系统。为了避免概念的混淆与误解，《07 规范》编写组在 2003 年就提出了卫星定位测量的概念并编入《07 规范》中，该概念也在后续的多部国家与行业测绘标准中被引用。

2.1.3 卫星定位实时动态控制测量技术主要应用于低等级的控制测量，为本次修订新增内容。

2.1.4、2.1.5 三角形网和三角形网测量的统一概念，是对经典的三角网、三边网、边角网的概念综合，也是因为纯粹的三角网、三边网已极少应用，所以不再严加区分。

三角形网测量的含义相对旧有的边角网测量的概念有所拓展，即要将所有观测的角度、边长观测值作为观测量看待。

2.1.6 采用了专业人员对常规测角仪器的习惯称谓，分别命名为0.5″级仪器、1″级仪器、2″级仪器和6″级仪器。

对于其他精度的仪器，如3″、5″等类型，使用时，按“就低不就高”的原则归类。

2.1.7 采用了专业人员对常规测距仪器的习惯称谓，按测距仪器的标称精度直接表示，并分为1mm级、5mm级和10mm级仪器三个类别。对精度要求较高的测量项目，有时会采用1mm、2mm的测距仪器，其含义是相同的。

这里测距仪的概念拓展为测距仪器，涵盖电磁波测距仪和全站仪。

2.1.8 自由设站法的实质是全站仪的边角后方交会法，其原理是利用周围少量任意分布的已知控制点确定待定点的位置。作业时在待定点上安置全站仪，观测出待定点至已知点之间的距离和角度(或方向)，根据两类观测值按最小二乘法原理计算待定点的坐标。

2.1.9 我国多个城市已进行了区域似大地水准面精化，卫星定位高程测量技术得到了普遍应用。在缺少区域似大地水准面精化成果的小测区，对高程精度要求不高时通常采用卫星定位拟合高程测量方法获取点位的正常高。

2.1.10 纸质地形图的概念是对传统平板测图、手工描图所获得的地形图产品的概括，其初始载体为白纸或聚酯薄膜，该概念不包括打印到纸质上的数字地形图。

2.1.11 变形监测是对变形测量概念的拓展，增加了应力计、应变计、位移计等物理监测方法，主要是为了扩大工程测量作业者的服务领域，也是全面进行变形分析和变形监测预报的需要。

2.1.12 三维激光扫描属于非接触式主动测量技术，为本次修订新增内容。

2.1.13 点云为海量测量点的集合。点云所承载的信息因测量方法不同而有差异，通过激光扫描方法获取的点云信息主要包含三维坐标和激光反射强度，通过摄影测量方法获取的点云信息主要包含三维坐标和颜色信息。

2.2 符　　号

本节中的符号 A、B 适用于公式 $\sqrt{A^2 + B^2 \cdot D^2}$，符号 a、b 适用于公式 $\sigma = a + b \cdot D$，二者是两种不同的精度表达式。

3 平面控制测量

3.1 一般规定

3.1.1 本标准首次明确了等级控制网自高向低的划分方法，即等次要高于级次，末等之后才是级次。规定的目的是为了避免工程建设领域中一些行业标准和技术文件制订与编写时对等级的应用混乱。

3.1.2 卫星定位测量技术以精度高、速度快、全天候、操作简便而著称，已被广泛应用于测绘领域，故本标准将卫星定位测量技术列为平面控制网建立的首选方法。

目前，世界上四大全球导航定位卫星系统已经基本建成，分别是美国的GPS、俄罗斯的GLONASS、中国的北斗BDS和欧洲的GALILEO系统。全球导航定位卫星系统领域已呈现出多元化或多极化的格局，《07规范》编写组于2003年开始修订时便提出了卫星定位测量概念，就是提前为这一格局应运而生的。卫星定位测量所面向的正是多系统、多星座卫星导航定位系统。

根据工程测量部门现时的情况和发展趋势，首级网大多采用卫星定位测量控制网，加密网较多采用导线或导线网形式。三角形网用于建立大面积控制或控制网加密已较少使用。所以本章依《07规范》架构按卫星定位测量、导线测量和三角形网测量的顺序编写，但增加了卫星定位实时动态控制测量内容。

3.1.3 明确了不同的作业方法所适用的建立平面控制网的等级范围。《07规范》在修订时，已将卫星定位测量控制网精度等级纳入工程测量的同一精度体系，精度等级的划分与传统的三角形网（三角网、三边网、边角网）精度等级划分方法相同，依次为二、三、四等和一、二级。三角形网主要适用于特殊精度要求或受场地条件限制无法进行卫星定位测量的情形（如大坝、大型地下工程的测量控制网）。导线及导线网测量精度等级的划分不变，依然为三、四等和一、二、三级。本次修订增加了卫星定位动态控制测量，其适用范围限定在级次，即一、二级平面控制网的建立。

要说明的是，从本章内容和章节的编排上，依旧采用按作业方法进行分类的方式。主要是这种分类方式更具有良好的可操作性，另外，从作业方法的编排上则体现了选择各种测量手段的主次之分，这是根据工程应用情况确定的，也体现了测量作业方法的发展与应用趋势。

3.1.4 随着科学技术的发展，测量仪器和计算手段都有了相应的提高，因此工程控制网不再强调逐级布网。只要在满足精度要求的前提下，各等级均能作为测区的首级控制网。当测区已有高等级控制网时，也允许越级布网。

3.1.5 满足测区内投影所引起的长度变形不大于 25mm/km，是建立或选择平面坐标系统的前提条件。因为每千米长度变形为 25mm 时，即其相对中误差为 1/40000。这样的长度变形可满足大部分建设工程施工放样测量精度不低于 1/20000 的要求。经过近 40 年的应用，该指标已成为建立区域控制网的基本原则。在此基础上，对坐标系统的选择，要求首先考虑采用 2000 国家大地坐标系统一的高斯投影 3°带平面直角坐标系统，与国家所要求的坐标系统一致；其次，采用高斯投影 3°带，投影面为测区抵偿高程面或测区平均高程面的平面直角坐标系统；再次，采用任意带，投影面为 1985 国家高程基准面的平面直角坐标系统；特殊要求的工程也允许采用建筑坐标系或独立坐标系统。本次修订明确了对 2000 国家大地坐标系的优先使用要求，补充了大型的有特别要求的工程项目或新建城市平面控制网的坐标系统可进行专项设计的要求，此类项目如港珠澳大桥、雄安新区。本标准中有关大型的有特别要求的工程项目均按此划分，小型项目通常指规模小的工业与民用建设项目，介于两者之间则为中型。

2000 国家大地坐标系是地心坐标系，原点为包括海洋和大气在内的整个地球的质量中心，Z 轴指向 BIH1984.0 定义的协议极地方向（BIH 国际时间局），X 轴指向 BIH1984.0 定义的零子午面与协议赤道的交点，Y 轴按右手坐标系确定。

（1）国家 2000 大地坐标系的定义与所采用的地球椭球参数如下：

长半轴 a＝6378137m

扁率 α ＝1/298.257222101

地心引力常数 GM＝$3.986004418\times10^{14}\mathrm{m^3\cdot s^{-2}}$

自转角速度 ω＝$7.292115\times10^{-5}\mathrm{rad\cdot s^{-1}}$

短半轴 b＝6356752.31414m

第一偏心率 e＝0.0818191910428

（2）其他常用的大地坐标系地球椭球基本参数如下：

1980 年西安坐标系的地球椭球基本几何参数：

长半轴 a＝6378140m

短半轴 b＝6356755.2882m

扁率 α ＝1/298.257

第一偏心率平方 e^2＝0.00669438499959

第二偏心率平方 $e^{2\prime}$＝0.00673950181947

1954 年北京坐标系的地球椭球基本几何参数：

长半轴 a＝6378245m

短半轴 b＝6356863.0188m

扁率 α ＝1/298.3

第一偏心率平方 e^2＝0.006693421622966

第二偏心率平方 $e^{2\prime}$＝0.006738525414683

WGS-84 大地坐标系的地球椭球基本几何参数：

长半轴 a＝6378137m

短半轴 b=6356752.3142m

扁率 α =1/298.257223563

第一偏心率平方 e^2=0.00669437999013

第二偏心率平方 $e^{2\prime}$=0.006739496742227

3.2 卫星定位测量

Ⅰ 卫星定位测量控制网的主要技术要求

3.2.1 卫星定位测量控制网主要技术要求的确定，是从工程测量对相应等级的大型工程控制网的基本技术要求出发，并以三角形网的基本指标为依据制定的，也是为了使卫星定位测量的应用具有良好的可操作性而提出的。表 3.2.1 中基线平均长度确定了控制网的规格，A、B 的构成确定了相应等级基线的精度，相应指标的推算见表 2。

表 2 卫星定位测量控制网的规格与构成

等级	基线平均长度（km）	固定误差 A(mm)	比例误差系数 B (mm/km)	边长中误差（mm）	相对精度分母	相对精度分母取值
二等	9	10	2	20.59126028	437078.6381	250000
三等	4.5	10	5	24.62214450	182762.3097	150000
四等	2	10	10	22.36067977	89442.7191	100000
一级	1	10	20	22.36067977	44721.3596	40000
二级	0.5	10	40	22.36067977	22360.6798	20000

3.2.2 相邻点的基线长度中误差公式中的固定误差 A 和比例误差系数 B，与接收机厂家给出的精度公式($a+b\times10^{-6}\times D$)中的 a、b 含义相似。厂家给出的公式与本条公式(3.2.2)是两种类型的精度计算公式，应用上各有特点。基线长度中误差公式主要应

用于控制网的设计和外业观测数据的检核，按本标准表 3.2.1 取值。

3.2.3 对卫星定位测量控制网外业观测精度的评定，要求按异步环的实际闭合差进行统计计算。这里采用全中误差的计算方法，来衡量控制网的实际观测精度，网的全中误差不得超过基线长度中误差的理论值。

Ⅱ 卫星定位测量控制网的设计、选点与埋石

3.2.4 卫星定位测量控制网布设技术要求的说明。

1 卫星定位测量控制网的设计是一个综合设计的过程，首先要明确工程项目对控制网的基本精度要求，然后才能确定控制网或首级控制网的基本精度等级。最终精度等级的确立还需考虑测区现有测绘资料的精度情况、计划投入的接收机的类型、标称精度和数量、定位卫星的健康状况和所能接收的卫星数量，同时还要兼顾测区的道路交通状况和避开强烈的卫星信号干扰源等。

2 由于卫星定位测量所获得的是空间基线向量或三维坐标向量，属于相应的空间坐标系（如 GPS WGS-84 坐标系），故要求将其转换至国家坐标系或地方独立坐标系方能使用。为了实现这种转换，便要求联测若干个旧有控制点以求得坐标转换参数，故规定联测 2 个以上高等级国家平面控制点、国家连续运行基准站点或地方坐标系的高等级控制点。卫星定位测量控制网的观测数据与区域内国家连续运行基准站点进行联合解算，是获取 2000 国家大地坐标系坐标成果的重要途径。本次修订增加了联测国家连续运行基准站点的要求。

3 对控制网内的长边，宜构成大地四边形或中点多边形的规定，主要是为了保证控制网进行约束平差后坐标精度的均匀性，也是为了减少尺度比误差的影响。

4 《07 规范》编写组对 $m \cdot n$ 环组成的连续网形进行了研究（2003 年），结果见表 3。

表 3　控制网最简闭合环的边数分析

最简闭合环的基线数	网的平均可靠性指标	平均可靠性指标满足 1/3 时的条件	图　　形	备　　注
3	$\dfrac{2}{3+\dfrac{1}{n}+\dfrac{1}{m}}$	不限	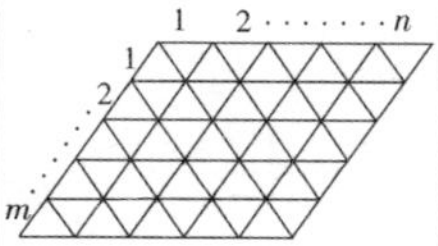	三边形 点数：$nm+n+m+1$ 总观测独立基线数：$3nm+n+m$ 环数：$2nm$ 必要基线数：$nm+n+m$ 多余观测数：$2nm$
4	$\dfrac{1}{2+\dfrac{1}{n}+\dfrac{1}{m}}$	$n=m\geqslant 2$	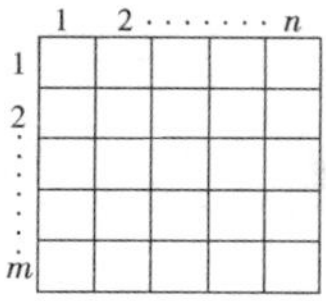	四边形 点数：$nm+n+m+1$ 总观测独立基线数：$2nm+n+m$ 环数：nm 必要基线数：$nm+n+m$ 多余观测数：nm
5	$\dfrac{3}{7+\dfrac{3}{n}+\dfrac{3}{m}}$	$n=m\geqslant 3$	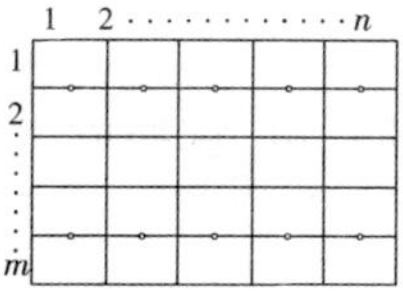	五边形 点数：$(nm+n+m+1)4/3$ 总观测独立基线数：$(nm+n+m)2/3$ 环数：nm 必要基线数：$(nm+n+m)4/3$ 多余观测数：nm

续表 3

最简闭合环的基线数	网的平均可靠性指标	平均可靠性指标满足 1/3 时的条件	图形	备注
6	$\frac{1}{3+\frac{2}{m}+\frac{1}{n}}$	$n=m=\infty$	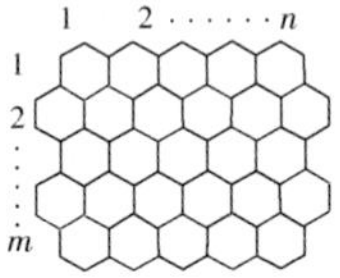	六边形 点数：$2nm+2n+m+1$ 总观测独立基线数：$3nm+2n+m$ 环数：nm 必要基线数：$2nm+2n+m$ 多余观测数：nm
8	$\frac{1}{4+\frac{2}{n}+\frac{2}{m}}$	无法满足	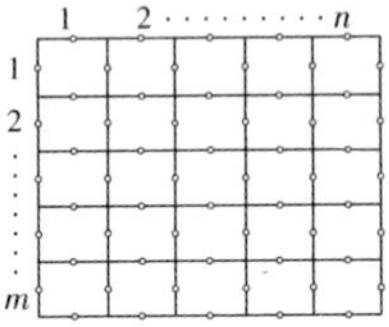	八边形 n 表示列数；m 表示行数 点数：$3nm+2n+2m+1$ 总观测独立基线数：$4nm+2n+2m$ 环数：nm 必要基线数：$3nm+2n+2m$ 多余观测数：nm
10	$\frac{1}{5+\frac{2}{n}+\frac{3}{m}}$	无法满足	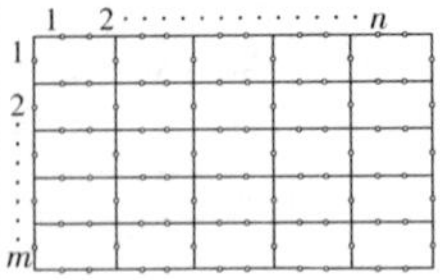	十边形 点数：$4nm+3n+2m+1$ 总观测独立基线数：$5nm+3n+2m$ 环数：nm 必要基线数：$4nm+3n+2m$ 多余观测数：nm

从表 3 中可以看出,3 条边的网型、4 条边 $n=m\geqslant 2$ 的网型、5 条边 $n=m\geqslant 3$ 的网型、6 条边无限大的网型都能达到要求。8 条边、10 条边的网型规模不管多大均无法满足网的平均可靠性指标为 1/3 的要求。故规定卫星定位测量控制网中构成闭合环或附合路线的边数以 6 条为限值。简言之,如果异步环中独立基线数太多,将导致这一局部的相关观测基线可靠性降低。

5 由于卫星定位测量过程中,要受到各种外界因素的影响,有可能产生粗差和各种随机误差。因此,要求由非同步独立观测边构成闭合环或附合路线,就是为了对观测成果进行质量检查,以保证成果可靠并恰当评定精度。

在一些标准和专业教科书中,各有观测时段数、施测时段数、重复设站数、平均重复设站数、重复测量的最少基线数、重复测量的基线占独立确定的基线总数的百分数等不同概念和技术指标的规定,且在观测基线数的计算中均涉及网点数、接收机台数、平均重复设站数、平均可靠性指标等四项因素,工程应用上也显得比较繁琐、条理不清。

《07 规范》编写组组研究认为:控制网的工作量与接收机台数不相关(2003 年)。

若采用符号:N_P ——网点数;K_i ——接收机台数;N_r ——平均重复设站数。

全网总的站点数为 $N_P\times N_r$;全网的观测时段数为 $\frac{N_P N_r}{K_i}$;K_i 台接收机观测一个时段的独立观测基线数为 K_i-1 条。

则全网的独立观测基线数为:

$$S=\frac{N_P N_r}{K_i}(K_i-1) \tag{6}$$

由于网的必要观测基线数为:N_P-1(此处仅以自由网的情形讨论)。

则多余独立观测基线数为:

$$N_{多} = S - (N_P - 1) \tag{7}$$

网的平均可靠性指标为：$\tau = \frac{N_{多}}{S} = \frac{S - (N_P - 1)}{S}$

即
$$\tau = 1 - \frac{(N_P - 1)}{S} \tag{8}$$

可将式(8)转换为：

$$S = \frac{N_P - 1}{1 - \tau} \tag{9}$$

工程控制网通常取1/3为网的可靠性指标，即有：

$$S = 1.5(N_P - 1) \tag{10}$$

故规定全网独立观测基线总数，不少于必要观测基线数的1.5倍。必要观测基线数为网点数减1。作业时，要求准确把握以保证控制网的可靠性。

6 由于实时动态RTK作业对基准站点位的选择有具体要求，所以在布设首级控制网时，要考虑基准站点位的分布和观测条件的满足。

3.2.5 关于控制点点位的选定。

1 卫星定位测量控制网的点位之间原则上不要求通视，但考虑到在使用其他测量仪器对控制网进行加密或扩展时的需要，故提出控制网布设时，每个点至少与1个以上的相邻点通视。

稳固是选点埋石的基本要求，点位埋设后不能发生移动、松动。方便观测、加密和扩展是对选点位置通视条件和位置的规定，尽量选择多方向通视，并有增设点位空间的区域。

2 卫星高度角的限制主要是为了减弱对流层对定位精度的影响，由于随着卫星高度的降低，对流层影响越显著，测量误差随之增大。因此，卫星高度角一般都规定大于15°。

定位卫星信号本身很微弱，为了保证接收机能够正常工作及观测成果的可靠性，需避开周围的电磁波干扰源。电磁波干扰无处不在，只有强烈的干扰信号会对卫星信号产生影响，抗干扰的能力与接收机的性能质量有关。如果接收机同时接收来自卫星的直接信号和很强的反射信号，这样会造成解算结果不可靠或出现错误，这种影响称为多路径效应。为了减少观测过程中的多路径效应，特提出控制点位要远离强烈反射卫星接收信号的物体。本次修订进一步明确了对信号干扰源或反射源的距离要求。

3 符合要求的原有控制点指满足卫星定位测量的外部环境条件、满足网形和点位要求的旧有控制点。

Ⅲ 卫星定位测量控制网观测

3.2.7 关于卫星定位测量控制网作业的基本技术要求。

(1)卫星定位测量由《07 规范》率先提出，之后为多部国家与行业测绘标准采用。卫星定位测量控制网的精度、规格及构成与传统工程控制网一致。卫星定位接收机观测模式的不同，只是各等级控制网的实现方式或路径不同而已，并没有必要刻意划分为“静态网”或者“动态网”。因此，做出本条规定。

(2)卫星定位根据定位原理的不同分为绝对定位和相对定位，本标准所指的定位方式为相对定位。依据测距的原理，卫星定位划分为伪距法定位和载波相位差分定位。本章的卫星定位特指载波相位差分定位，测地型接收机则主要采用载波相位观测值进行相对定位。

(3)随着全球卫星导航系统的不断发展完善和不同系统之间的相互合作，卫星定位采用多系统、多星座、多频点进行快速、高效、高可靠性定位成为可能。目前的接收机已经发展成为复合型的卫星导航系统终端且具有良好的兼容性和互通性。任何用户都可以用一个多系统的接收机采集各个系统的数据或者各系统数据的组合来实现导航定位。四大全球卫星导航系统中，我国的北斗系统 BDS 发射 3 个频率的载波信号，分别是 B1、B2 和 B3；美国的 GPS 系统播发 3 个频率的载波，分别是 L1、L2 和 L5；俄罗斯的 GLONASS 系统发射 2 个载波，分别是 G1 和 G2；欧洲的 GALILEO 系统发射 3 个频率载波，分别是 E1、E5 和 E6。卫星的信号数据主要包括码伪距、载波相位值、多普勒频移、载噪比、导航电文等。全球卫星导航系统发展应用初期，把只能接收1个载波信号的接收机称为单频接收机，能同时接收2个载波的接收机称为双频接收机，能同时接收3个及以上频率载波信号的接收机称为多频接收机。双频或多频技术可以形成更多观测噪声小、电离层残差小的组合观测量，以此可以建立较为严密的电离层修正模型，通过改正计算，能够消除或减弱电离层折射对观测量的影响，从而获得很高的精度。而旧有的单频接收机，虽然可以利用导航电文提供的参数，对观测量进行电离层影响修正，但由于修正模型尚不完善，故精度较差。本次修订增加了多频或多系统接收机，对相应等级的仪器精度也做了适当调整，仪器精度提高后更容易满足相应等级控制网的观测要求。

(4)全球四大卫星导航系统均采用地心坐标系，坐标系的定义与命名方法相同，而实现与维护方法有异。标准名称及缩写分别为：2000中国大地坐标系统 China geodetic coordinate system 2000(CGCS2000)，美国 WGS-84 大地坐标系 World Geodetic System-84，俄罗斯 PZ-90 大地坐标系 PZ-90 Geodetic System，欧洲 Galileo 大地参考坐标系 Galileo Terrestrial Reference Frame (GTRF)。

(5)定位卫星有两种星历，即卫星广播星历和精密星历。通常我们直接接收到的星历便是卫星广播星历，它是导航电文中用于确定导航卫星精确位置的预报参数，是一种外推星历或者说预估星历。虽然在定位卫星广播星历中给出了卫星钟差的预报值，但误差较大。可见卫星广播星历的精度相对不高，但通常能满足工程测量的需要。对于有特殊精度要求的工程控制网，例如高精度变形监测网，需采用精密星历处理观测数据，才能获得更高的基线测量精度。精密星历就是指经事后处理得到的导航卫星高精度轨道数据。

(6)以往工程控制网的静态观测，有静态和快速静态两种作业模式。鉴于快速静态定位对直接观测基线不构成闭合图形，可靠性较差，加之工程应用相对较少，所以，本次修订删去了快速静态的技术要求，改用动态测量模式代替允许在一、二级控制测量中采用。

(7)观测时段的长度和数据采样间隔的限制，是为了获得足够的数据量，足够的数据量有利于整周未知数的解算、周跳的探测与修复和观测精度的提高。由于接收机的性能和功能在不断提高和完善，对接收时段长度的要求也不尽相同，故本标准不做严格规定。

(8)卫星定位的精度因子通常包括平面位置精度因子 HDOP，高程位置精度因子 VDOP，空间位置精度因子 PDOP，接收机钟差精度因子 TDOP，几何精度因子 GDOP 等。

用户接收机普遍采用空间位置精度因子(又称图形强度因子) PDOP 值，来直观地计算并显示所观测卫星的几何分布状况。其值的大小与观测卫星的高度角以及观测卫星在空间的几何分布变化有关。所测卫星高度角越小，分布范围越大，PDOP 值越小。实际观测中，为了减弱大气折射的影响，卫星高度角不能过低。

中国卫星导航系统管理办公室于 2013 年 12 月发布《北斗卫星导航系统公开服务性能规范(1.0 版)》中规定了 PDOP 可用性指标的要求，见表 4。

表 4　北斗系统服务区内公开服务 PDOP 可用性指标

服务可用性	参考指标	约束条件
PDOP	≥0.98	PDOP≤6；服务区任意点，任意 24h

这里的北斗系统公开服务的 PDOP 可用性是指规定时间内、规定条件下、规定服务区内 PDOP 值满足 PDOP 限值要求的时间百分比。

为了保证观测精度，在卫星高度角大于 15°的情况下，规定四等及以上等级限定为 PDOP≤6，一、二级限定为 PDOP≤8 是可行的。

作业过程中，如受外界条件影响，持续出现观测卫星的几何分布图形很差，即 PDOP 值不能满足标准的要求时，则要求暂时中断观测并做好记录；待条件满足要求时，再继续观测；如果经过短时等待，依然无法满足要求时，则需要考虑重新布点。

(9)由于工程控制网边长相对较短(二等网的平均边长也不超过 10km)，卫星信号在传播中所经过的大气状况较为相似，即同步观测中，经电离层折射改正后的基线向量长度的残差小于 1×10^{-6} 。若采用双频或多频接收机，其残差会更小。加之在测站上测定的气象数据有一定局限性，因此，作业时不要求观测相关气象数据。

3.2.8 卫星定位测量作业计划的编制仅限于规模较大的测区，其目的是为了进行统一的组织协调并做到对整个测区状况和天上的卫星运行情况心中有数。编制预报表时所需测区中心的概略经纬度，能够从小比例尺地图上量取并精确至分。小测区则无需进行此项工作。大型工程项目的界定同本标准第 3.1.4 条。

3.2.9 关于卫星定位测量的测站作业。

1 接收机预热和静置的目的，是为了让接收机自动搜索并锁定卫星，并对机内的卫星广播星历进行更替，同时也是为了使机内的电子元件运转稳定。随着接收机制造技术的进一步完善，本条对预热和静置的时间不做统一规定，由作业者根据接收机的品牌及性能具体掌握。

2 关于天线安置对中偏差和天线高量取的规定，主要是为了减少人为误差对测量精度的影响，通常情况下都需满足这一要求。本条只提供了量取天线高的限差要求，由于接收机天线类型的多样化，天线高量取部位不尽相同，因此，作业前需熟悉所使用接收机的操作手册，并严格按手册要求量取。

5 本次修订进一步明确了作业过程中不得进行接收机关闭又重新启动、改变卫星截止高度角、改变数据采样间隔和改变天线位置等操作，目的是为了确保同步观测的数据量与数据质量，也是为了保证观测计划的有效实施。

6 由于接收机数据采集的高度自动化，其记录载体不同于常规测量，人们容易忽视数据采集过程的其他操作。如果不严格执行各项操作或人工记录有误，如点名、点号混淆将给数据处理造成麻烦，天线高量错也将影响成果质量，以致造成超限返工。因此，需认真做好测站记录。

Ⅳ 卫星定位控制测量数据处理

3.2.10 随着不同定位系统间的合作融合与发展，不同品牌的接收机终端数据也将彼此兼容和互通，对卫星定位数据处理也将提出更多的要求。数据处理准备是对数据进行平滑滤波检验，剔除粗差，探测周跳，修复观测值。统一数据文件格式并将各类数据文件加工成标准化的文件格式，如星历文件、载波相位和伪距观测文件、测站信息文件等。本条为新增内容。

3.2.11 关于基线的解算。

（1）基线解算时，起算点在地心坐标系中的坐标精度，将会影响基线解算结果的精度。单点定位是直接获取已知点在地心坐标系中已知坐标的方法。理论计算和试验表明：用30min单点定位结果的平均值作为起算数据，可以满足 1×10^{-6} 相对定位的精度要求。

（2）多基线解算模式和单基线解算模式的主要区别是，前者顾及了同步观测图形中独立基线之间的误差相关性，后者没有顾及。大多数商业化软件基线解算只提供单基线解算模式，在精度上也能满足工程控制网的要求。因此，规定两种解算模式都能采用。

（3）由于基线长度的不同，观测时间长短和获得的数据量将不同，所以，解算整周期模糊度的能力不同。能获得全部模糊度参数整数解的结果，称为双差固定解；只能获得双差模糊度参数实数解的结果，称为双差浮点解；对于较长的基线，浮点解也不能得到好的结果，只能用三差分相位解，称为三差解。

基于对工程控制网质量和可靠性的要求，规定基线解算结果需采用双差固定解。

(4)基线解算的结果需包括基线向量的三维坐标增量、方差-协方差阵和基线长度等信息。

3.2.12 外业观测数据的检核，包括同步环、异步环和重复基线的检核，分别说明如下：

1 由同步观测基线组成的闭合环称为同步环。同步环闭合差理论上为零，但由于观测时同步环基线间不能做到完全同步，即观测的数据量不同，以及基线解算模型的不完善，即模型的解算精度或模型误差而引起同步环闭合差不为零。因此，需对同步环闭合差进行检验。

2 由独立基线组成的闭合环称为异步环。异步环闭合差的检验是卫星定位测量控制网质量检核的主要指标，计算公式是按误差传播规律确定的，并取 2 倍中误差作为异步环闭合差的限差。

3 重复基线的长度较差也是按误差传播规律确定的，并取 2 倍中误差作为重复基线的限差。

以上三项检核计算中 σ 的取值，按本标准公式(3.2.2)计算。

3.2.13 在异步环检核和重复基线比较检核中，允许舍去超限基线而不予重测或补测，但舍去超限基线后，异步环中所含独立基线边数不能多于 6 条，若多于 6 条就需重测。

3.2.15 关于无约束平差的说明。

1 无约束平差的目的，是为了提供卫星定位网平差后在相应地心坐标系中的三维坐标，同时也是为了检验卫星定位测量控制网本身的精度及基线向量之间有无明显的系统误差和粗差。

2 无约束平差是在相应的地心坐标系中进行。通常以一个控制点的三维坐标作为起算数据进行平差计算，实为单点位置约束平差或最小约束平差，与完全无约束的亏秩自由网平差是等价的，因此称为无约束平差。

3 基线向量改正数的绝对值限差的提出，是为了对基线观测量进行粗差检验，即基线向量各坐标分量改正数的绝对值，不得超过相应等级的基线长度中误差 σ 的 3 倍。超限时，认为该基线或邻近基线含有粗差，要求采用软件提供的自动方法或人工方法剔除含有粗差的基线，并符合本标准第3.2.13条的规定。

3.2.16 关于约束平差的说明。

(1)约束平差的目的，是为了获取卫星定位测量控制网在国家或地方坐标系的控制点坐标数据；这里的地方坐标系是指除标准国家坐标系统以外的其他坐标系统，即本标准第3.1.5条第2款～第6款所采用的坐标系统。

(2)约束平差是以国家或地方坐标系的某些控制点的坐标、边长和坐标方位角作为约束条件进行平差计算。必要时，还需考虑卫星定位测量控制网与地面网之间的转换参数。

(3)已知条件的约束有强制约束和加权约束两种方式。

强制约束是指所有已知条件均作为固定值参与平差计算，不需考虑起算数据的误差，要求起算数据有很好的精度且精度比较均匀。否则，将引起卫星定位网发生扭曲变形，显著降低网的精度。

加权约束是指考虑所有或部分已知约束数据的起始误差，按其不同的精度加权约束，并在平差时进行适当的修正。定权时，权的大小应与约束值精度相匹配。否则，也会引起卫星定位网的变形，或失去约束的意义。

平差时，在约束点间的边长相对中误差满足本标准表3.2.1相应等级要求的前提下，如果约束平差后最弱边的相对中误差也满足相应的要求，可以认为网平差结果是合格的。

(4)对已知条件的约束，有三维约束和二维约束两种模式。三维约束平差的约束条件是控制点的三维大地坐标或三维直角坐标、空间边长、大地方位角，二维约束平差的约束条件是控制点的平面坐标、水平距离和坐标方位角。

V 卫星定位动态控制测量

3.2.17 单基站RTK测量是工程测量普遍采用的作业方式，通常架设一个(或多个)基准站，采用电台或移动通信网络向流动站用户发播差分改正数的测量方式。在流动站和基准站无法正常通信时，允许采用后处理动态测量模式。网络 RTK 测量作业具有不受距离制约、定位精度均匀、可靠性高等优点。

3.2.18 基于卫星定位实时动态平面控制测量点位精度、相对精度和可靠性的考虑，将其控制测量精度定位于“级”次并划分为一、二级，其点位间距与相对精度取值沿用本标准的精度序列规格并参考导线的要求确定。考虑到边长越短相对精度越低的特点，故点位间距为最小间距和导线平均边长的含义不同。表注的对天通视困难主要是指卫星信号的遮挡比较严重的区域，两点间的边长缩短至 2/3 后，边长中误差不能低于 20mm 的要求是为了满足常规工程放样对控制点的要求。

3.2.19 RTK 测量的点位精度会受到外界电磁波干扰影响，导致整周模糊度解算可靠性降低。而 RTK 测设点间又相互独立，为了确保控制点的可靠性，要求进行固定角和固定边复核检查。

3.2.20 动态卫星定位测量设备的选用是依据常见生产厂家的仪器精度指标确定的。

3.2.21 导航定位卫星的空间几何分布状况，对地面定位测量精度影响很大。本条的卫星数是指流动站和基准站的共用卫星数量。

3.2.22 RTK 测量每个测设点相互独立，点与点之间没有直接关系，对于因意外产生的粗差无法发现。因此，为提高 RTK 测量的可靠性，保证仪器各种设置正确，测量过程中要求选择一定数量的已知坐标点进行测量校核，以检查用户站设备的可靠性以及坐标转换参数的准确性。本条规定作业前在测区内或周边校核不少于两个已知点，并记录和计算校核结果；控制点位置偏差依据四等以下控制网最弱边边长中误差（或最弱点点位中误差）不得超过 50mm 确定，高程的偏差按严于图根高程确定的不大于 70mm。通常一、二级工程控制网的高程控制要求进行四等水准测量，这里的高程偏差仅限于校核参考。

3.2.23 单基站 RTK 控制测量是工程测量单位进行低等级控制的常用作业模式。当测区已有转换参数时，经检核后再直接使用；无转换参数时，需选不少于 4 个已知点进行校正求取转换参数。

3.2.25 平面位置互差取相应等级控制测量的最弱点点位中误差。

3.2.26 后处理动态测量属于接收机设备早期的一种观测模式，早于实时定位 RTK。要求流动站在静止状态下观测进行初始化，是为了获取后续测量的起算数据，且在测量过程中不能失锁。一旦出现失锁，需重新进行初始化。5min 初始化时间，是根据多个品牌仪器要求和工程实践经验确立的。

3.2.27 CORS 系统是动态的、连续的空间数据参考框架，是一种快速、高精度获取空间信息的重要基础设施。安全、有序和合理使用是系统稳定运行的基础，因此，系统用户需要经过申请、登记、注册并获得系统的授权后方能登陆系统，得到系统提供的服务。

3.2.28 RTK 测量时，要求精确对中和量取天线高的目的是因为仪器对中偏差、天线高误差，都会对 RTK 测量的成果造成影响。

天线高类型分为斜高和垂高，根据仪器不同需量取的位置有天线相位中心、天线项圈、天线底部等。

3.2.29 RTK 控制测量测回间的时间中断间隔是为了完成重新初始化并正确解算整周模糊度的最短时间需要。

RTK 控制测量的最弱点点位中误差为 50mm，单测回的点位中误差为 $50\text{mm}/\sqrt{2}\approx 35\text{mm}$，单测回坐标分量中误差为 $35\text{mm}/\sqrt{2}\approx 25\text{mm}$。因此取测回间的坐标分量较差限值为 25mm，测回间的高程较差取高程中误差 70mm 的 $1/\sqrt{2}$ 约为 50mm。

3.2.31 RTK 测量作业对检核点数量和分布的要求，是为了保证测量成果的可靠性。

RTK 平面控制点采用全站仪进行固定边、固定角及导线法联测检核的技术要求中，测距中误差和测角中误差与相应等级导线测量的精度指标相同，其他相关指标低一级取值。

3.3 导线测量

Ⅰ 导线测量的主要技术要求

3.3.1 导线测量的主要技术要求说明如下：

(1)随着全站仪的普及应用，工程测量部门对中小规模的控制测量大部分采用导线测量的方法，导线测量的主要技术要求，是根据多数工程测量单位的实践经验、理论公式估算以及试验验证，基于以下条件确定的。

①三、四等导线的测角中误差，采用同等级三角形网测量的测角中误差值 m_{β}；

②导线点的分布比三角形网密一些，故三、四等导线的平均边长 S，采用同等级三角形网平均边长的70%左右；

③测距中误差，是按以往中等精度全站仪测距标称精度估算值制定的，近年来全站仪测距精度都相应提高，该指标是容易满足的；

④设计导线时，中间最弱点点位中误差采用50mm；起始误差 $m_{起}$ 和测量误差 $m_{测}$ 对导线中点的影响按“等影响”处理。

(2)关于导线长度规定的说明。

对于导线中点(最弱点)即有：

$$m_{起中} = m_{测中} = \frac{50}{\sqrt{2}} \tag{11}$$

最弱点点位中误差：

$$m^2_{最弱} = m^2_{起中} + m^2_{测中} \tag{12}$$

由于中点的测量误差包含纵向误差和横向误差两部分，即有：

$$m^2_{测中} = m^2_{纵中} + m^2_{横中} \tag{13}$$

附合于高级点间的等边直伸导线，平差后中点纵横向误差分别按式(14)、式(15)计算：

$$m_{纵中} = \frac{1}{2} m_{D} \sqrt{n} \tag{14}$$

$$m_{横中} = 0.35\, m_{\beta}[S]\sqrt{5+n} \tag{15}$$

式中：n——导线边数；

$[S]$——导线总长。

则所求的导线长度的理论公式为：

$$\frac{0.1225\, m_{\beta}^{2}}{S}[S]^{3} + 0.6125\, m_{\beta}^{2}[S]^{2} + \frac{0.25\, m_{\mathrm{D}}^{2}}{S}[S] - 1250 = 0 \tag{16}$$

分别将各等级的 m_{β}、S 及 m_{D} 值代入式(16)，解出 $[S]$，即得导线长度。

(3)关于相对闭合差限差的说明。

理论和计算证明：附合导线中点和终点的误差比值，横向误差为 1∶4，纵向误差、起始数据的误差均为 1∶2。

则导线终点的总误差 $M_{终}$ 的理论公式为：

$$M_{终} = \sqrt{4\, m_{纵}^{2} + 16\, m_{横}^{2} + 4\, m_{起}^{2}} \tag{17}$$

取 2 倍导线终点的总误差作为限值。

则导线全长相对闭合差为：

$$1/T = 2M_{终}/[S] \tag{18}$$

按上述(1)～(3)计算，并适当取舍整理，得出导线测量的主要技术要求如本标准表 3.3.1。

(4)由于本标准第 3.3.9 条规定：当三、四等导线测量的测站只有两个方向时，需观测左右角。故将三等导线 2″级仪器的观测测回数规定为 10 测回，以便左右角各观测 5 测回(三等三角形网测量的水平角观测测回数 2″级仪器为 9 测回)。

(5)一、二、三级导线平均边长和总长放长的条件，是测区不再施测 1∶500 比例尺的地形图。按 1∶1000 估算，其点位中误差放大一倍，故平均边长相应放长一倍。

3.3.2 关于导线长度小于规定长度 1/3 时，全长绝对闭合差不应大于 0.13m 的说明。

根据理论公式验证，直伸导线平差后，导线终点的总误差和导线中点的点位中误差的关系为：

$$M_{终} = K m_{中} \tag{19}$$

则导线全长的相对闭合差为：

$$1/T = 2M_{终}/[S] = 2K m_{中}/[S] \tag{20}$$

当附合导线长度小于本标准表 3.3.1 所规定长度 1/3 时，导线全长的最大相对闭合差不能满足标准的最低要求。此时，要求以导线终点的总误差 $M_{终}$ 来衡量。按起算误差和测量误差等影响、测角误差和测距误差等影响考虑，则 K 为 $\sqrt{7}$；因 $m_{中}$ 为 50mm，根据式(19)，则 $M_{终}$ 约等于 130mm。

3.3.3 从较常用的导线网形出发，当最弱点的中误差与单一附合导线最弱点中误差近似相等时，经过计算，各图形结点间、结点与高级点间长度约为附合导线长度的 50%～75%，本标准取用 70% 来限制结点间、结点与高级点间的导线长度。

Ⅱ 导线网的设计、选点与埋石

3.3.4 关于导线网的布设要求。

(1)首级网布设成环形网的要求，主要是基于首级控制能有效地控制整个测区并且点位分布均匀而提出的。

(2)直伸布网，主要指导线网中结点与已知点之间、结点与结点之间的导线段的理想状态为直伸形式；直伸布网时，测边误差不会影响横向误差，测角误差不会影响纵向误差。这样能使纵横向误差保持最小，导线的长度最短，测边和测角的工作量最少；这是构网的原则，作业时要求尽量直伸布网。

(3)导线相邻边长不宜相差过大(一般不超过 1∶3 的比例)，主要是为了减少因望远镜调焦所引起的视准轴误差对水平角观测的影响。

(4)不同环节的导线点相距较近时，相互之间的相对误差较大。

3.3.5 关于点位的选定要求。

(1)关于测线和视线，本标准不再做严格的区分，通常情况下均称为视线。

（2）相邻两点之间的视线倾角不宜过大的规定，是因为当视线倾角较大或两端高差相对较大时，高差的测量误差将对导线的水平距离产生较大的影响。

根据本标准公式（3.3.20），有测距边的中误差的计算公式：

$$m_{\mathrm{D}}^2=\left(\frac{S}{D}m_{\mathrm{S}}\right)^2+\left(\frac{h}{D}m_{\mathrm{h}}\right)^2 \tag{21}$$

式中：h——测距边两端的高差；

S——测距边的长度；

D——测距边平距的长度；

m_{D}——测距边的中误差；

m_{S}——测距中误差；

m_{h}——高差中误差。

由式（21）能看出：测距边两端高差越大，高差中误差 m_{h} 对测距边的中误差 m_{D} 影响也越大。因而，本标准规定测距边视线倾角不能太大。

Ⅲ　水平角观测

3.3.7　全站仪作业前的常规检验是以 0.5″级、1″级、2″级和 6″级仪器为基础，根据实际的检查需要和相关仪器的精度分别规定出不同的指标，其指标依据现行行业标准《全站型电子速测仪检定规程》JJG 100 进行了调整。

对补偿器（单轴补偿、双轴补偿或三轴补偿）的检验不做具体要求，但补偿器在仪器的补偿区间（通常在 3′左右）能够对观测成果进行有效补偿。

光学（或激光）对中器的视轴（或射线）与竖轴的重合度指标，是指仪器高度在 0.8m 至 1.5m 时的检验残差不大于 1mm。

3.3.8　水平角方向观测法的技术要求。

1　关于表 3.3.8 中部分观测指标的说明：

1）$2C$ 互差的限差。

仪器视准轴误差（C）和横轴误差（i），对同一方向盘左观测值减盘右观测值的影响公式为：

$$L-R=\frac{2C}{\cos\alpha}+2i\tan\alpha \tag{22}$$

当垂直角 $\alpha=0$ 时，$L-R=2C$ 。即只有视线水平时，$L-R$ 才等于 2 倍照准差，因此，$2C$ 的较差受垂直角的影响为：

$$\begin{aligned}\Delta_{2C} &= \left(\frac{2C}{\cos\alpha_1}+2i\tan\alpha_1\right)-\left(\frac{2C}{\cos\alpha_2}+2i\tan\alpha_2\right)\\ &= 2C\left(\frac{1}{\cos\alpha_1}-\frac{1}{\cos\alpha_2}\right)+2i(\tan\alpha_1-\tan\alpha_2)\\ &\approx C\frac{\alpha_1^2-\alpha_2^2}{\rho^2}+2i\tan\Delta\alpha \end{aligned} \tag{23}$$

对于 2″级仪器，$2C$ 能够校正到小于 30″，即 $C\leqslant 15''$，这时式(23)右端第一项取值较小。例如：$\alpha_1=5°$，$\alpha_2=0°$时，$C\frac{\alpha_1^2-\alpha_2^2}{\rho^2}=0.12''$，当 $\alpha_1=10°$，$\alpha_2=0°$时，$C\frac{\alpha_1^2-\alpha_2^2}{\rho^2}=0.46''$。可见，此值与一测回内 $2C$ 互差限差 13″相比是较小的，因此式(23)第二项才是影响 $2C$ 较差变化的主项。

对于 2″级仪器，一般要求 $i\leqslant 15''$，但是由于测角仪器水平轴不便于外业校正，所以若 i 角较大时，也得用于外业。

i 角对 $2C$ 较差的影响，见表 5。

表 5　i 角对 $2C$ 较差的影响值 $2i\tan\Delta\alpha$

i	α		
	5°	10°	15°
15″	2.6″	5.3″	8.0″
20″	3.5″	7.1″	10.7″

由表中数值可知，对 $2C$ 互差即使允许放宽 30%或 50%，有时还显得不够合理，但是若再放宽此限值，则对于 i 角较小的仪器又显得太宽，失去限差的意义。因此，表 3.3.8 增加注释进行规定。

2)当采用 2″级仪器观测一级及以下等级控制网时，由于测角精度要求较低，边长较短、成像清晰，因此对相应的观测指标适当放宽。

2 观测方向不多于3个时可不归零的要求，是根据工程测量单位的实践经验确定的。由于方向数少、观测时间短，不归零对观测精度影响不大。相反，归零观测也会增加观测的工作量，因此没有必要。

3 观测方向超过6个时，可进行分组观测的要求，是由于方向数多，测站的观测时间会相应加长，气象等观测条件变化较大，各项观测限差不容易满足要求。因此，需采用分组观测的方法进行。

4 当应用全站仪进行角度测量时，通常要求进行度盘配置，目的是为了减少和消除度盘的分划误差。

5 本次修订增加了0.5″级全站仪的相关技术要求。

3.3.9 当三、四等导线测量的测站只有2个方向时要求观测左右角的目的，是为了增加检核并提高精度。

3.3.10 关于测站的技术要求。

1 仪器、反光镜（或觇牌）用脚架直接在点位上整平对中时，对中偏差不大于2mm的限制，是为了减少人为误差的影响。

2 由于本标准各等级水平角观测的限差是基于视线水平的条件下规定的，当观测方向的垂直角超过±3°时，竖轴的倾斜误差对水平角观测影响较大，故要求在测回间重新整置气泡位置，观测限差还需满足本标准第3.3.8条第1款的规定。

另外，测回间对气泡位置的整置，即能够通过调节竖轴的不同倾斜方位，使仪器误差在各测回间水平角的平均数中有所削弱。

具有垂直轴补偿器的仪器（补偿范围一般为3′），对观测的水平角可以进行自动改正，故不受此款的限制；作业时，需注意补偿器处于开启状态。

3 剧烈振动下，补偿器无法正常工作，即便关闭补偿器，也无法获得好的观测结果，故要求停止观测。

4 鉴于工程测量作业中有时需要进行偏心观测，对归心元素测定的各项精度指标，都是在保证水平角观测精度的前提下提出的，测定时也是容易达到的。

3.3.12 对已知方向的联测精度，要求采用与所布设首级网的等级相同，不必采用过高的精度，更不必采用与联测已知点相同的精度。

Ⅳ 距离测量

3.3.14 全站仪在工程测量单位已普遍应用，单一的电磁波测距仪已很少使用，因此本标准将原测距仪器的概念修订为全站仪。本次修订删去了中短程仪器的划分。

关于测距精度，厂家多采用固定误差和比例误差来直观表示测距仪器的精度。《07 规范》删去了测距仪器分级的内容，改用仪器的标称精度直接表示，这种简洁的表示方法得到了很多行业标准的响应与普遍引用，这种表示方法证明是合理的。

3.3.15 高海拔地区作业时，对气压表送当地气象台（站）检验校正的目的是为了增强气象改正的可靠性。

3.3.16 本次修订对测距的测回数进行了重新定义，将原来的“测回是指照准目标 1 次，读数 2 次～4 次的过程”修改为一测回是全站仪盘左、盘右各测量 1 次的过程，主要是由于全站仪测距的稳定性已非常高。困难情况主要指作业环境因素对往返观测造成的不便。

测距的主要技术要求，是根据多数工程测量部门的工程实践经验，基于以下条件制定的：

（1）一测回读数较差是根据各等级仪器每千米标称精度规定的；

（2）单程各测回较差为一测回较差乘以 $\sqrt{2}$；

（3）往返较差的限差，取相应距离仪器标称精度的 2 倍；

（4）仪器的精度等级和测回数，是根据相应等级平面控制网要求达到的测距精度给出的规定。

3.3.17 本次修订将气压单位由“Pa”统一调整为“hPa”。

当用垂直角对测距边进行平距改正时，垂直角的观测误差将对水平距离的精度产生影响。由高差测定误差（m_h）引起水平距离改正数的中误差 m_D 为：

$$m_D = \frac{h}{S} m_h \tag{24}$$

按式(24)分析，通常 h 之值比 S 之值小得多，故其高程误差影响水平距离改正的中误差则更微小。本标准第 4.3.2 条五等电磁波测距三角高程测量每千米高差中误差仅为 15mm，故本条规定垂直角的观测和对向观测高差较差放宽 1 倍，是完全能保证测距边精度的。

V 导线测量数据处理

3.3.19 偏心观测在工程测量中已较少使用。使用时，归心改正按式(25)或式(26)计算：

(1)当偏心距离 $e \leqslant 0.3$m 时，按近似公式计算；

$$\Delta D_e = -e \cdot \cos\theta - e'\cos\theta' \tag{25}$$

式中：ΔD_e——归心改正值；

e——测站偏心值；

e'——镜站偏心值；

θ——测站偏心角；

θ'——镜站偏心角。

(2)当偏心距 $e > 0.3$m 时，根据余弦定理，水平距离按下式计算。

$$D = \sqrt{e^2 + S^2 - 2eS\cos\theta} \tag{26}$$

式中：D——归化后的水平距离；

e——偏心距；

S——测量水平距离；

θ——偏心角。

3.3.20 水平距离计算公式说明如下：

(1)当边长 $S \leqslant 15\text{km}$ 时，其弧长与弦长之间差异较小，由图1，根据余弦定理，有

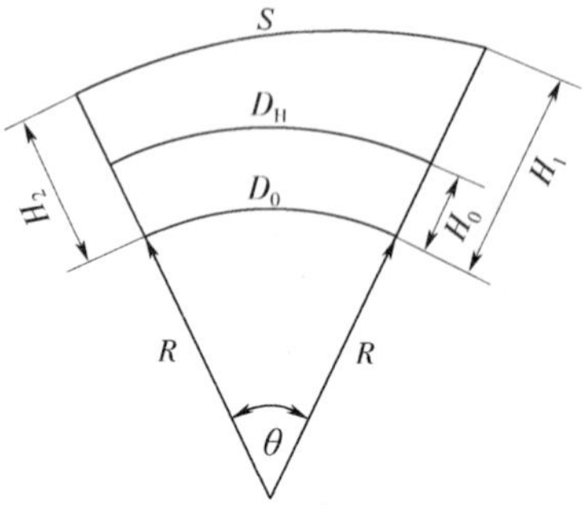

图 1　观测边长归化计算

$$D_0^2 = 2R^2 - 2R^2\cos\theta \tag{27}$$

则
$$\cos\theta = 1 - \frac{D_0^2}{2R^2} \tag{28}$$

又
$$S^2 = (R + H_1)^2 + (R + H_2)^2 - 2(R + H_1)(R + H_2)\cos\theta \tag{29}$$

令两点间的高差

$$h = H_1 - H_2 \tag{30}$$

则归算到参考椭球面上的水平距离严密计算公式为：

$$D_0 = \sqrt{\frac{(S+h)(S-h)}{\left(1+\frac{H_1}{R}\right)\left(1+\frac{H_2}{R}\right)}} \tag{31}$$

归算到测区平均高程面 H_0 上的水平距离严密计算公式为：

$$D_H = \sqrt{\frac{(S+h)(S-h)}{\left(1+\frac{H_1-H_0}{R+H_0}\right)\left(1+\frac{H_2-H_0}{R+H_0}\right)}} \tag{32}$$

式中：D_H——归化到测区平均高程面上的水平距离(m)；

S——经气象及加、乘常数等改正后的斜距(m)；

D_0——归化到参考椭球面上的水平距离(m)；

H_1、H_2——分别为仪器的发射中心与反光镜的反射中心的高程值(m)；

h——仪器的发射中心与反光镜的反射中心之间的高差(m)；

H_0——测区平均高程面的高程(m)；

R——地球平均曲率半径(m)。

式(32)可以看作是水平距离计算的通用严密公式。应用时，当 H_0 为 0 时，其计算结果为参考椭球面上的水平距离；当 H_0 取测区平均高程面的高程时，其结果为测区平均高程面上的水平距离；当 H_0 取测区抵偿高程面的高程时，其结果为测区抵偿高程面上的水平距离；当 H_0 取测线两端的平均高程时，其结果为测线的水平距离。

(2)如令式(32)的分母为

$$K=\sqrt{\left(1+\frac{H_1-H_0}{R+H_0}\right)\left(1+\frac{H_2-H_0}{R+H_0}\right)} \tag{33}$$

则有

$$D_p=\frac{1}{K}\sqrt{S^2-h^2} \tag{34}$$

通过计算，当 H_0 为测线两端的平均高程时，$K\approx 1$，其误差小于 10^{-8}。

则测线的水平距离计算公式表示为：

$$D_p=\sqrt{S^2-h^2} \tag{35}$$

需说明的是，在式(35)的推导中，椭球高是以正常高代替，椭球高只有在高等级大地测量中才用到。由于工程测量控制网边长较短、控制面积较小，椭球高和正常高之间的差别通常忽略不计。

3.3.23 本条给出了测距长度归化到不同投影面的计算公式。在作业时，根据本标准第 3.1.5 条对平面控制网的坐标系统选择的不同而选用不同的计算公式。

3.3.24 关于严密平差和近似平差方法的选用，根据工程测量单位的实践经验，对一级及以上精度等级的平面控制网，只有采用严密平差法才能满足精度要求。对二级及以下精度等级的平面控制网，由于精度要求较低一些，允许有一定的灵活性，不做严格要求。

3.3.25 关于先验权计算，控制网平差时，需要估算角度及边长先验中误差的值，并用于计算其先验权的值。根据实践经验，采用经典的计算公式或数理统计的经验公式估算先验中误差，用于平差迭代计算，其最终平差结果是一样的，二者都是可行的办法。

3.3.27 根据工程测量单位的实践经验，本条列出了一些必要的精度评定指标，需要时，还允许增加更细致的精度评定要求。

3.3.28 内业计算中数值取位的要求，是为了保证提交成果的精度。

3.4 三角形网测量

Ⅰ 三角形网测量的主要技术要求

3.4.1 随着全站仪在工程中的普遍应用，角度和距离测量已不再像以前那么困难，现在的外业观测不仅灵活且很方便。就布网而言，纯粹的三角网、三边网已极少应用。所以，本标准提出了三角形网测量的统一概念，对已往的三角网、三边网、边角网不再严加区分，将所有的角度、边长观测值均作为观测量看待。三角形网测量的精度指标，也是基于原三角网和三边网的相关指标制订。具体指标的确立，是根据工程测量单位完成的工程控制网统计资料并考虑不同行业的测量技术要求，在综合分析的基础上确定的，说明如下：

(1)关于测角中误差和测回数。

本标准对二、三、四等三角形网测量的测角中误差仍分别沿用我国经典的 1.0″、1.8″、2.5″的划分方法。

水平角观测的测回数是根据工程测量单位的统计结果确定的，见表 6。

表6　水平角观测中误差与测回数统计表

1″级			2″级		
测回数	测角中误差(″)	网的个数	测回数	测角中误差(″)	网的个数
3	0.90～1.66	4	1	5.00	1
4	0.89～2.40	8	3	2.40	2
6	0.80～1.70	17	4	1.55～2.10	4
8	0.85～1.68	3	6	1.30～2.50	9
9	0.55～1.79	26	8	1.90～2.20	5
10	1.01	1	9	0.95～1.80	6
12	0.40～1.02	7	9	2.12	1
—	—	—	12	1.17～1.64	2

(2)关于平面控制网的基本精度。

工程平面控制网的基本精度，要求四等以下的各级平面控制网的最弱边边长(或最弱点点位)中误差不大于1∶500或1∶1000比例尺地形图上0.1mm。即中误差相当于实地的50mm或100mm。因此，本标准取四等三角形网最弱边边长中误差为50mm。

就一般工程施工放样而言，通常要求新设建筑物与相邻已有建筑物的相关位置误差(或相对于主轴线的位置误差)小于100mm～200mm；对于改、扩建厂的施工图设计，通常要求测定主要地物点的坐标，其点位相对于邻近图根点的点位中误差为50mm～100mm。因此，本标准所规定的控制网精度规格，可以满足大比例尺测图并兼顾一般施工放样需要。

(3)关于测边相对中误差和最弱边边长相对中误差的精度系列。

测边相对中误差和最弱边边长相对中误差的精度系列，分别源自传统的三边测量与三角测量的相应指标。三角形网则集两种精度系列于一体，不仅能保证控制网的精度符合相应等级要求，而且在工程作业中容易实现。

(4)关于各等级三角形网的平均边长。

根据一些工程测量单位的作业经验和对工程施工单位的调查走访，四等三角形网的平均边长为2km，最弱边边长相对中误差不低于1/40000，即相对点位中误差为50mm，这样密度和精度的网，可以满足一般工程施工放样的需要。故本标准四等三角形网的平均边长规定为2km，其余各等级的平均边长基本上按相邻两等级之比约为2∶1的比例确定，即三等为4.5km，二等为9km，一级为1km，二级为0.5km。

(5)本标准表3.4.1注释中平均边长适当放长的条件，是测区不再可能施测1∶500比例尺的地形图。按1∶1000比例尺地形图估算，其点位中误差放大一倍，故平均边长相应放长一倍。

(6)本次修订增加了0.5″级全站仪的测量要求。

3.4.2 三角形网测量概念的提出，是将所有的角度、边长观测值均作为观测量看待，所以均要求参加平差计算。

Ⅱ 三角形网的设计、选点与埋石

3.4.4 随着测绘科技的发展和作业技术水平的提高，工程测量已不再强调逐级布网，但在满足工程项目基本精度要求的情况下，需重视合理确定网的精度等级和观测方案，也允许在满足精度要求的前提下采用比较灵活的布网方式。

Ⅲ 三角形网观测

3.4.7 由于工程控制网的平均边长较短，成像清晰、稳定(相对大地测量而言)，通常测站的观测时间也较短，因此，方向观测法是三角形网水平角观测的主要方法。鉴于二等三角形网的精度要求较高，因此，允许采用全组合观测法以提高精度。

3.4.8 对于二等三角形网的水平角观测，有些标准要求：当垂直角超过3°时，1″级仪器，要在方向观测值中加入垂直轴倾斜改正，即要在每个目标瞄准后读取气泡的偏移值。

鉴于工程控制网边长较短，本标准不要求进行此项改正，但观测过程中对仪器的气泡偏离值要求较严。

3.4.9、3.4.10 由于导线测量的分级为三、四等和一、二、三级，故增加二等三角形网边长测量的技术要求，其余等级的边长测量在本标准导线测量的相关条文中已做规定。

Ⅳ 三角形网测量数据处理

3.4.11 归心改正计算在本标准条文说明第3.3.19条中已给出计算公式。

3.4.14 对二、三、四等三角形网的方向观测值进行高斯投影方向改化的计算要求，是为了把椭球面上的方向观测值归化到高斯平面上，再进行三角形网的平差计算（距离的归化投影计算，本标准条文说明第3.3.20条中已给出）。

3.4.15 关于垂线偏差的修正。

垂线偏差的修正，通常只有国家一、二等控制网才需要进行此项改正计算，对于国家三、四等控制网和工程测量控制网，一般不必进行。观测方向垂线偏差改正的计算公式如下：

$$\delta_u = (\eta\cos A - \xi\sin A)\cot z \tag{36}$$

$$\eta = u\sin\theta \tag{37}$$

$$\xi = u\cos\theta \tag{38}$$

式中：δ_u——观测方向垂线偏差改正；

η——垂线偏差卯酉分量；

ξ——垂线偏差的子午分量；

A——以法线为准的大地方位角；

z——照准方向的天顶距；

u——垂线偏差的弧度元素；

θ——垂线偏差的角度元素。

但在高山地区或垂线偏差较大的地区作业时，其垂线偏差分量η、ξ较大，照准方向的高度角也很大时，其对观测方向的影响接近或大于相应等级控制网的测角中误差，有的影响更大。近年来的一些研究成果表明，垂线偏差对山区三角形网水平方向和垂直角的影响不可忽视。故规定对高山地区二、三等三角形网点的水平角观测值进行垂线偏差的修正是完全必要的。具体作业时，还需按国家大地测量的相关标准执行。

3.4.17 各种几何条件的检验是衡量其整体观测质量的主要标准，其理由如下：

（1）测站的外业观测的检查，只能反映出测站的内部符合精度，其仅能部分体现出观测质量，无法体现系统误差的影响，更不能反映整体三角形网的观测质量。

（2）就单个三角形而言，闭合差只能反映出该三角形的观测质量或测角精度。

（3）对于整个三角形网，以三角形闭合差为数最多，因此按菲列罗公式（本标准第3.4.12条）计算出的测角中误差，是衡量三角形网整体测角精度的主要指标。但当三角形的个数较少时，可靠性就不是很高。

（4）对三角形网所构成的各种几何条件的检验，是衡量其整体观测质量的充分条件。不满足时，需检查处理或进行粗差剔除，然后才能进行控制网的整体解算。

由于计算机的普及应用，本标准取消了有关对数形式的检验计算公式。

3.4.18 三角形网的平差计算，不再强调起始边或起算边的概念，故按观测值处理。

3.5 自由设站测量

3.5.1、3.5.2 本次修订引入自由设站测量，该方法适用于工程控制网点的同精度加密，是对卫星定位测量、导线测量和三角形网测量方法的补充，但不属于控制测量作业的基本方法。

自由设站法的实质就是全站仪的边角后方交会法，其原理是利用周围少量任意分布的已知控制点确定待定点的位置。作业时在待定点上安置全站仪，观测出待定点至已知点之间的距离和角度（或方向），根据两类观测值按最小二乘法原理计算待定点的坐标。

全站仪自由设站法既克服了测角交会存在危险圆的问题，又弥补了测边交会的不足，点位选取更加灵活方便，在工程测量中较为实用。除了控制点加密外，该方法还可用于坐标传递或变形监测的基准传递。

自由设站点的点位精度不仅与测角精度和测边精度有关，而且与已知点形成的图形和面积大小及设站点与已知点所形成的交会图形的形状和范围大小有关。增加已知点的个数，设站点的点位精度会有所提高，但过多增加已知点数量对设站点的精度改善并不显著。因此，在考虑作业效率的情况下，建议选择3个～4个已知点。

3.5.3 自由设站的位置常常位于不能永久设站或不便设站的测区（或施工工地）中心位置，能够高精度快速获取设站点的坐标与定向方位角正是该方法的优势，因此，对仪器的精度提出了较高的要求。

3.5.4 用自由设站法对控制网进行加密或进行坐标传递时，通常采用与周边控制点相同的精度等级，即同等级加密。水平角方向观测法的测回数和测站限差及边长测距中误差与相应等级的三角形网测量要求一致。

3.5.6 当采用自由设站法进行高精度控制测量加密时，需及时精确测定测站的温度与气压值并对交会边长进行气象改正。

4 高程控制测量

4.1 一 般 规 定

4.1.2 区域高程控制测量首级网等级的确定，一般根据工程规模或控制面积、测图比例尺或用途及高程网的布设层次等因素综合考虑。

4.1.3 我国的高程系统采用1985国家高程基准，高程起算点位于青岛的“中华人民共和国水准原点”，高程值为72.2604m。1956年黄海平均海水面及相应的水准原点高程值为72.289m，两系统相差－0.0286m。对于一般地形测图来说，采用该差值直接换算能满足精度要求。但对于高程控制测量，由于两种系统的差值并不是均匀的，受施测路线所经过地区的重力、气候、路线长度、仪器及测量误差等不同因素的影响，须进行具体联测确定差值。

本条“高程系统”的含义不是大地测量中正常高系统、正高系统等意思。

作业时慎用假定高程系统。

4.1.4 高程控制点数量及间距的规定，是根据历年来工程测量部门的实践经验总结出来的，便于使用且经济合理。

4.2 水 准 测 量

4.2.1 关于水准测量的主要技术要求。

(1)本标准水准测量采用每千米高差全中误差的精度与现行国家标准《国家一、二等水准测量规范》GB/T 12897和现行国家标准《国家三、四等水准测量规范》GB/T 12898相同。五等水准是因工程需要而对水准测量精度系列的补充，每千米高差全中误差仍沿用《07规范》的指标。

(2)本条规定的附合水准路线长度，在按级布设时，最低等级的最弱点高程中误差为 30mm 左右(已考虑起始数据误差影响)。

(3)本条的附合或环线四等水准测量,工程测量单位多采用单程一次测量,实践证明是能达到规定精度的。因为四等水准与三等水准使用的仪器、视线长度、操作方法等基本相同,只有单程和往返的区别,按此估算四等水准单程观测是能达到规定精度指标的。

(4)关于山地水准测量的限差。

根据现行国家标准《国家三、四等水准测量规范》GB/T 12898 的限差要求,在山地进行三、四等水准测量时,由于受客观条件的限制,往返较差、附合或环线闭合差的限值较平地适当放宽为 $\pm 15\sqrt{L}$ 和 $\pm 25\sqrt{L}$。但工程测量单位实际作业中,对限差常用测站数 n 来衡量,为此将限差转换为测站中误差的限差,通常每千米按 16 站计算,即

$$L = \frac{n}{16} \tag{39}$$

则

三等限差 $$\Delta = \pm 15\sqrt{L} = \pm 15\sqrt{\frac{n}{16}} \approx \pm 4\sqrt{n} \tag{40}$$

四等限差 $$\Delta = \pm 25\sqrt{L} = \pm 25\sqrt{\frac{n}{16}} \approx \pm 6\sqrt{n} \tag{41}$$

(5)关于结点间或高级点间的路线长度,基于以下两种图形进行推论。

图 2 中,"⊙"表示高级点,"·"表示最弱点(由于图形的对称性,图中未标出全部最弱点)。

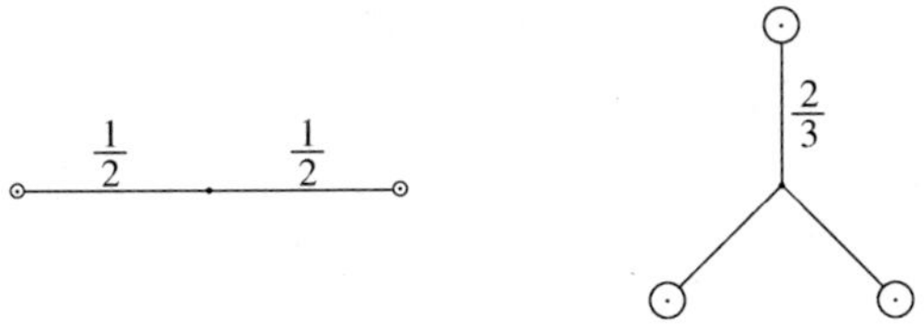

图 2 单一附合路线和最简结点网

推论可知:附合水准路线的最弱点在路线的中部,结点网的最弱点位于每个环节的3/4处。欲使两种图形最弱点的高程中误差相等,结点网的各环节长度应为单一附合水准路线长度的2/3。

故本标准表4.2.1的注1中,采用70%的指标。

(6)本次修订完善了对数字水准测量的要求。增加自动安平水准仪、数字水准仪 *DSZ* 系列。本次修订将水准仪型号改为水准仪级别,就精度而言,数字水准测量和同等级的光学水准测量的精度要求是相同的。但数字水准仪的测量精度和所配套的条码水准尺的材质是相关的,只有使用标准配套的因瓦条码水准尺才能达到或接近数字水准测量的理论精度;当配套的水准尺为条码式玻璃钢尺时,精度须降级使用。故在本标准表4.2.1的注5中做出 *DSZ*1 级数字水准仪若与条码式玻璃钢水准尺配套,精度相当于 *DSZ*3 级的规定。

4.2.2、4.2.3 这两条是对水准测量所使用的仪器、配套水准尺及埋设水准标石提出的要求。必要时埋设指示桩的要求是出于保护和寻找的目的。稳定的建筑物是指沉降小或无沉降的建筑物。

4.2.4 水准标石埋设稳定是开始进行等级水准测量的重要前提条件,这里特别强调。就新技术推广而言,本标准提倡数字水准测量方法。

4.2.5、4.2.6 这两条分别给出了数字水准仪和光学水准仪作业的主要技术要求。这里的部分指标二者略有差异,主要跟读数(成像)原理不同有关。其中采用数字水准仪观测的相关技术指标根据现行国家标准《国家一、二等水准测量规范》GB/T 12897 和现行国家标准《国家三、四等水准测量规范》GB/T 12898 制定,采用光学水准仪观测的相关技术指标沿用工程测量标准的传统指标。

4.2.8 由于交通、水利等国家基础建设的快速发展,跨河水准在工程测量中的应用越来越多,跨河水准测量的主要技术要求,是根据水运工程行业长期的经验总结制定的。对于工程测量单位较少涉及的大型跨越项目(跨越距离>400m),其技术要求按相关国家标准或行业标准执行。必要时，在满足工程精度要求的前提下单独制订跨河水准测量方案。

4.2.9 关于水准测量数据处理的精度评定公式。

水准测量的精度评定，通常采用本标准公式(4.2.9-1)、公式(4.2.9-2)计算。

本标准公式(4.2.9-1)是利用测段的往返高差不符值来推求水准观测中误差，主要反映了测段间偶然误差的影响，因此称为水准测量每千米高差的偶然中误差。

本标准公式(4.2.9-2)是利用附合或环线闭合差来推求水准观测中误差，反映了偶然误差和系统误差的综合影响，因此称为水准测量每千米高差的全中误差。当 $N \geqslant 20$ 时，公式才具有统计学意义。

4.3 电磁波测距三角高程测量

4.3.2 电磁波测距三角高程测量的主要技术要求。

(1)直返觇观测每千米高差中误差。

①直返觇观测每千米高差中误差的计算公式为：

$$m_{\mathrm{hkm}}=\pm\sqrt{\frac{1}{2}(\sin\alpha \cdot m_{\mathrm{S}})^2+\frac{1}{2\rho^2}(S \cdot \cos\alpha \cdot m_{\alpha})^2+\left(\frac{S^2}{4R} \cdot m_{\Delta\mathrm{k}}\right)^2+m_{\mathrm{G}}^2} \tag{42}$$

式中：m_{hkm}——直返觇观测每千米高差中误差；

α——垂直角；

S——全站仪三角高程测量斜距；

R——地球曲率半径；

m_{G}——仪器和觇标的量高中误差；

$m_{\Delta\mathrm{k}}$——直返觇折光系数之差的中误差。

②各项误差估算。

测距误差：m_{S} 对高差的影响与垂直角 α 的大小有关，一般全站仪的测距精度 m_{S} 为 $5+5\times10^{-6}\times D$ 由于测距精度高，因此它对高差精度的影响很小。

测角误差：垂直角观测误差 m_α 对高差的影响随边长 S 的增加而增大，这一影响比测边误差的影响要大得多。为了削减其影响，主要从两方面考虑，一是控制边长不要太长，本标准规定不要超过 1km；二是增加垂直角的测回数，提高测角精度。

测角误差估算如下：

设

$$m_{\text{正镜}} = m_{\text{倒镜}} = m_{\text{半测回}} \tag{43}$$

则指标差中误差和指标差较差中误差为：

$$m_{\text{指标差}} = \sqrt{\frac{1}{4}m_{\text{正镜}}^2 + \frac{1}{4}m_{\text{倒镜}}^2} = \frac{m_{\text{半测回}}}{\sqrt{2}} \tag{44}$$

$$m_{\text{指标差较差}} = \sqrt{2}\,m_{\text{指标差}} = m_{\text{半测回}} \tag{45}$$

垂直角一测回测角中误差和测回较差的中误差为

$$m_{\text{垂直角一测回}} = \sqrt{\frac{1}{4}m_{\text{正镜}}^2 + \frac{1}{4}m_{\text{倒镜}}^2} = \frac{m_{\text{半测回}}}{\sqrt{2}} \tag{46}$$

$$m_{\text{测回较差}} = \sqrt{2}\,m_{\text{垂直角一测回}} = m_{\text{半测回}} \tag{47}$$

垂直角 n 测回测角中误差为

$$m_{\text{垂直角}n\text{测回}} = \frac{m_{\text{半测回}}}{\sqrt{2n}} \tag{48}$$

根据本标准第 4.3.3 条中指标差较差和垂直角较差的规定限差，即四等为 7″，五等为 10″。则相应的 $m_{\text{半测回}}$ 值，四等为 3.5″，五等为 5″。四等 3 测回观测的测角中误差为 1.43″，五等 2 测回观测的测角中误差为 2.5″，该推算结果和工程实践证明是容易达到的。

大气折光影响的误差：垂直角采用对向观测，而且又在尽量短的时间内进行，大气折光系数的变化是较小的，因此，即刻进行的对向观测能很好地抵消大气折光的影响。但实际上，无论采取何种措施，大气折光系数不可能完全一样，直觇和返觇时的 K 值总会有一定差值，所以，对向观测时 $m_{\Delta k}$ 应是直返觇大气折光系数 K

值之差的影响。

本标准编制组曾在平坦地的电磁波测距三角高程测量进行试验，计算出 1h、0.5h、15min 折光系数变化的影响如表 7 所示。

表 7　折光系数的变化对高差平均值和高差较差的影响

时间间隔	1h	0.5h	15min
$m_{(k1-k2)}$	0.06833	0.02416	0.00854
$m_{(\frac{k1+k2}{2})}$	0.16524	0.05842	0.02065

注：$m_{(k1-k2)}$ 用于对直返觇高差平均值影响的误差估算，$m_{(\frac{k1+k2}{2})}$ 用于对直返觇高差较差影响的误差估算。

仪器和觇标的量高误差：作业时仪器高和觇标高各量两次并精确至 1mm，其中误差按 1mm～2mm 计。

考虑以上四种主要误差的影响，即测距中误差取 $5+5\times10^{-6}\times D$；垂直角观测中误差，四等取 2″，五等取 3″；折光系数按 1h 变化估计；仪器和觇标的量高中误差取 2mm。则能推算出电磁波测距三角高程测量对向观测的每千米高差中误差，见表 8。

表 8　电磁波测距三角高程测量对向观测的每千米高差中误差

距离(km)		0.2	0.4	0.6	0.8	1.0	1.2	1.4	1.6
m_{hkm} (mm)	四等	5.5	5.4	6.0	6.8	7.6	8.4	9.3	10
	五等	6.5	7.3	8.4	9.6	11	12	13	14

从表 8 验算看出，边长为 1.0km 时，每千米高差测量中误差四等 7.6mm、五等 11mm，若再考虑其他系统误差的影响，如垂线偏差等，则要满足四等 10mm、五等 15mm 是不困难的。

(2)电磁波测距三角高程测量的对向观测高差较差。

①试验和工程项目证明，用四等水准测量的往返较差 $20\sqrt{L}$ 来要求电磁波测距三角高程测量的对向观测较差是很难达到的。试验结果统计见表 9，其较差取 $30\sqrt{D}$。

表 9 电磁波测距三角高程测量对向观测高差较差

地区	项目	边数	边长(km)		较差大于 $30\sqrt{D}$		备注
			最大	最小	边数	百分比	
珠海	试验项目	62	<1		3	4.8	—
西南某矿区	试验项目	61	1.83	0.05	5	8.2	其中两条边大于 1km
迁安	工程项目	70	0.92	0.14	4	5.7	—
西南某矿区	工程项目	126	—	—	2	—	—

从表 9 能看出：对于 $30\sqrt{D}$ 的限差要求，也有相当比例的直返觇较差超限。

②大气折光对直返觇较差的影响比对高差平均值的影响大 2 倍～3 倍(见表 7)。

③垂线偏差对直返觇较差也有一定影响。

考虑以上三点，本标准将四等对向观测高差较差放宽至 $40\sqrt{D}$，五等相应调整为 $60\sqrt{D}$。

(3)附合或环形闭合差。

由于对向观测高差平均值能较好地抵消大气折光的影响，并考虑其他影响因素，本标准表 4.3.2 中附合或环形闭合差规定为：四等 $20\sqrt{\sum D}$，五等 $30\sqrt{\sum D}$，即和四、五等水准测量的限差一致。

(4)有些学者认为："三角高程测量的误差大致与距离成正比，因此其'权'应为距离平方的倒数，不能简单地套用水准测量的精度估算与限差规定的形式。"

编制组认为，既然将电磁波测距三角高程测量应用于四、五等高程控制测量，那么其主要技术指标，如每千米高差全中误差、附合或环线闭合差就必须与水准高程控制测量一致。

至于观测权的问题，需在水准测量和电磁波测距三角高程测量混合平差时考虑。

4.3.3 为了减少大气折光对电磁波测距三角高程测量精度的影响(见表 8)，要求即刻迁站进行返觇测量，这样整个视线的环境条件相对稳定，折光系数变化不大，取往返高差的平均值能削弱折光差的影响。

4.3.4 由于电磁波测距三角高程测量，大多是在平面控制点的基础上布设的。测距边超过 200m 时，地球曲率和大气折光差对高差将产生影响，因此，本条第 1 款要求进行此项改正计算。

4.4 卫星定位高程测量

4.4.1 关于卫星定位高程测量和应用等级的确定。

由于我国采用的是正常高程系统，我们所应用的高程是相对似大地水准面的高程值，而卫星定位高程是相对于椭球面的高程值，为大地高，二者之间的差值为高程异常。因此，确定高程异常值，是卫星定位高程测量的必要环节。高程异常的确定方法一般分为数学模型拟合法和用地球重力场模型直接求算，对于一般工程测量单位而言，由于无法获得必要的重力数据，主要是根据联测的水准资料利用一定的数学模型拟合推求似大地水准面。

大地高 H 与正常高 h 的关系为：

$$h = H - \xi \tag{49}$$

$$\xi = f(x, y) \tag{50}$$

式中：ξ——高程异常拟合函数。

高程异常拟合函数，要根据工程规模、测区的起伏状况和高程异常的变化情况选择合理的拟合形式，如平面拟合、曲面拟合、多项式、多面函数等方法，还有自然三次样条函数、几何模型法、附加参数法、相邻点间高程异常差法、附加已有重力模型法、神经网络法等。方法的选择，在满足本标准精度要求的前提下，不做具体规定。

为了稳妥安全，本标准将卫星定位高程测量，定位在五等精度。

关于更高等级卫星定位高程测量、较大区域范围的卫星定位高程测量及远距离跨河卫星定位高程传递，要求进行专项设计与论证的目的，主要是因为高精度的卫星定位高程测量需依靠高精度和高分辨率的区域似大地水准面精化成果来实现。该技术基于“移去-恢复”原理即FFT技术（1D/2D FFT），辅以多项式拟合法或其他拟合法来计算。该技术综合了多种测量手段，使用了大量既有测量成果与重力数据资料，进行了复杂的数据处理运算，建立区域似大地水准面精化模型。该技术在我国30多个大中城市已得到良好的应用。因此，本标准第4.4.4条第1款同时规定：应利用区域似大地水准面精化成果或当地的重力大地水准面模型、资料。较大区域通常是指一个城市或一个地区的范围。

4.4.3 关于卫星定位高程测量的水准点联测要求。

1 由于拟合区以外检查点的中误差显著增大，故要求联测点分布在测区周边。

2 为了保证拟合高程测量的可靠性和进行粗差剔除并合理的评定精度，规定了对联测点数的要求。

间距小于10km要求的说明，见本标准条文说明第4.4.4条。

3 卫星定位高程测量一般在平原或丘陵地区使用，但对于高差变化较大的地区，由于重力异常的变化导致高程异常变化较大，故要求增加联测点和检查点的数量。

4.4.4 关于卫星定位高程测量数据处理。

（1）对于似大地水准面的变化，通常认为受长、中、短波项的影响。长波100km以内曲面非常光滑，中波20km～100km仅区域或局部发生变化，短波小于20km受地形起伏影响。因此利用已有的区域似大地水准面精化成果或重力大地水准面模型能改善长、中波的影响。短波影响靠联测点的密度来弥补，故本标准第4.4.3条规定联测点的点间距不大于10km。

（2）拟合高程模型的优化或多方案比较，是为了获取较好的拟合精度，这也是作业中普遍采用的方法。

（3）对于超出拟合高程模型所覆盖范围的推算点，因缺乏必要的校核条件，所以在高程异常比较大的地方要慎用，并且要严格限制边长。

(4)我国很多地区已有区域似大地水准面精化成果,且精度稳定可靠,故要求充分利用。

5 地形测量

5.1 一般规定

5.1.1 地形图的比例尺反映了用户对地形图精度和内容的要求，是地形测量的基本属性之一。地形图的比例尺要求按设计阶段、规模大小和运营管理需要选用，主要基于以下因素考虑：

(1)用图特点、用图细致程度、设计内容和地形复杂程度是选择地形图比例尺的主要因素。对于比较简单的情况，采用较小比例尺；对于综合性用图与专业用图，需兼顾多方面需要选择较大比例尺图；对于分阶段设计的情况，通常初步设计选择较小比例尺，两阶段设计合用一种比例尺的，一般选取一种适中的比例尺(1∶1000或1∶2000)或按施工设计的要求选择比例尺。

(2)建厂规模、占地面积是选择比例尺的重要因素。小型厂矿或单体工程设计，用图要求精度不一定很高，但要求较大的图面以能反映设计内容的细部，因此多选用较大比例尺。

(3)1∶500～1∶5000 比例尺系列地形图，基本概括了工程测量的服务范畴。目前，大量的 1∶1000 比例尺地形图已用于各专业的施工设计，所以，1∶1000 比例尺地形图属施工设计的基本比例尺图。但是，还有不少厂矿企业或单项工程的施工设计也采用 1∶500 比例尺地形图，主要原因在于，1∶1000 比例尺的图面偏小，并不是因为精度不够。对于工业厂区、城市市区，情况有所不同，由于精度要求高，内容也复杂，以 1∶500 比例尺图居多。还有一些工厂区，采用 1∶500 比例尺作为维修管理用图。至于小城镇和部分中等城市，测绘 1∶1000 比例尺图已能满足需要。根据目前现状，本标准仍把 1∶500 比例尺列为常用测图比例尺。对于大部分线路测量(如铁路、公路等)、矿山、地质勘探、大型工程项目的初步设计，1∶2000也是较常用的测图比例尺。1∶5000比例尺地形图，一般为规划设计用图的最小比例尺。

5.1.2 随着测绘科技的快速发展，数字地形测量图形成果出现了多样性。本标准把数字地形测量图形成果分为纸质地形图原图、数字线划图(DLG)、数字高程模型(DEM)、数字正射影像图(DOM)、数字三维模型，并按数据来源、技术特性、表达方法、数学精度、提交成果的表现形式和工程应用等6种特征对数字地形测量图形成果进行了区分。本条为修订新增内容。

5.1.3 关于地形类别的划分和基本等高距的选择。

1 大比例尺地形测量的地形类别划分，是根据工程建设用地对地面坡度的要求和工程用图的实际情况确定的。本次修订将地面倾角由3°和10°分别调整为2°和6°，即平坦地$\alpha<2°$，丘陵地$2°\leqslant\alpha<6°$，山地$6°\leqslant\alpha<25°$，高山地$\alpha\geqslant25°$四类。

水域地形类别的划分与陆地相同，也按水底地形倾角分为四类(水底地形倾角从小比例尺的水下地形图中获取)。

2 地形图的基本等高距，是以等高线的高程中误差的经验公式验算。

$$m_{\mathrm{h}}=\frac{1}{4}h_{\mathrm{d}}+\frac{0.8M}{1000}\tan\alpha \tag{51}$$

式中：m_{h}——等高线高程中误差；

h_{d}——基本等高距；

M——测图比例尺分母；

α——地面倾角。

其中，等高线的高程中误差m_{h}的取值，对于常用的设计坡度，均不能大于基本等高距的1/2；对于较大的设计坡段，也不能大于一倍基本等高距。

实际上，地形图对高程精度的要求，很大程度体现在基本等高距的选择问题上，在缓坡地1∶1000～1∶5000比例尺，多取基本等高距(h_{d})为比例尺分母(M)的$\frac{1}{2000}$，山地为$\frac{1}{1000}$；1∶500

比例尺的最小基本等高距为 0.5m。

基本等高距的规格，需保持等高线的名义值没有较大出入，同时还考虑等高线不能过密，规格不能过多等因素。

5.1.4 本条是根据获取数据源的不同方式，基于当前测绘新技术的发展水平和应用现状对数字地形测量的测图方法进行了分类。

5.1.5 区域类型划分是根据工程测量部门多年来的实践经验确定的，但随着数字化测图的广泛应用，各区域类型受施测方法的影响已被弱化。本次修订仍沿用《07 规范》的区域类型划分方法，考虑到水域测量与陆地地形测量并没有实质性的区别，本次修订仍将水域测量和陆地地形测量的内容做了部分融合，并将一些主要技术指标列入本章的一般规定中。

5.1.6 关于地形测量的基本精度要求。

衡量地形图测量的技术指标主要有地物点的点位中误差、等高线插求点的高程中误差、细部点的平面和高程中误差和地形点的最大点位间距等。

1 地形图图上地物点相对于邻近图根点的点位中误差，主要是根据用图需要和工程测量部门测图的实际情况确定的。

1)根据以往用户对地形图的使用情况，工矿区的改扩建项目对精度要求较高，一般的图面精度无法满足其要求；城镇居民小区的地形图主要用于规划红线，牵涉到拆迁问题，对地形图精度要求也较高；城镇居住区应保留的建筑，对新建建筑的制约比较强，则要求图面位置较准确，以满足新建建筑对楼位间安全距离的要求；非建筑区的设计内容受已有地物的制约因素较少，有较大的选择余地。城镇居住区的地形图，由于要提供给各部门使用，保留时间要求 10 年～20 年，且要求不断进行修、补测，故要求地形图的精度有所储备。

根据目前多数工程测量部门的实际情况，测图方法、作业手段都有很大的改进，地形点的实际精度也提高很多。从设计部门的使用情况看来，大部分要求的是电子版地形图，很少采用复制拼接、图上直尺量算等方法进行设计。

考虑到测图和用图部门的作业习惯及相互间的发展不完全平衡，本次修订对地形图的基本精度指标不做调整。

2）由于水域内的工程设施一般多在20m水深范围内，而靠岸边的浅水区域又多是施工重点，从工程需要出发，精度要求有所侧重。设计和施工要求近岸地形变化大的水域精度要高一些，大面积平坦区域与离岸线远的水域精度允许放宽些。此外，1∶500比例尺测图或交会距离在图上大于1m时，要达到较高精度比较困难，因此也要适当放宽。而对于采用卫星定位接收机或其他较高精度仪器进行作业时，满足精度要求是不成问题的。水域地形测量定位的试验值见表10。

表10 水域地形测量定位精度的试验值

试验方法	比例尺	测点数	点位中误差(图上mm)
前方交会陆上模拟	1∶500	194	0.80
前方交会常规作业	1∶2000	204	0.80;1.20
经纬仪垂直角定位	1∶5000	200	1.20
全站仪极坐标测量陆上模拟	1∶1000	300	0.50
实时差分DGPS方式陆上模拟	1∶1000	236	0.80
RTK方式陆上模拟	1∶1000	433	0.20
GPS后差分处理	1∶1000	225	0.80

考虑到水域地形测量作业中受其他因素的影响，本标准的水域地形测量定位的点位中误差确定为图上1.5mm。

2 等高线插求点指用来插绘等高线的实测点位，插求点的高程中误差，与工程设计应用高程数据进行土方预算、竖向设计、基础埋深设计等的关系较为密切。长期应用证明，本款指标是适宜的。加之数字测图的精度还会有所改善，能够满足指标要求。

3 关于细部坐标点的点位中误差。

为了使设计或运营管理者应用原图时能有足够的精度，并符合新设建筑与邻近已有建筑的相关位置误差小于100mm～200mm的要求，故确定工业建筑区主要建(构)筑物的细部点相对于邻近图根点的点位中误差不能超过50mm。

对于棱角不明显的建(构)筑物，由于存在判别误差，其实测轴线和理论轴线(或理论中心)也存在误差。而对铁路、给水排水管道、架空线路等施工对象，其定位精度也是有区别的。因此，将诸如此类内容划归为一般建(构)筑物的细部点，其点位中误差规定为70mm。

4 由于工程用图不但要使用等高线，而且要使用施测的地形点，所以将地形测图地形点的最大点位间距作为地形图的基本指标之一。本标准表5.1.6-4中规定的各种比例尺地形测图地形点的最大点位间距，是根据地面坡度、等高线曲率变化、等高线插求点的高程精度、测量误差综合确定的，相当于图上20mm～30mm的间距。

对于水域地形测图，由于水下地形的起伏状况难以直观判别，所以要求断面间距和断面上测点间距较陆地地形图点间距密一些。通常，水下地貌垂直于岸线的地形变化远大于平行于岸线的地形变化，所以要求断面间距大于测点间距。本标准规定的断面间距和断面上测点间距分别相当于图上20mm和10mm。

施测困难类别参考国家测绘局《测绘工程产品困难类别细则》判定。

5.1.7 本条是以摄影测量方法或三维激光扫描方法获取数据生成数字高程模型的基本技术要求，格网间距和格网点高程中误差是数字高程模型的基本精度指标，表5.1.7中的比例尺供选择使用。本次修订时对原规范数字高程模型的相关内容进行了扩充。

5.1.8 数字正射影像图的精度主要以影像的地面分辨率体现，精度要求根据现行国家标准《工程测绘基本技术要求》GB/T 35641 确定。其相对于一般地区地形测量的点位中误差要求较严，主要是出于确保用图精度满足使用要求的考虑。本条为新增内容。

5.1.9 地形图的分幅及编号方法，是工程测量单位历年来经验的总结，其形式简单、使用方便，已为广大用户和测量单位接受。

5.1.10 国界线涉及国家版图与国家主权，必须严肃认真对待，不得有误。本条为强制性条文，必须严格执行。

5.1.13 数字地形测量成果的质量检查办法及检查工作量的要求，是工程测量单位为了确保成图质量而总结出来的一套行之有效的办法。

5.2 图根控制测量

5.2.1 为了保证大比例尺地形图质量，图根点相对于邻近等级控制点的点位中误差不应大于图上 0.1mm，这是一个传统指标，主要是基于图面展点误差和眼睛分辨率的考虑。

5.2.4 关于图幅中图根点的数量。

测绘技术的快速发展，传统的平板测图已成为经典。但经典测图对图幅中图根点的数量要求，正是为了保证在不同测站测图时以最大视距测得的地形点的衔接和点位精度。通常取最大视距长度的 70％作为半径求出单个图根点有效测图面积，再分别推算出各种比例尺每幅图最少图根点的个数，表 11 第 5 列是全站仪测图和 RTK 测图对图根点数量要求的基本参考值。

对于全站仪测图，由于电磁波测距代替了视距测量，有效降低了对图根点密度的要求，表中数值约为经典测图所需图根点个数的 1/4。RTK 测图对图根点的要求，主要是用于对系统的校正、检核或进行全站仪联合作业使用，图根点的数量要求再减少 1/2。

表 11　一般地区图根点的数量(个)

测图比例尺	图幅尺寸(mm)	全站仪测图	RTK 测图	参考值(经典测图)
1∶500	500×500	2	1	8
1∶1000	500×500	3	1～2	12
1∶2000	500×500	4	2	15
1∶5000	400×400	6	3	30

注：表中所列数量，是指施测该幅图所能利用的全部控制点数量。

5.2.6　RTK 图根控制测量的主要技术要求为本次修订新增内容。

5.2.7　关于图根导线测量的规定。

1　图根附合导线长度。

导线全长的最大相对闭合差的估算公式为：

$$\frac{1}{T}=\frac{2KM_2}{L} \tag{52}$$

式中：K——导线端点闭合差与导线中间点平差后点位中误差的比例系数；

L——导线全长；

M_2——导线中间点平差后的点位中误差。

根据本标准第 5.2.1 条"图根点相对于邻近等级控制点的点位中误差不应大于图上 0.1mm"的规定，则有实地误差

$$M_2=0.1M \tag{53}$$

式中：M——测图比例尺的分母。

按双等影响考虑，有 $K=\sqrt{7}$。

令导线全长相对闭合差：

$$\frac{1}{T}=\frac{1}{2000\times\alpha} \tag{54}$$

由式(52)有：$\dfrac{1}{2000\times\alpha}=\dfrac{2\sqrt{7}\times0.1M}{L}$

则

$$L = 1058\alpha M(\text{ mm }) = 1.058\alpha M(\text{mm}) \tag{55}$$

所以本标准取附合导线长度为 $L = \alpha M$。

2 对于地形隐蔽和地物复杂的地区，布设 1 个层次的图根控制，图根点数量往往难以满足要求，需要进行二次加密。由本标准第 5.2.1 条知，图根点的点位中误差不大于图上 0.1mm，因此，二次附合图根点相对于等级控制点的点位精度，按 $0.1 \times \sqrt{2}$ mm 估算，对地形图的精度影响不大。

5.2.8 关于支导线边长和边数的规定。

由于全站仪所得边长的精度不等，故在相同精度要求的条件下，按直伸等边支导线推算端点的纵横向误差。

$$m_{\mathrm{t}} = \sqrt{n}(a + b \cdot D) \tag{56}$$

$$m_{\mathrm{u}} = \frac{m_{\beta}}{\rho} \cdot L\sqrt{\frac{n + 1.5}{3}} \tag{57}$$

式中：m_{t}——测距支导线端点的纵向中误差；

m_{u}——为支导线端点的横向中误差。

计算时，m_{β} 取 $20''$，$a + b \cdot D$ 取 $10 + 5 \times 10^{-6} \times D$。

则支导线的推算和取用边数为：

表 12 图根支导线边数的选取

比例尺	支导线端点点位中误差(m)	支导线边长(m)	测距支导线边数	标准取用边数
1∶500	0.05	100	3.6	3
1∶1000	0.1	150	4.6	3
1∶2000	0.2	250	5.4	4
1∶5000	0.5	350	8.1	4

本次修订删除量距导线的相关技术要求。

5.2.9 关于极坐标法布设图根点。

图根点点位中误差按图上 0.1mm，测角中误差按 $20''$，测距中误差按 20mm 计。则比例尺为 1∶500 时，边长可达 450m；1∶1000 时，边长可达 1000m。考虑一定的精度储备和作业方便，极坐标法布设图根点的最大边长采用表 5.2.9-2 所列数据。

5.2.10 卫星定位实时动态测量法已成为图根补点的主要方法。用交会法进行图根补点时，根据理论计算分析，当交会角在 30°～150°之间，交会误差较小，交会补点的质量较高。

5.2.12 图根水准测量的技术要求，是根据每千米高差中误差为 20mm 进行设计，并参考工程测量单位的实践经验制定的。

由于五等水准是因工程需要而对水准测量精度系列的补充（见本标准第 4.2.1 条条文说明），就应用的普遍性而言，本条将图根水准起算点的精度定位于四等水准高程点。

对于水准支线的布设，因其不能附合或闭合至高级点且精度较低，因此，本标准将路线长度缩短为附合路线长度的一半，即不大于 2.5km，并采用往返观测。

5.2.13 图根电磁波测距三角高程测量，其闭合差与 5.2.12 条 $40\sqrt{L}$ 相当，附合路线长度，通常也要求与图根水准测量相当。

5.2.14 由于卫星定位实时动态测量缺少必要的检核条件，因此规定要进行 2 次独立测量，较差限值与图根点的精度一致。

5.2.15 图根控制测量内业计算和成果的取位要求，是为了避免计算过程对观测精度的损失。

5.2.16 图根控制测量的成果检查，包括边长、角度或导线联测检核等方法，本条为修订新增内容。

5.3 测绘方法与技术要求

Ⅰ RTK 测图

5.3.1 本次修订将 RTK 测图作为数字地形测量的首选方法进行编排。RTK 测图要求使用双频或多频接收机，在建筑物或林木密集区域，提倡采用多星座系统。

5.3.2 本条所列资料是 RTK 测图需具备的基础性资料，不仅要收集控制点在国家或地方坐标系和高程系的坐标、高程，而且还需收集其在相应的全球卫星定位系统的地心坐标系的坐标、高程资料（如北斗卫星导航系统的2000大地坐标系的地心坐标和椭球高），以便求算转换参数或验证转换参数。

对已有转换参数的测区，要求尽量收集应用。本次修订对网络RTK的应用做了进一步的细化。

本条将国家高程基准以外的其他高程基准称为地方高程基准。

5.3.3 由于卫星定位接收机所获得的是接收机天线相位中心在多个卫星定位系统中的空间三维直角坐标，而我们通常所使用的是国家或地方坐标及正常高系统之间的转换，是由基准转换、平面坐标转换和高程转换构成。

（1）关于基准转换。要将空间三维直角坐标转换到高斯平面，需通过某一椭球面作为过渡。这种转换通常采用三参数或七参数法实现。对于小于80km×80km测图范围，一般采用三参数单点定位确定转换关系；较大测图区域则采用七参数多点定位确定转换关系。

一般来说，地方坐标系采用平均高程面或补偿高程面作为投影面，这个投影面与区域椭球面不平行，因此，在确定区域椭球的元素和定位时，要求尽可能使投影面与区域椭球面吻合。事实上，在区域椭球面确定方面存在不足，较多采用我国的参考椭球参数。

（2）关于平面坐标转换。依据原有的中央子午线的经度将地方参考椭球（区域椭球）大地坐标转换到高斯平面。为了保证转换坐标的起始数据与地方平面坐标系统的一致性，要求在高斯平面坐标系内将卫星定位网进行平移和旋转来实现。确定平移、旋转和缩放四参数，不得少于4个已知点，并采用最小二乘法求解。

（3）关于高程转换。高程转换通常采用卫星定位高程测量的方法进行，起算点的精度要求采用图根以上的高程控制点精度。见本标准第4.4节的有关说明。

5.3.4 由于转换参数的质量与所用控制点的精度及分布有关，因此转换参数的使用具有区域性，仅适用于所用控制点圈定的范围及邻近区域，但外推精度明显低于内插精度，故规定不应超越转换参数的计算所覆盖的范围。

5.3.5 有文献认为，在15km之内RTK数据处理的载波相位的整周模糊度能够得到固定解，定位精度达到厘米级。卫星定位高程测量中误差通常是平面中误差的2倍，且与到基准站之间的距离成正比关系。为保证工程测图的高程精度，将作业半径限定为10km较为适宜，即控制在短基线范围内。

5.3.7 由于RTK测量的浮动解成果精度极差，无法满足工程测图的要求，故规定需采用固定解成果。

5.3.9 不同基准站作业时，要求检测一定数量的地物重合点。重合点点位较差的限差，取城镇建筑区地形测量的地物点点位中误差的值(见本标准表5.1.6-1)；重合点高程较差的限差，取一般地区地形测量(平坦地)高程中误差的值(见本标准表5.1.6-2)。

Ⅱ 全站仪测图

5.3.11 本条是对全站仪测图所用仪器和应用程序的基本规定，对电子手簿的采用未做具体要求。测图的应用程序，是指全站仪的基本功能程序，除满足测量的基本程序要求外，还需具有数据记录、存储、代码编辑、通信等功能，以满足内业数据处理和图形编辑的需要。采用常用数据格式的规定，主要是为了满足数据交换的需要。

5.3.12 本标准将全站仪测图(也称为野外数据采集)分为三种类型:编码法、草图法和内外业一体的实时成图法。但随着全站仪外围配套设备的逐步完善，有些电子手簿、电子平板或掌上电脑可绘制基本的草图，此时草图的概念较人工绘制纸质草图已有所延伸。

5.3.13 本条规定了全站仪测图测站安置和检核的基本要求，检核的平面和高程中误差取2倍的图根点精度限值。

5.3.14 关于全站仪测图的测距长度。

测点的观测中误差按下式估算：

$$m_{\mathrm{P}} = D\sqrt{\left(\frac{m_{\mathrm{D}}}{D}\right)^2 + \left(\frac{m_{\beta}}{\rho}\right)^2} \tag{58}$$

式中：D——测点至测站的距离；

$\frac{m_{\mathrm{D}}}{D}$——测距相对中误差，按 1/5000 综合考虑；

m_{β}——测角中误差，按 45″计。

当测点距离为 100m，可计算出每百米测点点位中误差为 30mm；考虑到数据采集时，觇牌棱镜的对中偏差、测站点误差以及实测时的客观条件限制等因素，故取采用本标准表 5.3.14 的限值。

5.3.15 本条是全站仪测图 3 种作业方法的最基本要求。无论采用何种方法，对于测点的属性、地形要素的连接关系和逻辑关系等均要求在作业现场清楚记载。

本条第 4 款几何作图法是对全站仪测图法的补充。对几何作图法的测量数据通常采用电子手簿、全站仪或人工白纸草图等形式记录。建筑密集地区指成群连片的建筑区域。

5.3.16 测出界线外的目的，主要是为了地形图的拼接检查。

5.3.17 原始数据文件是十分重要的文件，要求备份。数据编辑时，若数据记录有误，允许修改测点编号、编码、排序等，但对于记录中的三维坐标、角度、距离等测量数据不能修改，要求对错误数据进行检查分析，及时补测或返工重测。

Ⅲ 地面三维激光扫描测图

5.3.18 地面三维激光扫描技术获取的数据由点云和影像组成，不仅记录了扫描对象的坐标数据和尺寸信息，更能自动记录其拓扑与纹理信息，使得传统点测量向"形测量"转化。与全站仪、RTK 测图、低空数字摄影测图等方法相比，地面三维激光扫描测图法具有如下特点：

(1)非单点式测量，不需要使用照准部；

(2)360 度全方位全要素获取数据，无需绘制草图；

(3)不采集影像数据时，可夜间作业，对环境适应性强；

(4)直接获取被测物体表面三维坐标，无透视投影变形。

地面三维激光扫描测图法仍需要采用全站仪或 RTK 配合进行控制测量和标靶测量，且激光点云要一定重叠度，相邻测站间距不能太远。地面三维激光扫描测图适宜于相对开阔区域，要求测量精度高、地理要素较全的地形测绘项目，也适宜于建筑与结构物平立剖面、道路纵横断面、边坡防护、隧道断面及收敛等反应三维空间信息的工程测量，不适宜于密集房屋、树木区域的地形测量，以及小比例尺地形测绘。因此本标准将地面三维激光扫描仪测图范围限定在 1∶500 和 1∶1000 比例尺。

5.3.20 地面三维激光扫描测图方法对于采样点间距提出要求，提高点云分辨率，以便在点云中更容易更准确地识别地形要素。不同仪器采样点间距参数设置方法各异，也可以换算为激光步进角度进行设置。

地面三维激光扫描仪的相机仅用于获取点云颜色信息，分为外置同轴相机和内置相机，由于该相机不用于摄影测量，所以不需要对主距、像主点、畸变参数标定。外置相机在作业前要求检查影像和点云匹配情况，确保无明显偏差。如有偏差，则需重新标定安装姿态参数。

5.3.21 地面三维激光扫描测图需按照相应的作业流程进行，并遵守相关的作业细则。

5.3.22 扫描作业中的标靶一般有两项用途，一是作为测站拼接时的连接点(同名点)，二是测出标靶的靶心坐标，在点云向大地坐标转换时作为控制点。标靶分为球面标靶和平面标靶，球面标靶的靶心位置难以直接测量，所以不提倡用于坐标转换的控制点。测站间拼接属于刚体空间变换，采用 3 个标靶时无多余观测，无法评估拼接精度，因此规定不少于 4 个标靶。

5.3.23、5.3.24 对地面三维激光扫描测图的测站作业及数据处理流程给出相应的要求，因扫描仪的种类较多，功能差异较大，因此需灵活执行。有关图像质量规定同本标准条文说明第 5.10.2 条、第 5.11.2 条。

5.3.25 为了达到更高精度，扫描时要求保证两测站间有足够重叠度。根据测站间拼接方式而定扫描的重叠度：当采用标靶作为拼接点时，拼接精度较高，重叠度可以低些；当采用地物点作为拼接点时，拼接精度相对较低，需要采用自动配准算法进行精度调整。由于重叠度及对拼接精度的影响无法严格计算，依据现行国家标准《工程摄影测量规范》GB 50167，推荐重叠度为 20%。但是，具体执行时无法度量重叠度指标，只能根据该指标估计两测站之间的设站距离（关于重叠度，有些生产单位对采样点间距或采集分辨率要求相邻扫描站间有效点云的重叠度不低于 30%，困难区域不低于 15%，水电行业规定为 10%，工程摄影测量规范规定为 20%）。

5.3.26 点云数据特征点的检查精度与地形碎部点的精度相同。

Ⅳ 移动测量系统测图

5.3.27 采用移动测量系统开展作业，需满足相关基本要求，包括设备、环境、天气、数据质量和备份等因素。该作业方法为本次修订新增内容。

恶劣天气是指大雪、冰冻、低温、大风、扬沙、高温炎热、强降雨和连续降雨等天气。

5.3.29 本条对移动测量系统的校验提出了详细的要求，分别包括 POS 系统、扫描仪、相机参数等，是为了保证移动测量数据成果的正确。

5.3.30 移动测量系统的路线规划，需考虑测区道路交通情况、导航定位卫星信号的接收情况和太阳方位角。

5.3.31 移动测量系统的基准站，可以优先选择连续运行基准站（CORS 站）。

5.3.34 定位定姿数据采集，需在导航卫星信号正常的前提下进行 IMU 初始化，并在数据采集结束后检查数据完整性。

5.3.35 实景影像采集，需注意光线环境的变化，并提前设置好影像采集的触发模式。摄像机对环境的适应有一个滞后过程，车辆进出隧道、驶过立交桥下方，光线会突然变化，此时降低车速是为了使摄像机适应环境，触发采集，并保证影像采集质量。

5.3.39 定位定姿数据是移动测量系统搭载的 IMU/DGPS 组合的高精度位置与姿态测量系统（position and orientation system，POS）在系统作业期间采集的数据，利用装在移动载体上的卫星定位接收机和设在地面上的 1 个或多个基站上的卫星定位接收机同步且连续的观测卫星信号，精密定位主要采用载波相位差分（伪距差分）定位技术，而姿态测量主要是利用惯性测量单元来感测飞机或其他载体的加速度，经过积分运算，获取载体的速度和姿态等信息。定位定姿数据处理是移动测量系统数据处理的重要基础。

5.3.41 关于全景影像与视频数据处理。

每张全景影像由多个相机在同一时刻曝光的图片拼接而成，由于不同相机之间的图片存在曝光差异，从而导致不同影像之间存在色差，匀光匀色的处理是保证拼接处的颜色均匀过渡，不存在人眼可辨的色差。而隐私的处理，主要指借助相关处理工具将车牌号及人脸等隐私信息进行自动模糊化处理，其目的是保障数据在分发使用时不涉及敏感隐私信息。

车载可定位视频的数据精度，主要是指与其关联的卫星定位测量三维位置的精度。

5.3.42 激光点云是通过激光扫描仪获取的目标点三维坐标和该点的反射强度值。将点云数据赋予真实的 RGB 值，能更加真实地反映目标点的属性，也更加方便点云数据的利用。

5.3.44 地理要素的采集涉及地理要素的分类与代码，根据不同的地理要素类别采用交互立体量测、切片投影采集等方式进行。

V 低空数字摄影测图

5.3.46 由于 1∶500 航测地形图的高程精度偏低，故要求采用倾斜摄影测量方法。经过多个工程测量单位的实践经验证明，倾斜摄影测量方法可满足1∶500航测地形图的高程精度要求。低空数字摄影测图为本次修订新增内容。

5.3.47 由于低空无人机种类繁多，功能差异较大，故本条对有效载荷、续航能力、巡航速度不做具体规定，但卫星导航定位和定位定姿功能是保证航测成图精度的重要措施，是航测无人飞行器要求具备的功能。

5.3.49 低空无人飞行器搭载的数码相机多为非量测相机，相机畸变较大，为保证成图质量和精度，需要定期对相机进行畸变检校。

5.3.50 本条对无人飞行器数据获取的飞行质量主要内容做了规定，是为保证成图效果及精度。

5.3.51 采用轻型或无人飞行器进行低空摄影时，若发生失控或坠机等危险情况，会严重威胁到地面人员的生命财产安全，因此，必须制订安全应急预案，且严格遵守国家对低空空域使用管理的规定。一旦发生危险情况，必须立即启动安全应急预案。本条为强制性条文，必须严格执行。

5.3.52 像点位移是指航摄的快门速度与飞行平台的巡航速度所造成的影像拍摄点位置偏移量。

5.3.53 随着低空无人飞行器技术的进一步发展和完善，减少或免除像控点将成为低空数字摄影测图的主要作业模式。

Ⅵ 机载激光雷达扫描测图

5.3.56 机载激光雷达旁向重叠度设置为20%，以方便航线拼接，防止数据覆盖漏洞，由于是激光扫描作业模式，因此未规定航向重叠度要求。航线设计通常采用遥感影像和数字高程模型，纸质地图已很少使用了。

点云密度根据现行行业标准《机载激光雷达数据获取技术规范》CH/T 8024设定。点云密度是依据数字高程模型格网间距的一半折算得出。数字高程模型的模型精度通常依靠格网间距（模型分辨率)来体现，表 5.3.56 中的相应比例尺仅供内业数据处理参考使用。点云密度指标与现行行业标准《机载激光雷达数据获取技术规范》CH/T 8024 是一致的。

5.3.57 机载激光雷达扫描定位允许采用单基站 RTK 和网络 RTK 技术，对基准站点的精度等级要求是为了保证航摄的精度。特殊情况是指控制点稀少、交通困难的区域。

5.3.58 检校场是为了对机载激光雷达设备进行整体检校，主要用于检校数码相机、激光扫描仪、POS 系统等之间的位置关系和设备状态，测定激光扫描仪、惯性导航仪(IMU)和数码相机的偏心分量。检校通过对测区典型区域进行相关数据采集，获取测区样品数据，基于样品数据对外业采集的实测坐标数据进行校正。

5.3.59 机载激光雷达扫描航飞前务必检查设备状态，避免无效飞行。设置激光雷达扫描参数、数码相机参数，确保设备状态良好，准备起飞作业。飞行过程中控制好飞机姿态、飞行速度、航高等飞行参数。

5.3.60 激光点云数据进行滤波处理，一方面过滤噪声，另一方面进行点云分类，一般分为地面点和非地面点，地面点用于生成数字高程模型和地形图的等高线、高程注记点等。非地面点能够用于地物要素采集。

5.4 一般地区地形测图

5.4.1 对相关测图方法的建议，主要是基于经济合理的常用作业方法，同时也兼顾对新技术新设备的推广，但不限于所述方法，在满足工程项目对地形图精度要求的基础上，可以按本标准第 5.3 节的方法进行合理选择。

5.4.2 对建(构)筑物轮廓凹凸较小的部分，通常视为直线，并用直线连接表示，主要是基于测图工作量和设计部门使用方便的考虑。不同比例尺对建(构)筑物结构和层数注记的要求为本次修订新增内容。

5.4.3 对于一些独立性地物，如水塔、烟囱、杆塔，在图上比较明显、重要而又不能按比例尺表示其外廓形状时，要求准确表示其定位点或定位线位置。

5.4.4 对于密集的线路按选择要点的原则进行测绘，其目的是在满足用户需要的基础上，使图纸负载合理、清晰易读。

5.4.5 对于 1∶2000、1∶5000 比例尺地形图交通及附属设施的测绘，不可能像 1∶1000 或 1∶500 地形测图那样详细，因此允许适当舍去车站范围内的次要附属设施，以突出交通线路为主要目标。

5.4.6 要求记录并标注水涯线的观测日期和时间为本次修订新增内容，进一步体现工程测量的时效性。由于渠和塘的顶部有时难以区分出明显的界线，因此要选择测出其顶部的适当位置，以不对渠、塘的容积大小产生疑义为原则。

5.4.8 本次修订新增了水生作物用地的植被分类类别。

5.4.9 地形图上的名称注记主要包括居民地等地理名称，政府机关、工厂、学校、农场、企业单位等机构名称，水系及附属设施的名称，道路、铁路等交通及附属设施的名称等。注记要求使用法定名称，法定名称是指各级主管机关颁布的名称。名称的注记不能自行命名。

5.5 城镇建筑区地形测图

5.5.1 对于城镇建筑区 1∶500 比例尺的地形测量，由于建筑物高大、树木密集，对卫星定位信号遮挡严重，目前较多采用全站仪测图，故将其作为首选方法。而 RTK 方法一般用于直接测定图根点的坐标和高程，辅助地形测图。

5.5.3 对于 1∶2000 的地形图测图中，小于 1m 宽的小巷可适当合并的意思为可用单线绘制代替。对于 1∶5000 的地形图测图中，小巷和院落连片的可合并测绘的意思为小巷可不单独表示。

对于街区凸凹部分的取舍没有给出具体规定，是因为如果规定街区或建筑区凹凸部分大于 0.5m 时应实测，则测绘内容太多。

如果按照图上大于 0.5mm 的应施测表示，则城镇建筑区 1∶500 测图，实地仅有 0.25m，统一规定起来比较困难。所以作业时，要求根据用图的需要和实际情况确定。

5.5.4 高程点的注记位置和间距要求，主要是根据用户需要确定的。

5.5.6 由于小城镇规划设计和其他设计对地形图的要求有别于大、中城市，故做放宽处理，按一般地区地形测图的精度要求执行。这里的小城镇指现有行政区划的普通乡镇，不包括城市。

5.6 工矿区现状图测量

5.6.2 使用全站仪法和 RTK 法进行细部坐标测量已十分方便，按表 5.6.2 进行细部测量，通常可满足工矿区现状图测量的需要。数字线划图已成为测绘部门的主要产品，对细部测量的要求是否简化还须进一步调研总结。

5.6.3 关于细部坐标和细部高程测量的相关说明如下：

1 实践证明，采用全站仪施测细部点的坐标和高程，完全可以满足细部点精度要求，当采用卫星定位实时动态 RTK 法施测时要求进行归心改正。卫星定位实时动态测量的高程测量精度不能满足细部高程的精度要求，因此要求采用水准测量或电磁波测距三角高程的方法施测。

2 对于反算距离与检核距离较差的限差，是根据传统的经纬仪和钢尺量距施测细部坐标的统计资料确定的。反算距离与检核距离较差的大小，除与细部坐标点相对于邻近图根点的点位中误差有关外，还与施测细部点的两图根点之相对点位误差以及检核误差有关。

3 随着数字线划图在各行业的广泛应用，对地物属性的综合表述，显得尤为重要。故本款新增了对点或地物属性的要求。

5.6.4 工矿区现状图中的其他地形、地貌，是指测区内的普通或简易建(构)筑物及一般地形、地貌。

5.6.5 负载大且管线密集是指图面无法清楚分辨的情况。

5.7 水域地形测量

5.7.1 采用卫星定位测量技术对测深点进行定位,已得到广泛的应用。水深测量通常采用有模拟记录的单波束回声测深仪或多波束测深系统,多波束测深系统为本次修订新增内容。

5.7.2 表注中的精度要求低,通常是指在深水区的小比例尺测图的情形,精度与水深成反比。水下地形地貌条件复杂是指水下地形起伏变化多样、不规则等情况。

5.7.3 测深断面布设需根据工程用途和水深测量的方式确定。单波束测深断面间距和测深点间距是根据水运工程行业基本要求,这里只做最大值规定,具体要求工程用途按现行行业标准《水运工程测量规范》JTS 131 执行。多波束断面间距需根据地形、水深和重叠度计算。

5.7.5 本条为强制性条文,必须严格执行。水上作业本身就具有一定的危险性,而在水下环境复杂的区域作业时,必须掌握潜在的危险因素,并做好安全应急措施。大风大浪中作业危险因素加剧,测量精度也无法保证,因此必须停止水上测量作业。

5.7.6 水尺设置的原则:所设立的水尺对水位变化的范围能做到有效的控制,且相邻水尺的控制范围要有适当的重叠,水位观测资料要能充分反映全测区水位的变化。所以当水尺的控制范围不能重叠时,要求增设水尺。

5.7.7 为了与水深测量精度相匹配,并略高于其精度,对于水尺零点高程的联测,要求不低于图根水准测量精度的规定是适宜的。

5.7.8 对测深仪作业规定说明如下:

(1)对于工作时电压与额定电压及实际转速与规定转速之差的变动范围,这里仅做了一般性规定。作业时,还要按仪器说明书(鉴定书)为依据,适当调整。

(2)换能器安装位置的规定,主要是要求尽量避免因船体运动

(摇晃)而产生的干扰。船首附近受水流冲击影响较大,也容易在换能器底部产生气泡。故将换能器安装在距船头1/3～1/2船长处是比较合适的。

(3)对于坡度变化较大的水下地形,如果定位中心与换能器中心偏移较大将导致所测的水深图失真,影响成图质量,因此必须进行偏心改正。

(4)根据实践经验及有关资料,测船因风浪造成的摇动大小,取决于风浪的强弱及测船的抗风性能,而测深仪记录纸上回声线的起伏变化可反映出其对测深的影响。当起伏变化不大时,风浪对测深精度影响不大,则正常作业。如记录纸上出现有0.4m～0.5m的锯齿形变化时,实际水面浪高一般将超出其值1倍～2倍,此时船身大幅度摇动,直接造成换能器入水深度变化较大,引起测深误差较大,需暂停测深作业,并按海上和内河船舶的抗风能力,分别给出了内陆水域和海域不同的回声线波形起伏限值。

5.7.9 本条为修订新增内容,是多波束测深系统的仪器设备安装、校准、精度检核和作业的基本规定。具体要求按现行行业标准《水运工程测量规范》JTS 131执行。

5.7.13 卫星定位测深点位置的要求说明如下:

(1)技术要求主要是考虑本标准第3章和本标准第5.3节的内容,并根据国家现行标准《海道测量规范》GB 12327和《水运工程测量规范》JTS 131等的有关规定而提出的,着重考虑了水深测量实际需要及目前卫星定位接收机现状。

(2)在控制点上对流动站卫星定位接收机进行检验和比对时间的长短,以能判断接收机可稳定接收数据并能测出(或解算出)坐标为原则。

(3)由于接收机与测深仪是两种类型的仪器,即接收机用于点位测量,测深仪用于水深测量。两种仪器采集到的数据进入计算机时,需保持同步。

5.7.15 本次修订引进了无人测量船水域地形测量系统应用技术。

5.7.16 由于受多种因素的影响，对 20m 以下的水深测量，取不同深度测点深度中误差平均值的 $2\sqrt{2}$ 倍，即为 0.4m，作为比对较差的限值指标；对大于 20m 的水深测量，将前述 0.4m 的限值按 20m 水深折合成百分比误差，即为 $0.02 \times H$（m）。

5.8 数字线划图

5.8.2 国家现行有关图式图例和符号标准，主要指现行国家标准《国家基本比例尺地图图式 第 1 部分：1∶500 1∶1000 1∶2000 地形图图式》GB/T 20257.1、《国家基本比例尺地图图式 第 2 部分：1∶5000 1∶10000 地形图图式》GB/T 20257.2 和《总图制图标准》GB/T 50103。

Ⅰ 全野外数字测图

5.8.3 数据处理是数字线划图绘制的重要环节。数据处理软件通常与成图软件为一体，组成数字线划图绘制系统，基本功能是将采集的数据传输至计算机，并将不同记录格式的数据进行转换、分类、计算、编辑，为图形处理提供必要的绘图信息和数据源。

随着数字线划图的广泛应用，更加强调地形图各种属性信息的重要性。因此，地形、地物相关属性信息的编写赋值，是数字线划图编辑的一项重要内容。例如，有些数字线划图产品的等高线没有具体的高程赋值，给设计部门的应用造成一定的困难。

5.8.4 对地形图要素进行分层表示十分必要。基于现状，本标准对地形要素的分层等属性不做统一规定。

5.8.5 受成图软件功能的限制，在批量生成图形时，会出现一些符号、文字注记、高程注记、线条相互交叉重叠等现象；曲线拟合时，如拟合参数选取不当，也会使曲线失真。因此，对所生成的图形需进行全面的校对、检查和编辑处理。

5.8.8 关于数字线划图分幅。

1 根据成图需要进行分幅裁剪时，要求检查编辑每幅图的图边数据，避免出现以下情况：

(1)点位(如控制点、地形点等)与注记分离;

(2)点状符号(如独立地物、控制点、管线等符号)被裁分;

(3)注记文字被裁分,出现注记不完整;

(4)图边线条(或文字)被意外删除等。

3 图廓及坐标格网要求采用成图软件自动绘制。当个别格网需要编辑时,要求采用坐标展绘。在计算机屏幕量取的图廓及格网坐标需和理论值一致。

5.8.10 数字线划图的编辑检查,是计算机成图不可缺少的一个过程。

5.8.11 图形编辑完成后,要求在绘图仪上按相应比例尺输出检查图,除对图面内容进行内外业检查外,还要求检查绘图质量。这里的绘图质量检查,主要是指图廓线的绘制精度检查。

Ⅱ 数字摄影测图

5.8.15 本条中杆架上的线路较多时,测量时通常择其主要表示。线划图中的主(重)要道路、主(重)要建筑物或地物、主(重)要附属设施均需测量人员按工程经验和行业习惯判断。地物密集区域、支架的密集部分的含义同本标准第5.6.5条的条文说明。

5.8.16 自然接边就是要求接边线划自然过渡避免出现折角。

5.8.17 数字线划图完成后,需对其成果全部进行内业质量检查,本条规定了内业检查的基本内容。

Ⅲ 纸质地形图数字化

5.8.18 纸质地形图的数字化,是将原有的纸质地形图转化为数字线划图的过程,主要用于图纸的更新、修测、建立地形图数据库等。纸质地形图的数字化主要采用扫描仪扫描数字化方法。该法是将原有纸质地形图扫描为栅格图(又称为数字栅格图 DRG),通过矢量化后生成数字线划图的过程。其数字化速度较快,但在扫描过程中,会出现微小变形而降低精度。

数字化仪手扶跟踪数字化法,是通过数字化仪直接在原图上进行采点并生成数字线划图(DLG)的过程。其数字化精度较高，但速度较慢。目前该方法已很少使用，故本次修订删去该方法。

5.8.19 本条给出了数字化软件系统的基本功能要求。

5.8.22 图形扫描仪扫描数字化法的图像定向（即图像纠正）是数字化作业的重要环节。

定向点要求选择具有理论坐标值的点位，其数量根据原图检查情况合理确定。定向的误差来源主要是原图的综合误差（包括扫描图像的变形）和数字化综合误差。当定向检查点与理论值的差值较大时，需分析原因并适当增加图纸定向点，分区定向。

5.8.23 为保证纸质地形图数字化质量，标准给出了地形图要素数字化的技术规定。

5.8.24、5.8.25 图幅接边和图边数据编辑是纸质地形图数字化作业的必要环节。对于数字化了的纸质地形图的检查方法，一般采用检查图与原图套合的方法进行。误差来源考虑了图形输出误差 0.15mm，采点的点位误差 0.1mm，线状符号误差 0.2mm。故检查图与原图比较，数字化点状符号及明显地物点的平面位移中误差、线状符号的平面位移中误差分别规定为 0.2mm 和 0.3mm。明显地物点是指在影像上和实地能准确辨认的地物点。

Ⅳ 数字线划图修测

5.8.26～5.8.29 地形图的修测，是为了满足用户对地形图现势性的需要。作业时，要求根据地形（地物、地貌）的变化情况和用户需求，确定测区范围、制订修测方案。本标准给出了地形图修测的具体规定。

Ⅴ 数字线划图编绘

5.8.30～5.8.32 地形图的编绘，主要是基于经济合理的考虑，将不同时期、不同比例尺的综合图和专业图进行统一编绘，生成新的满足用户需求的成果。本标准给出了地形图编绘的原则性规定。内容详细、现势性强、精度高是指收集的资料无遗漏、图面与现状基本相一致、测量方法先进。

5.9 数字高程模型

5.9.1 数字高程模型是以规则或不规则格网点的高程值表达地表起伏的数据集，在工程设计、水文分析、城市规划、智慧城市、坡度坡向和土石方计算等方面具有重要用途，广泛应用于城建、铁路、公路、水利、电力、能源和工业与民用建筑等行业。近年来，随着新的高精度空间测量技术的进步，基于 LiDAR、InSAR 新的 DEM 生产技术得到迅速发展。

5.9.3 不规则三角网法构建模型，是通过从不规则分布的离散点生成连续的三角形(面)来逼近地形表面。

5.9.4 本条是格网法建模的具体规定。对于插值方法的选择需慎重，如果方法不当，就容易产生较大的误差。

5.9.6 由于建立数字高程模型的数据源分为实测数据源和通过以数字线划图产品及纸质地形图数字化作为数据源两类，而实测数据源并没有经过地形图的成图过程，故本条分别给出了检查的要求。

5.10 数字正射影像图

5.10.1 现阶段制作数字正射影像图的影像资料主要来源为航空摄影影像及卫星遥感影像。比例尺主要反映了数字正射影像图的精度和内容，是正射影像图的基本属性之一，比例尺的选用主要考虑用途特点、细致程度、设计内容和地形复杂程度。

5.10.2 反差适中是指像片中光线的明暗变化不宜太大，如果反差太大，暗的地方看不见；如果反差太小，则像片中地物不易分辨，容易混淆。色调均衡是指能够尽量还原地物地貌的真实色彩。无明显像片拼接(镶嵌)痕迹，是指肉眼不易分辨和发现拼接痕迹，包括边缘的色彩方面、线条方面、亮度方面等。

灰度无明显不同含义与反差适中相似。

地物地貌真实是指影像中的物体无扭曲变形。

整体外观整洁、美观是指图廓整饰洁净、无污点。

5.10.5 与临近像元法和双线性内插法相比，双三次卷积内插法计算量大，但效果最好。为了消除投影差，数字正射影像纠正时，导入数字高程模型数据的规定非常必要。

5.10.6 本条规定了数字正射影像镶嵌与裁切的要求。若进行镶嵌的两幅影像存在纹理、色彩差异时，易在镶嵌线附近产生拉花，给影像判读带来困难和误导，同时也影响数字正射影像图的整体效果。

5.10.7 数字正射影像图制作完成后，需对其数学基础、覆盖范围、接边差等内容进行检查统计，各项检查内容符合规定后方可提交成果，本条规定了检查的基本内容。

无明显的地形起伏是指接近平坦地形。

5.11 数字三维模型

5.11.1 现阶段，制作数字三维模型的数据主要源自倾斜摄影测量、近景摄影测量、激光扫描等。

5.11.2 反差适中含义同条文说明第5.10.2条，自然美观是指接近最真实并去掉其他杂乱信息的情形。

5.11.3 为了提高模型渲染效率，规定了纹理数据尺寸规格为2的n次幂。

5.11.5 建模单元是指按功能或结构将建模区域划分成的若干个单元，同时对单元进行编码，有利于数字三维模型的构建。

5.11.6 为确保数字三维模型的完整与形象，本条规定了数字三维模型建模的基本要求。

5.11.7 采取统一的模型命名规则，可以避免模型重名的情况，保证模型命名的唯一性。

5.11.9 数字三维模型的数据成果原则上要求是一种通用的、无损的、易于读写的格式。

6 线路测量

6.1 一般规定

6.1.1 本章是各种线路工程测量的通用性技术要求。

6.1.3、6.1.4 本次修订新增内容，增加了卫星定位测量方法和卫星定位高程测量方法，这种方法方便、快捷，且能有效保证线路测量的精度。

6.1.5 对于控制点是否埋设标石，不做具体规定，根据实际需要确定。这是因为如果初测和定测间隔时间较长，就需考虑埋设标石；如果初测和定测一并进行，则有些控制点不必埋设标石。在人烟稀少地区，即使初测和定测间隔时间较长也不要求埋设标石，反之，则需考虑控制点位的长期保存的问题。

6.1.6 线路测量的带状地形图主要用于方案比较和纸上定线，工点地形图主要用于站场、隧道口、桥涵、泵站、取水构筑物、杆塔基础等设计，纵横断面图主要用于竖向设计和土方量计算。

对带状地形图和工点地形图的施测，采用何种比例尺，需根据所需精度、幅面长度、图面负荷（含地形、地貌及设计占用图幅的复杂程度）、经济合理等因素，综合考虑选用。

6.1.7 本次修订新增内容，规定了带状地形图测绘的作业方法。

6.1.8～6.1.11 这几条属于各种线路测量的共性要求，也是作业时的基本要求。必要的高度是指对纵断线路将产生影响的空中物体的净空高或高度。

6.2 铁路、公路测量

6.2.1 考虑到所在的地区、线路位置要求同国家点附合有一定的困难，最弱点点位中误差按满足 1/1000（或 1/2000）比例尺测图的需要，将附合导线的长度在本标准第 3.3 节规定的基础上放宽 1 倍。

6.2.2 关于铁路、二级及以下等级公路的平面控制测量。

1 导线测量是铁路、公路线路测量的常用方法。为了使导线能得到可靠的检核和防止粗差，提出联测要求。当导线联测有困难时，要求预先用卫星定位测量方法进行控制点加密。

2 有关表 6.2.2 中导线测量主要技术要求的相关指标说明。测角中误差采用三级导线和图根导线的指标值；为了减小导线的横向误差，尽量减少转折角的个数且把导线边放长，考虑到定线和地形测图的需要，导线平均边长限定在 400m～600m 较为适宜。

6.2.3 根据本标准表 4.2.1 中规定五等的每千米全中误差为 15mm，而线路端点高程中误差要满足 1/2000 比例尺测图需要，取基本等高距的 1/20，即 $m_h = 100mm$。由中误差公式 $m_h = M_W\sqrt{L}$ 计算可得 $L = 44km$。为了留有一定的储备精度，并与平面控制的联测距离相协调，规定水准路线要求每隔 30km 与高等级水准点联测一次。

6.2.4 关于定测放线测量的技术要求。

1 由于定测与初测阶段有一定的时间间隔，对定测时所收集的控制点成果需做相应的检测，确保定测、初测成果的一致性。检测的精度要求与初测一致，即要求采用五等水准的精度。

2 极坐标法和 RTK 法定线，是目前较常用的方法。

3 对于交点的水平角观测，根据铁道部门的实践经验，确定正交点点位，有时会遇到各种障碍，直接设置仪器会比较困难，通常采用副交点观测代替。为防止误差累积，规定副交点观测两测回。

4 铁路、一级及以上公路的测量限差相当于图根导线的指标，而二级及以下公路的限差比图根导线的指标低。特殊情况同本标准第 5.3.57 条。

6.2.5 关于定测中线桩位测量的技术要求。

1　相关的中线桩，都是线路中线控制的必要桩位。

2　本款综合了铁路、公路行业对线路中线桩的间距要求。

3　对中线桩位测量的直线和曲线部分的限差分别列表，其限差分为两档，即铁路、一级及以上公路列为一档，二级及以下公路列为另一档。

表 6.2.5-1 和表 6.2.5-2 中的相关精度指标，主要是基于传统的曲线测设方法制定的。本次修订依据公路设计与施工部门的经验，对部分指标做了适当的调整。

传统方法进行曲线测设的纵向闭合差，主要由总偏角的测角误差、切线和弦长的丈量误差所构成，通常，总偏角的测角中误差将使计算的各项曲线要素产生同向误差，这种误差在曲线测设中互相抵消，切线和弦长丈量时的系统误差在纵向闭合差中影响甚微，偶然误差是影响纵向闭合差的主要因素。

4　断链桩需设在线路的直线段的规定是出于作业方便的考虑。在直线段也允许设立在百米桩或 20m 整倍数的桩上，本标准不做严格要求。

5　中线桩位高程测量的限差按下式计算：

$$W = \pm 2\sqrt{m_{起}^2 + m_{测}^2} \cdot \sqrt{L} \tag{59}$$

当起算点中误差 $m_{起}$ 取用 15mm(五等水准)，测量中误差 $m_{测}$ 取用 20mm(图根水准)时，即有 $50\sqrt{L}$ 。

6.2.6　横断面测量限差公式，是依据误差理论推算出的实用表达式。

6.2.7　为保证线路工程质量，要求在施工前进行中线桩复测，并将复测数据与原测成果进行比较，改正超限的桩位，确保所有施工中线桩位置的准确性。

6.3　架空索道测量

6.3.1　架空索道对平面控制测量的要求不是很高，卫星定位测量与导线测量很容易满足定位要求。

6.3.2 按索道设计对施工要求，一般索道相邻支架间的偏角不许超过±30″；支架间距误差不超过架间距的1/500，由此确定了架空索道导线测量的基本精度指标。相应的卫星定位测量按最低精度要求放宽1倍执行。

6.3.3 增加方向点主要是为了满足施工需要和通视要求。起点到转角点或转角点间距离大于1km时，方向点偏离直线不得超过180°±20″的规定，较设计要求的±30″（见第6.3.2条条文说明）有所提高，这主要是出于对载人索道和大型运输索道安全的考虑。

6.3.4 根据架空索道施工安装时，架顶、索底标高误差通常不超过1/1000架间距的要求，若测量限差采用测高误差与距离之比不低于1/2000考虑，则图根水准和图根电磁波测距三角高程测量方法均可满足其对高程的精度要求。

6.3.5 由于架空索道的杆塔通常设置在山脊、山顶部位，而在山谷、沟底设置的可能性小，故要求在山脊、山顶的断面点要密些，在山谷、沟底能够适当简化。

6.3.6 为了保证高程精度和提高杆塔位置设计的准确性，要求在线路走向与等高线平行的陡峭地段，根据需要加测横断面。

6.4 自流和压力管线测量

6.4.1 关于自流和压力管线平面控制测量。

（1）根据多年来的实践经验，对一般自流管线，管线平面控制测量的精度，纵向误差达到1/500就能满足设计要求，故测量精度提高1倍，规定为1/1000；压力管线设计要求稍高，规定为1/2000。

（2）本条给出了采用卫星定位实时动态图根控制测量布设控制点的要求。成对布设卫星定位点且要求互相通视的目的，是为了RTK的作业检核，也是为了后续使用其他常规仪器作业的考虑；成对布设卫星定位点的数量，根据工程需要确定。若后续作业使用RTK定位方法，则要求每隔10km布设1个控制点，并作为

RTK 基准站；RTK 作业的检核，采用同一基准站或不同基准站下的两次独立测量进行。

(3)长距离管线的导线测量的主要技术指标，是根据管线平面控制测量的精度[见上述(1)]要求进行了细化。并根据铁路、公路对线路控制的规定，增加了每隔 30km 附合一次的要求。

线路其他控制点是指除静态观测以外的控制点，其精度和可靠性相对静态线路控制点略低。

6.4.2 关于自流和压力管线高程控制测量。

(1)管线高程控制测量的精度，对压力管线，采用图根水准能够满足精度要求；自流管线对高程的精度要求稍高些，规定采用五等水准测量。

(2)水准测量和电磁波测距三角高程测量是五等和图根高程控制测量的基本作业方法。为了和平面控制测量一致，规定附合路线长度为 30km。

(3)卫星定位高程测量的精度能够满足自流和压力管线的要求。

6.4.3 本条综合了长距离输水、输气、输油等管线的中线测量要求，并结合长期的实践经验给出了相关技术指标。就目前的测量装备水平而言，本条规定是容易达到的。

6.4.4 本条给出了管线断面测量的具体要求。地形变化处是断面的特征点，因而要求加测断面点。

6.5 架空输电线路测量

6.5.1 架空输电线路工程的特点是区域狭长，比较适合卫星定位控制测量。本标准表 3.2.7 中一级卫星定位测量精度、五等高程精度可满足一般架空输电线路的控制要求。控制点间距不宜大于 10km，主要是满足后续 RTK 测量基准站到流动站的距离、RTK 测量精度的要求。

6.5.2 架空输电线路现多采用 RTK 来施测线路桩位，RTK 测量的平面精度±50mm，桩间距离大于171.887m时，满足180°±1′的要求。而现行国家标准《110kV～750kV架空输电线路施工及验收规范》GB 50233-2014中关于测量复测要求第4.0.6条第1款也规定“以相邻两直线桩为基准，其横线路方向偏差不大于50mm”。相邻直线桩或塔位桩的相对高差不大于300mm的规定，能满足架空输电线路对于桩位的高程精度要求。若采用传统的经纬仪方法测量，通常直线桩位的水平角不得超过180°±1′，作为其直线性要求。

6.5.4 本条为现场调绘的基本要求，实际作业时需根据设计要求调整调绘的内容及范围。重要建筑物主要有学校、采石场、加油站、鞭炮厂、炸药库、油库、工矿区、军事设施、信号发射台、地震监测站等。

困难地区按国家测绘地理信息局的地形困难类别进行划分。

本条主要和重要的释义见本标准条文说明第5.8.15条。

6.5.5 本条为架空输电线路选线的基本要求。

(1)城区线路要采用该规划部门或国土部门规定的坐标系统和高程系统。

(2)边远山区转角桩的绝对精度适当放宽。

(3)线路转角度数在工程需要或设计要求时精确至秒。

(4)具体根据工程需要、设计要求确定。

(5)联系测量的主要目的是获取本线路与其他重要地物的统一坐标关系，方便设计。

(6)建(构)筑物密集的释义同本标准条文说明第5.6.5条。

6.5.6 关于架空输电线路的定线测量说明如下：

(1)对于方向点偏离直线的精度，根据一般设计要求，杆塔偏离直线相差3′～4′时，所引起的垂直于线路方向的水平负荷、放电间隙的改变及绝缘子串的歪斜程度是允许的。从施工工艺来看，当偏离1′时，相邻杆塔的绝缘子串的歪斜是用肉眼观察不出来的。取其较高要求，方向点偏离直线不得超过1′。

(2)经综合试验分析，正倒镜分中法延伸直线，其精度受仪器对中误差、置平误差、目标偏斜误差和照准误差等的影响。采用标准规定的指标，基本能满足定线误差不超过 $180°\pm1'$ 的精度要求。但在前视过长或后视过短时，则要求从严掌握。

(3)对于间接定线，根据间接定线的方向偏差不大于 $1'$ 的要求。

则

$$m_u = \frac{L \times 60''}{2\rho} \tag{60}$$

取桩间距为 300m，有 $m_u=0.043$m。

根据电力部门的试验论证，当采用四边形时，量距精度估算公式为：

$$m_L = \frac{1}{2}\sqrt{m_u^2 + m_A^2} \tag{61}$$

式中：m_A——量距边起始点的横向误差，取值为 0.016m；

将 m_u 和 m_A 数值代入式(63)，得 $m_L=0.02$m。

6.5.7 交叉跨越测量是架空输电线路测量中的重要工作内容，架空输电线路对交叉跨越的精度要求高于一般地形点。

(1)悬高用全站仪测量高差。

(2)架空输电线路对交叉跨越的精度要求，若设计有特殊要求，需根据设计需要调整测量精度。

(3)架空输电线路设计规范要求对杆塔顶的净空距离不同于普通跨越点，所以在线路两边线内的杆塔要测量并标注。

(4)设计专业需要对于主要的交叉跨越线路进行验算时，则要测量两端的杆塔位置、挂点高程和气温等。

(5)标注交叉跨越角为设计所需，要考虑新建的输电线路对已有的线路的影响等。

(6)交叉跨越的风偏类似于地面点风偏，交叉跨越指在空中交叉跨越，并非是真实的线路相交。

(7)交叉角较小或距离建筑物较近时，发生触电的危险影响增大，因此需要精确测量。邻近是指距离线路较近有一定影响的既有线路。

6.5.8 路径平断面图简称为平断面图，属电力线路测量的专业术语，其含义与纵断面图相同。平断面图测量是架空输电线路测量工作量最大的项目之一。现场测量平断面时，需绘制草图或做简要记录。

(1)线路涉及林木砍伐时，设计需要统计林木砍伐量，此时需要施测两侧边线。

(2)导线到平顶房的安全距离要大于到尖顶房的安全距离，是考虑到平顶房的房顶可能会有人员活动。

(3)架空输电线路不同电压等级的图式基本一样，故330kV以下及750kV以上线路的图式按现行国家标准《330kV～750kV架空输电线路勘测标准》GB/T 50548执行。

6.5.9 架空输电线路的横断面图常称为风偏测量，用于架空线路的导地线在横风作用下，横向摆动时的影响，验证导线对地距离是否安全。横断面的测量距离需根据该处导线的弧垂大小及设计的要求确定，到中心距离通常为30m～50m。

6.5.10 设站要求是为了测量工作方便和减少误差累积。

6.5.11 水中立塔时，小面积的水域，如小水塘、水沟等，通常用测杆、测绳直接量测水深；大面积的水域，如大河、湖区、滨海等，需用测深仪测量水下地形图。

6.5.12 对于全方位塔，塔基断面或地形图要求比较高，塔腿位置和保护范围内的点要求实测。

(1)塔基断面测量四个方向时，塔腿方向编号从左后开始，左后、左前、右前、右后分别为A、B、C、D，也有些单位直接用汉字“左后、左前、右前、右后”标注，需要加测左、前、右、后。杆基一般只需要测量左、右两个方向。塔基断面的比例尺具体根据图纸尺寸、设计要求确定，图纸尺寸一般为A4、A3。

(2)塔位地形图的图式按1∶500比例尺执行，具体要求根据工程需要和设计要求予以确定。

6.5.13 平断面测量、定位测量分阶段进行时，在定位测量阶段需进行必要的校测，以保证平断面图的准确性，满足设计和施工的要求。一次终勘定位时，不需单独校测，通常采取多余观测来保证图纸的准确性。

7 地下管线测量

7.1 一般规定

7.1.1 本条确定地下管线测量的适用范围。其中探查的含义，是指在收集已有管线资料的基础上，采用对明显管线点实地调查、隐蔽管线点探查、疑难管线点位开挖等方法，查明地下管线的相对关系及相关属性，并将管线特征点标示在地面上的过程。测量的含义，是指对已查明标示出的地下管线点及附属设施进行测量，并编绘综合、专业地下管线图的过程。地下管线测量，是调查和测绘全过程的统称。

地下管线分为地下管道和地下电缆两类，不包括地下人防巷道。地下管道有给水、排水、燃气、热力和工业管道，其中排水管道再分为雨水、污水及雨污合流管道；工业管道主要包括油管、化工管、通风管、压缩空气、氧气、氮气、氯气和二氧化碳等管道；地下电缆有电力和电信，其中电信包括电话、广播、有线电视和各种光缆等。本次修订增加了表 7.1.1 管线分类及拼音代码。

7.1.3 本次修订新增了地下管线探测项目类型的分类。

7.1.4 地下管线测量成果作为规划、建设、管理部门的重要资料，是与其他已有基础资料结合应用的，因此坐标系统和高程基准宜与原有主要基础资料保持一致，其控制测量作业方法与本标准第 3 章、第 4 章相同。

7.1.5 地下管线测量的成图比例尺，主要是基于地下管线测量是在相应比例尺地形图基础上附加更多的内容和信息，所以管线图的比例尺是按该地区地形图最大比例尺确定。对于道路与建筑物密集的建成区，直接选用 1∶500 比例尺。对于长距离专用管线，在满足变更、维护与安全运营需要的基础上兼顾整体性，适当缩小比例尺至1∶2000～1∶5000。

7.1.6 地下管线图的测绘精度，与城镇建筑区、工矿区地形图图上地物点相对于邻近图根点的点位中误差不大于0.6mm的要求一致(见本标准第5.1.6条)。

7.1.7 对原有地下管线资料的收集整理是很重要的环节。从地下管线测量工程实践来看，首先是现状调绘，即将已有地下管线情况根据竣工资料、设计图纸或其他变更维修资料标示在已有的大比例尺地形图上，作为野外实地调查的参考和有关属性说明的依据，减少实地作业的盲目性。对部分埋设年代早或资料不全的管线，必要时邀请当时参与设计、施工或其他熟悉情况的人指导，将管线大致位置标注在图上。这些做法均会有效提高实际调查的效率。

7.1.8 本条为强制性条文，必须严格执行。由于地下管线的开挖事故频发，因此本标准对地下管线的作业安全提出要求，必须采取必要的防护措施。特别是电缆和燃气管道的开挖，必须有专业人员的配合，避免安全事故的发生。

7.2 地下管线探查

7.2.2 明显管线点是指能直接定位和量取有关数据的管线点，隐蔽管线点是指需采用专业仪器间接探测或直接开挖的管线点。

7.2.3 由于目前普遍使用的管线探测仪器多以电磁场原理为基础设计，埋深越大探测误差越大。实际作业时，不同地段信号干扰因素及施测人员的操作熟练程度也会影响探查的精度，所以对精度过细的划分意义不大。探查的精度公式是以仪器的基本精度指标为依据，结合长期的实践经验确定的。本条给出的公式适用于浅于4m的管线探测，可满足一般工程测量项目的需要。

7.2.4 本条是关于管线点设置的要求。通常对所有的明显管线特征部位，都要求设点；对隐蔽管线点，要以明显标识为原则；在标明所有特征点的基础上，对直线段适当加测管线点，对曲线段加密增设管线点，以能用管线点拟合出来的走向与实际管线线路相符合为原则。

7.2.5 地下管线调查需查明的内容和取舍标准，是以满足多数用户对地下管线图的使用要求为基础，以既能把握主体管线的来龙去脉，又能剔除次要管线对管线总体走向与连接关系的干扰为原则确定的，并要求做到经济、合理、实用。具体作业时，要结合管线测量项目的性质，并根据不同工程规模、特点、管线疏密程度等对管线进行最终取舍，以满足委托方要求为准。

7.2.6 管线测量的目的是为管线的使用、规划和建设服务，相关的建(构)筑物和附属设施段是管线维护、扩展、变更的主要部位，故要求查明。

7.2.7 地下管线的设计详查是在工程开展初步设计工作前进行的，其成果作为工程设计的依据之一。地下管线设计详查的范围包含管线管理、工程设计、施工的区域、可能受影响的区域、其他为查明地下管线所必须的区域。一般来说，对于人行天桥、隧道等横穿道路的项目，探测范围是道路(或设计)中线外各扩宽 50m 以上；落地桥脚(或隧道出口)外侧 20m 以上；而且宽度要包含整个道路红线范围，当项目用地超过道路红线范围时，宽度适当加大。对于顺着道路走向建设的工程，探测范围为所在道路的一侧或全部，且长度、宽度的范围在该建设工程周边向外不少于 20m。

地下管线的施工详查，在工程动土开挖前或孔位钻探前进行，确保工程安全施工。地下管线施工详查的范围需包含工程施工的全部范围，并外扩 30m 以上。

7.2.10 物探方法并非能查明所有地下管线，当物探方法不能查明，且不能采用样洞方式确定时，允许按调查资料以虚线表示。

例如，燃气 PE 管，物探方法不能查明，亦不允许采取样洞探查。

又如，新建污水井的井室较大，特别是顶管施工的污水井，直径 5m～8m，管线探测中量测不到。检查井，只能看到井，不能看到管，也量不到管，只能根据资料或根据实地标志定位。

7.2.12 工况条件复杂是指地下管线交错密集，靠单一方法不容易准确判别，只能多种方法相互检查验证的情形。

7.2.13 异常场需有足够的强度且能被仪器捕获，目的是为了进行定量分析和属性判断。

7.2.15 管线探测减少了因施工引起的事故和因管线问题引起的变更，但是物探方法有多解性，不能探测清楚地下所有的物体，如塑料管、水泥管等，也只能探测一定深度范围的金属管线。因此，对于常规方法难以查明的管线，要求建设单位另行委托，做专项地下管线探查。重要工程如轨道交通工程等前期工作，常常涉及穿过设计轨道沿线的既有深埋管线精确定位。探测深埋地下金属管线有非常大的难度，通常采用钻孔逐步逼近法，利用井中探测(电磁法测井或磁梯度测井等)技术，找到金属管线位置。

7.2.16 隐蔽管线探查的技术要求。

(1)由于探查仪器的类型与探查方法较多，操作程序不尽相同，为保证探查的有效精度，要求作业人员严格执行所使用仪器的操作规定。

(2)由于地区差异、探测人员的操作习惯与作业经验的差异，会引起系统性探查误差，故要求在作业区明显管线点上进行探查结果的比对，以确定探查的有效方法和仪器的修正参数。

(3)由于探查技术与探查设备性能的局限性，如在管线埋设过深、密集且纵横交错、信号受干扰较大等部位会出现很难核实管线点的现象，对此要求采用开挖的方法进行验证。

(4)为保证探查成果精度与质量，采用重复探查和开挖验证的方法对隐蔽管线点的探查成果进行质量检验。

对于开挖验证方法的采用，目前尚存在争议。一种观点，既然无损伤探查技术已经成熟，通过重复探查并进行精度统计基本能反映管线探查的精度，若再于明显管线点附近进行探查验证后就无需进行开挖验证。另一种观点，探查仪器精度和稳定性在不断提高，对管线走向明显不存在疑难的部位，可以不进行开挖验证；但对存在疑难点的部位必须进行开挖验证。

7.3 地下管线施测

7.3.2 对于明显管线点，要求按主要建(构)筑物细部坐标点的测量精度施测(见本标准表 5.1.6-3)；对于隐蔽管线探查点，采用该精度施测也不会造成探查精度的损失。

7.3.4 本条规定了管线施测的基本方法，其中 RTK 法是管线点测量较常用的方法。管线点调查编号与测量点号的一致或对应，是防止管线探查成果出现粗差的有效措施。

7.4 地下管线图绘制

7.4.1 对于一般地下管线测量项目，要求绘制综合管线图，即将各种专业管线与沿管线两侧的主要建(构)筑物等表示在同一张图上。对于密集的管线线路或工程需要时，要求分专业绘制管线图，即将不同的专业管线和沿管线两侧的建(构)筑物等分别绘制在不同的专业管线图上。

7.4.2 一般工程项目的分幅与编号，通常要求与原有地形图一致，即采用本标准第 5.1.9 条的规定；单一的管线测量项目，通常是以表示管线的连续性为主或者采用现行设计图幅。

7.4.3 本条要求对地下管线图的图式和要素分类代码，首先采用现行国家标准，不足部分采用相关专业的行业规定或惯用符号进行补充表示，并在项目技术报告书中予以说明。

7.4.5 综合管线图要求分层分色表示，主要是基于成图的需要和用户使用方便。

7.4.7 纸质管线图绘制技术要求的提出，是考虑到纸质管线图尚在应用，其应用现状与纸质地形图相似。图面的负荷大是指图面表示的信息交错复杂，不易辨识，影响图纸美观的情形。

7.5 地下管线信息系统

7.5.1 地下管线信息系统是工程测量在信息管理领域的延伸。近年来，此类项目在国内已逐步展开。本标准给出了一些原则性的规定，有待在今后的工程实践中进一步总结和完善。

本章所指的地下管线信息系统，是基于数字地下管线图和相应的管线属性数据成果建立的一种区域性或专业性的独立系统。对已具有信息管理系统的行业或区域，允许将本系统作为完整的子系统纳入或链接到其信息库。

地下管线信息系统的建立，只能是一个基础的或基本的框架，随着用户认识水平的不断提高和需求的不断增加，系统的服务功能还需要进一步的扩展，如管理方案和事故处理方案的制订、标准管网设备库和管线辅助设施的管理等。

7.5.2 按照《住房城乡建设部等部门关于开展城市地下管线普查工作的通知》(建城〔2014〕179号)等有关要求，建立地下管线数据库，开发地下管线信息系统，要求按照统一的数据标准，实现信息即时交换、共建共享、动态更新，并与信息化相融合。

7.5.4 本条规定了地下管线信息系统的建设流程，即地下管线信息系统作为计算机软件工程，建设流程需符合软件工程的基本要求。

7.5.12 为了使地下管线信息系统能够与其他信息管理系统相兼容，要求使用统一的标准编码与标识。不足部分根据编码规则结合行业的特点进行扩展和补充。

7.5.13 只有对地下管线信息系统进行不断维护和更新，才能保持其现势性，也才能为用户提供更精良的信息服务。

7.5.14 本条为强制性条文，必须严格执行。本条提出对地下管线地理信息系统和数据的安全要求，在系统升级和更新时必须确保数据的安全，避免数据丢失对信息安全造成损害，对地下管线地理信息系统的生产运营管理造成损失。

8 施工测量

8.1 一般规定

8.1.1 本次修订增加了核电厂、综合管廊的施工测量。

8.1.3 施工控制网通常分为场区控制网和建筑物施工控制网，后者是在前者或勘察阶段的控制网基础上建立起来的。规模较小的单体项目或当项目间无刚性联接时，根据实际情况减少施工控制网的布网层次，直接布设建筑物施工控制网。小规模或规模较小的项目，通常指独立小区域或独立建筑。

8.1.4 对勘察阶段控制网的充分利用，主要是基于全局和经济合理的要求。投影到主施工高程面的要求，主要是为了施工时对已知坐标和边长使用方便。

8.1.5 新建的场区施工控制网不同于原有控制网下的加密网，其性质是自由网。这里的自由网，主要是指控制网的平差计算要独立进行，不受上级控制网或起始数据的影响，亦即坐标系统是一致的或延续的，但精度或自身精度是独立的。

要求利用原控制网的点组对新建的场区施工控制网进行定位。点组定位是指定位后各点剩余误差的平方和最小。小规模场区控制网允许简化定位。

工程项目的施工区一般较小，为避免施工控制网的长度变形对施工放样的影响，通常将观测边长归算到测区的主施工高程面上，没有必要进行高斯投影。

为满足地方规划管理的需要，一般在规划设计阶段采用地方坐标系。为便于施工测量，施工控制网经常采用建筑坐标系，建立两套坐标系统的换算关系，便于数据的相互转换。

8.2 场区控制测量

Ⅰ 场区平面控制网

8.2.2 场区施工控制网分级布设不同于常规控制测量逐级控制或加密，场区一、二级控制测量只是精度等级不同，没有先后次序之分。具体作业要根据工程规模和工程需要选择合适的精度等级。新建场区控制网要求与勘察阶段控制网的平面基准保持一致，对于新建、扩建、改建项目，要求场区施工控制点相对于勘察阶段控制点的点位精度，不得大于50mm。

8.2.3 施工控制点是施工定位的依据，将在未来长期使用，只有这些点位完好无损，才能确保定位测量的正确性。施工控制点标石的埋设深度，需埋至比较密实的原状土或持力层上，并考虑冻深情况。埋设在设计回填范围内的控制点极不稳定，因此要求根据场地设计标高确定标石的位置及埋深。

8.2.4 对于建筑方格网的建立说明如下：

(1)一般性建筑物定位的点位中误差 $m_{点} \leqslant 10\text{mm}$，而点位误差受场区控制点的起算误差和放样误差的共同影响，即：

$$m_{点}^2 = m_{控}^2 + m_{放}^2 \tag{62}$$

规定放样中误差 $m_{放}$ 为6mm，则，$m_{控} = 8\text{mm}$。

$$若\ m_{控}^2 = m_S^2 + \frac{m_\beta^2}{\rho^2} S^2 \tag{63}$$

在边角误差等影响下有：

$$m_{控}^2 = 2m_S^2 \tag{64}$$

或

$$m_{控}^2 = 2\frac{m_\beta^2}{\rho^2} S^2 \tag{65}$$

则

$$m_S = \frac{m_{控}}{\sqrt{2}} = 5.66\text{mm}$$

控制点间的平均距离为 200m，则测距相对中误差为：

$m_S/S = 5.66/200000 = 1/35400$，取 $m_S/S = 1/30000$

由式(65)，有：

$$m_\beta = \frac{m_{控}\rho}{\sqrt{2}S} \qquad (66)$$

则 $m_\beta = 5.8''$，取 $m_\beta = 5''$。

基于以上估算，确定了一级方格网的基本指标，二级方格网的基本指标是在此基础上做适当调整确定的。

(2)布网法是目前较普遍采用的敷设建筑方格网的方法，特点是一次整体布网，经统一平差后求得各点的坐标最或是值，然后改正至设计坐标位置。规模较大的网增测对角线，有利于提高网的强度和加强检核。

轴线法是先测设控制轴线(相当于较高一级的施工控制)，再将方格网分割成几个大矩形。本标准规定轴交角的观测精度为 2.5″，目的是为了减小整个网形的扭曲。

(3)方格网水平角观测相对勘察阶段的控制网，测回数略有增加，观测限差提高一个级别。

(4)为了确保点位归化的正确性，要求对方格网的角度和边长进行复测检查。复测检查的偏差限值，分别取其相应等级的测角中误差和边长中误差的 $\sqrt{2}$ 倍。

8.2.5 场区卫星定位测量控制网边长和边长相对中误差指标与三角形网相同。对于边长较短的控制网，需注意观测方法，保证测角精度，否则相对精度难以满足要求。

8.2.6 根据施工项目对场区控制网的要求和方格网的基本精度指标，从保证相邻最弱点精度出发，给出了场区导线控制测量的基本要求，其主要指标与本标准第 3.4 节的要求是一致的。

8.2.7 三角形网测量技术指标是基于相邻最弱点的点位中误差为 10mm(施工要求)提出的。以二级三角形网为例，平均边长为 200m，测边相对中误差为 1/20000。根据式(66)，测角中误差为：

$$m_{\beta}=\frac{m_{点}\ \rho''}{\sqrt{2}S}=\frac{10\times 206265''}{\sqrt{2}\times 200000}\approx 8''\tag{67}$$

Ⅱ　场区高程控制网

8.2.10　施工放样中，要求工业场地和城镇拟建区场地平整、建筑物基坑、排水沟、下水管道等的竖向相对误差不应大于±10mm。因此，要求场区的高程控制网不低于三等水准测量精度。

8.3　工业与民用建筑施工测量

Ⅰ　建筑物施工控制网

8.3.2　建筑物施工平面控制网是建筑物施工放样的基础，其主要技术指标是依据建筑设计的施工限差，建筑物的分布、结构、高度和机械设备传动的连接方式、生产工艺的连续程度等情况推算出测设精度指标。

建筑限差是施工点位相对纵横轴线偏离值的限值。在现行国家标准《建筑工程施工质量验收统一标准》GB 50300及现行各专业工程施工质量验收规范GB 50202～GB 50209等标准中，对建筑施工限差均做了明确的规定。其中，对地脚螺栓中心线允许偏差$\Delta_{限}=\pm 5$mm的精度要求最高。故建筑物（或工业厂房）控制网的精度按此限差进行推算。

取限差的1/2作为地脚螺栓纵向和横向位移的中误差m为2.5mm，则

$$m^2=m_{控}^2+m_{放}^2+m_{安}^2\tag{68}$$

国家标准《混凝土结构工程施工质量验收规范》GB 50204-2002第4.2.6条规定，预埋地脚螺栓的安装允许偏差$\Delta_{安}=\pm 2$mm（对定位线而言），取限差的1/2作为地脚螺栓安装中误差$m_{安}=1$mm。

通常取定位线放样中误差$m_{放}=1.5$mm，则可根据式（69）推导出控制线（两相对控制点的连线）的中误差$m_{控}=1.73$mm。

若控制线纵向误差（相邻两列线间的长度误差）和横向误差（相邻

两行线间的偏移误差)都要求等于或小于控制线的测量误差,即

$$m_{纵} = m_{横} \leqslant m_{控} \tag{69}$$

就工业厂房而论,其特点是:行线之间的间距一般为 6m～24m,列线间距为 18m～48m,列线跨距大于行线跨距。若列线跨数多,控制线就长,建筑物控制的精度就高。

式(70)是 1 个列线跨数(单跨)的情形。当列线跨数为 n 时,有

$$m_{S_i} = m_{纵} \cdot \sqrt{n} \tag{70}$$

则相对中误差为:

$$\frac{m_{S_i}}{S_i \cdot n} = \frac{m_{纵}}{S_i \sqrt{n}} \tag{71}$$

通常工业厂房的列线间距为 18m～48m,取 $S_i = 30$m,跨数为 1～5 跨取 $n = 3$,则相对中误差为 1/30000。

建筑物控制网的测角中误差为:

$$m_{\beta} = \frac{m_{横} \cdot \rho''}{S_i} \tag{72}$$

列线间最长跨距 $S_i = 48$m,当 $n = 1$ 时,测角中误差:

$m_{\beta} = 1.73 \times 206265''/48000 = 7.43''$,取 $m_{\beta} = 7''$

根据以上推算结果,确定了一级建筑物施工控制网主要技术指标,取边长相对中误差和测角中误差的 2 倍作为二级网的主要技术指标值。

8.3.3 建筑物施工控制网水平角观测的测回数,是根据本标准第 8.3.2 条算出不同列线跨数的测角中误差(见表 13),并取用 2.5″、3.5″、4.0″、5″、10″作为区间,规定出相应的测回数。

表 13 建筑物(厂房)施工控制网测角中误差

列线跨数 n		1	2	3	4	5
测角中误差	一级	7.0″	4.9″	4.0″	3.5″	3.1″
	二级	15″	10.6″	8.7″	7.5″	6.7″

8.3.4 施工测量的常规做法是在建筑物地下室基础底板或首层楼板浇筑混凝土后,若建筑周边测量控制点易遭破坏或移动,根据施工需要及时将建筑物外部控制转移至内部。内部控制点通常设置在浇筑完成的预埋件上或预埋的测量标板上。投点于建筑内部的测量控制点要求构成几何图形(如三点一直线、直角、四边形、三角形等),需复测图形闭合条件,若在允许偏差范围内,调整构成图形条件的边长、角度误差,并将调整后的点位作为建筑上部轴线的控制网放样基准。建筑上部的轴线控制采用激光铅垂仪投点的"内控法"。对于3层~5层的低层建筑,通常采用经纬仪投递轴线的"外控法",但在楼层细部放样前要先复核轴线投点构成几何图形的角度、边长等闭合条件。

8.3.5 建筑物高程控制的精度明确为不低于四等,主要是基于建筑规模的大小、建筑结构的复杂程度和建筑物的高度等因素综合确定的。

Ⅱ 建筑物施工放样

8.3.7 施工放样所具备的资料,是施工测量部门经过历年实践总结出来的,属于施工测量人员需要的基本资料。

8.3.8 复测校核施工控制点的目的,是为了防止和避免点位变化给施工放样带来错误。

8.3.9 建筑物轴线放样的方法和注意事项,是施工测量部门的经验总结。

8.3.10 在建筑物外围建立线板或轴线控制桩的目的,一是便利施工,二是容易保存。建筑物的控制轴线一般包括建筑物的外廓轴线,伸缩缝、沉降缝两侧轴线,电梯间、楼梯间两侧轴线,单元、施工流水段分界轴线等。

8.3.11 建筑物施工放样允许偏差值,是依据现行各专业工程施工质量验收规范GB 50202~GB 50209等规定的允许偏差,结合工程实践经验确定。大型设备基础通常指大型发电机组、大型试车台等。

8.3.12 结构安装测量的精度，是根据国标建筑工程各专业工程施工质量验收规范和施工测量部门所提供的数据确定的，并经历年来实践验证是可行的（见本标准条文说明第8.3.2条）。

8.3.13 设备安装测量，主要指大型设备的整体安装测量，以校核和测定设备基础中心线和基础标高为主要测量内容。

8.4 水工建筑物施工测量

8.4.1 施工平面控制网是施工放样的基础，对施工平面控制网的建立说明如下：

1 根据多年施工测量的实践，不同规模的工程需要采用不同等级的施工控制网，做到经济合理。

2 由于水工建筑物控制网往往受地形约束较大，一级网点往往离建筑物轴线较远，通常须用高精度导线或交会法加密，这样可使首级网点受地形制约较小些，有可能选出图形好、精度高的网形。因此，本标准提出，施工平面控制网宜按两级布设。

3 对施工控制网，由于平均边长较本标准第3章相应缩短，而控制点的相邻点位中误差要求不得大于10mm。根据这些条件，对测角或测距精度需要进行专门估算，基本方法与本标准第3章相同。

大型的、有特殊要求的水工建筑物施工项目，通常以点位中误差作为平面控制网的精度衡量指标，首级网的点位中误差一般规定为5mm～10mm，也同时提倡布设一个级别的全面网并进行整体平差。为了防止布网层级过多，导致最末一级的点位中误差不能满足施工需要，故提出"最末级平面控制点相对于起始点或首级网点的点位中误差不应大于10mm"的要求。

8.4.2 首级高程控制网的等级选择，是根据水利枢纽工程的特点、坝体的类型和工程规模确定的。精度指标是根据水利部门长期的施工经验确定的。

8.4.3 由于水利工程建设周期较长，所以规定对施工控制网应定期复测，以确定控制点的变化情况，保证各阶段测量成果正确、可靠。

8.4.4 关于填筑及混凝土建筑物轮廓点放样测量的允许偏差，是根据现行行业标准《水电水利工程施工测量规范》DL/T 5173 的有关内容修订的。

8.4.6 水工建筑物附属设施的安装测量偏差，是根据现行行业标准《水电水利工程施工测量规范》DL/T 5173 和《水利水电工程施工测量规范》SL 52 制定的。

8.5 桥梁施工测量

Ⅰ 桥梁控制测量

8.5.1 桥梁控制精度要求与桥梁长度和墩间最大跨距有关。根据桥梁施工单位的经验统计，一般对于跨越宽度大于 500m 的桥梁，需要建立桥梁施工专用控制网；对于 500m 以下跨越宽度的桥梁，当勘察阶段控制网的相对中误差不低于 1∶20000 时，即可利用原有等级控制点，但应须经过复测方能作为桥梁施工控制点使用。

8.5.2 桥梁平面和高程测量控制网等级的选取，是根据现行行业标准《新建铁路工程测量规范》TB 10101-99 和《公路桥涵施工技术规范》JTJ 041 中桥梁施工测量的有关规定，并结合本标准第 3 章的基本技术指标确定的。

公路桥梁施工，一般要求桥墩中心线在桥轴线方向上的测量点位中误差不大于 15mm。铁路桥梁施工，一般要求主桥轴线长度测量中误差不大于 10mm。

对于大桥、特大桥，在完成控制网的图上设计及精度、可靠性估算后，考虑到经济实用因素，对精度等级可做适当调整。

8.5.5 由于桥梁施工周期较长，施工环境比较复杂，控制点位有可能发生位移，因此，定期检测是必要的。

Ⅱ 桥梁施工放样

8.5.6 采用极坐标法、交会法放样平面位置和水准测量方法放样高程，是较常用的放样方法。具体作业时，在满足放样精度要求的前提下，允许采用其他作业方法。

8.5.7～8.5.9 本标准将桥梁施工允许偏差的40%（见本标准条文说明第8.3.11条），作为桥梁施工测量的精度指标。表14是根据现行行业标准《公路桥涵施工技术规范》JTJ 041和《公路工程质量检验评定标准》JTJ 071统计出的桥梁施工允许偏差。

表14 桥梁施工允许偏差统计(mm)

<table>
<tr><td colspan="5">基　　础</td></tr>
<tr><td rowspan="3">灌注桩</td><td rowspan="3">桩位</td><td colspan="2">基础桩</td><td>100</td></tr>
<tr><td rowspan="2">排架桩</td><td>顺桥纵轴线方向</td><td>50</td></tr>
<tr><td>垂直桥纵轴线方向</td><td>100</td></tr>
<tr><td rowspan="4">沉桩</td><td rowspan="4">桩位</td><td rowspan="2">群桩</td><td>中间桩</td><td>$d/2$且不大于250</td></tr>
<tr><td>外缘桩</td><td>$d/4$</td></tr>
<tr><td rowspan="2">排架桩</td><td>顺桥纵轴线方向</td><td>40</td></tr>
<tr><td>垂直桥纵轴线方向</td><td>50</td></tr>
<tr><td rowspan="2">沉井</td><td rowspan="2" colspan="2">顶、底面中心偏位</td><td>一般</td><td>1/50井高</td></tr>
<tr><td>浮式</td><td>1/50井高＋250</td></tr>
<tr><td rowspan="2">垫层</td><td colspan="3">轴线位移</td><td>50</td></tr>
<tr><td colspan="3">顶面高程</td><td>0，－20</td></tr>
<tr><td colspan="5">下部构造</td></tr>
<tr><td rowspan="2">承台</td><td colspan="3">轴线偏位</td><td>15</td></tr>
<tr><td colspan="3">顶面高程</td><td>±20</td></tr>
<tr><td rowspan="2">墩台身</td><td colspan="3">轴线偏位</td><td>10</td></tr>
<tr><td colspan="3">顶面高程</td><td>±10</td></tr>
<tr><td rowspan="4">墩、台帽或盖梁</td><td colspan="3">轴线偏位</td><td>10</td></tr>
<tr><td colspan="3">支座位置</td><td>5</td></tr>
<tr><td rowspan="2" colspan="2">支座处顶面高程</td><td>简支梁</td><td>±10</td></tr>
<tr><td>连续梁</td><td>±5</td></tr>
</table>

续表 14

上部构造			
梁、板安装	支座中心偏位	梁	5
		板	10
	梁板顶面纵向高程		+8,−5
悬臂施工梁	轴线偏位	$L \leqslant 100$m	10
		$L > 100$m	$L/10000$
	顶面高程	$L \leqslant 100$m	±20
		$L > 100$m	$\pm L/5000$
		相邻节段高差	10
主拱圈安装	轴线横向偏位	$L \leqslant 60$m	10
		$L > 60$m	$L/6000$
	拱圈高程	$L \leqslant 60$m	±20
		$L > 60$m	$\pm L/3000$
腹拱安装	轴线横向偏位		10
	起拱线高程		±20
	相邻块件高差		5
钢筋混凝土索塔	塔柱底水平偏位		10
	倾斜度		$H/3000$,且$\leqslant 30$
	系梁高程		±10
钢梁安装	钢梁中线偏位		10
	墩台处梁底标高		±10
	固定支座顺桥向偏差		20

注:d 为桩径、L 为跨径、H 为索塔高度,单位均为 mm。

8.6 核电厂施工测量

Ⅰ 平面控制网

8.6.1 初级网是核电厂的首级控制网,是将国家或地方坐标系统和高程系统引入核电厂区内，作为厂区各种比例尺地形图测绘、厂区总平面规划设计、工程地质勘察、五通一平以及建立次级控制网的基础。

次级网是为了满足核岛、常规岛和各子项精密工程施工放样、设备安装、调试和竣工测量提供统一完整的精密控制基础和相应的精密测量控制资料，所布设的相对精度高于初级网的精密工程测量控制网。平面控制点埋设采用永久性强制对中观测墩，为保证控制点的稳定性，控制点观测墩采用钢筋混凝土浇筑，浇筑完后需养护不少于 20d。观测墩深入基岩 500mm 以下，顶面预埋不锈钢强制对中盘，强制对中盘与观测墩内主筋焊接连结。新建观测墩达到稳定后方可开始观测。

微网是布设在核电厂房内部的精密工程测量控制网。虽然次级网的精度很高，但是次级控制点和加密控制点无法观测到建(构)筑物内部，因此就需要在建(构)筑物内部建立微网。微网控制点位是设计图给定的，不能随意改变。微网控制点是各层施工测量定线、放线，设备安装和校核的基准。微网是以次级网为基础建立起来的。影响微网点位精度的主要因素是对中偏差，因此仪器的对中器要严格校正准确，并采用精密基座。

高精度工程控制网的等级，一般不具有上级网控制下级网的意义，而具有点位配合和精度配合的意义，但也允许越级发展。

从国内已投产的浙江秦山、广东大亚湾和岭澳、江苏田湾等核电厂的工程建设经验来看，除秦山核电一期未建立初级网外，其他几个核电厂的施工控制网，都是按初级网、次级网、微网 3 个等级布设的。如果规划设计阶段所施测的首级平面、高程控制网能够满足核电厂在施工建设阶段对测区平面、高程起算点以及附属设施施工测量的需要，则可以减少施工控制网的布网层次，省略初级网而直接布设次级网。

8.6.2 大亚湾核电厂是我国大陆第一座大型商业核电厂，测量工作参考执行了法国电力部 EDF 制定的《法国压水堆核岛土建设计与建造规程》RCC-G88，该规程第2部分实施准则、第2.11章测量、公差及判断中，对核电厂工程测量控制网的分级布设，以及初级网、次级网和微网的基本精度要求都做了明确的规定。国内随后的几个核电厂建设项目，如岭澳、秦山（二、三期）、田湾等，根据工程建设需要或参考了该规程的基本要求，主厂区及其附属设施区域工程测量控制网的等级划分以及对应的精度指标都与其一致。

坐标中误差指控制点的纵向、横向坐标中误差。本条规定的最弱点坐标中误差不应大于30mm，是要求每个控制点的纵向、横向坐标中误差都优于30mm。

8.6.3 次级网点位选择的基本要求说明。根据核电厂厂区总平面布置图，尽可能选在通视良好、便于施测、基础稳定、易于长期保存的地方，使其在施工中不被摧毁、无需搬迁，并能保持良好的通视视线（避免因各厂房施工进展使点位之间的通视受到影响），以便于复测。

观测墩是一个高约1.2m的固定的钢筋混凝土平截棱锥体，通常直接固定在外露的基岩上，也有通过钻孔灌注桩深埋至稳定的基岩，必要时还有使用水泥沉桩或倒垂点锚桩，四周设置有红白相间的安全保护栏杆。顶部的强制对中底盘要调整水平，倾斜度不能大于1/1000，底盘对中误差不能大于0.1mm。

8.6.4 根据施工测量需要，除在厂房内部按设计要求预埋点位标志外，必要时适当增加少量过渡点，使控制点间构成三角形、大地四边形、矩形、中点多边形、折线形和多边形等基本网形。厂房内部微网通常按边角网布设。

平面坐标中误差、相邻点相对坐标中误差，是微网最基本的精度要求，需满足。

由于短边测角误差大，影响角度观测量精度的主要因素是仪器对中与觇标偏心误差、目标照准误差以及仪器本身误差等。因此，角度观测量的综合误差按下式估算：

$$m_{\beta}=\pm\sqrt{m_{\mathrm{e}}{}^{2}+m_{\mathrm{v}}{}^{2}+m_{\mathrm{I}}{}^{2}} \tag{73}$$

式中：m_{e}——对中及偏心误差对角度测量的综合影响($''$)；

m_{v}——目标照准误差($''$)；

m_{I}——按菲列罗公式计算的先验测角中误差($''$)。

根据武汉大学出版社出版的《数字测图原理与方法》第五章第5.4节中对水平角观测中的几种主要误差来源的说明，仪器对中误差如图3所示，设O为测站标志中心，O'为仪器中心，β为无对中误差时的角度（即正确的角度），β'为有对中误差时的角度（即实测的角度），e为对中误差。

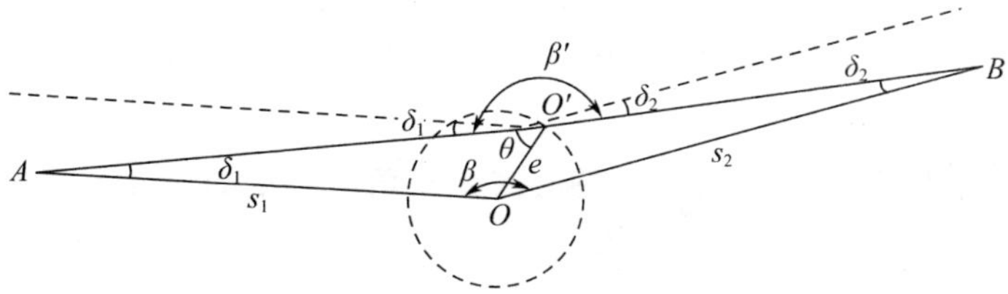

图3 仪器对中误差

根据该书中的推导结果，仪器对中误差对水平角影响的中误差为：

$$m_{\text{中}}=\frac{\rho e}{\sqrt{2}}\cdot\frac{s_{\mathrm{AB}}}{s_1\cdot s_2} \tag{74}$$

由上式知，仪器对中误差对水平角的影响与两目标之间的距离s_{AB}成正比，即水平角在180°时影响最大，此时$s_{\mathrm{AB}}=s_1+s_2$；而与测站至目标的距离s_1和s_2的乘积成反比，距离越短，影响越大。因此，对于短边测角，要特别注意对中误差的影响。

觇标偏心误差如图4所示，A、B分别为标志实际中心，A'、B'为照准的中心。β为正确的角度，β'为观测的角度，e_1、e_2为觇标偏心误差。

根据该书中的推导结果，觇标偏心误差对水平角影响的中误

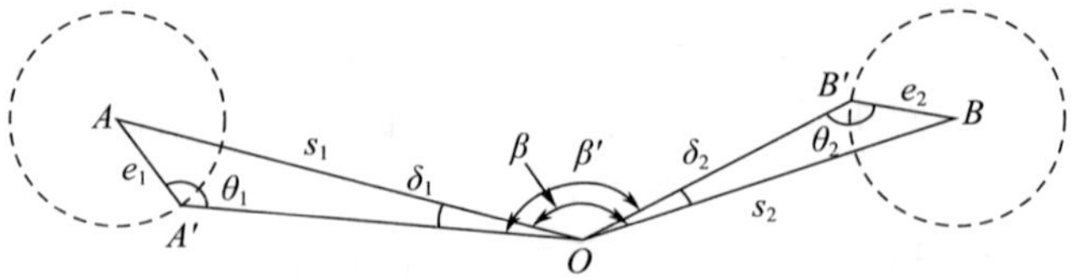

图 4　觇标偏心误差

差为：

$$m_{偏} = \rho \frac{1}{\sqrt{2}} \sqrt{\frac{e_1^2}{s_1^2} + \frac{e_2^2}{s_2^2}} \tag{75}$$

由上式可知，目标偏心误差对水平角的影响与测站至目标的距离 s_1 和 s_2 有关，距离越短，影响越大，但与角度本身的大小无关。

由此，仪器对中与觇标偏心误差对角度测量的综合影响为：

$$m_e = \sqrt{m_{中}{}^2 + m_{偏}{}^2} = \sqrt{\frac{\rho^2}{2s_2^2 s_1^2}[s_2^2 e_1^2 + s_1^2 e_2^2 + e^2(s_2^2 + s_1^2 - 2s_2 s_1 \cos\beta)]} \tag{76}$$

核电厂房内部微网的边长一般为 5m～30m 不等，平均边长约 20m。根据上式计算仪器对中与觇标偏心误差对角度测量的综合影响为：

当 $e_1 = e_2 = e = 0.3\text{mm}$、$s_1 = s_2 = 20\text{m}$、$\beta = 180°$时，误差最大，即 $m_e = \pm 5.4''$。

值得注意的是，目标偏心误差和仪器对中误差均属于“对中”性质的误差。就对中本身而言，它是偶然误差，一旦目标标志和仪器已经安置，则对中误差的真值不再发生变化，因此无论水平角观测多少个测回，这两项误差分别在各测回之间均保持相同，绝不会因增加测回数而减少它们对水平角观测成果的影响。

照准误差主要与望远镜的放大倍率、人眼的判别能力、照准标志的形状及目标影像的亮度和清晰度等因素有关，一般认为人眼分辨两个点的最小视角为60″，三次照准取平均值的照准误差 m_v 约为：

$$m_v = \pm 60''/(\sqrt{3}v) \tag{77}$$

式中：v——望远镜的放大倍率。

对于 Leica TCA2003 型全站仪，有 $v=30$，故仪器照准误差为：

$$m_v = \pm 60''/(30 \times \sqrt{3}) = \pm 1.2'' \tag{78}$$

采用电子仪器观测时，不考虑测微器读数误差的影响。当三角形的个数较少时，测角中误差通常用经验值代替。通常取 DJ1 型仪器的测角中误差先验值为±1″。

因此，估算的角度观测量的综合误差为：

$m_\beta = \pm\sqrt{5.4^2 + 1.2^2 + 1^2} = \pm 5.6''$，取测角中误差为5″。

每个三角形的最大角度闭合差为 $2\sqrt{3}m_\beta$。

微网测量一般采用多联脚架法，并使用天底仪协助仪器、觇标精确对中，观测过程中仪器对中(觇标偏心)误差的影响较小。由于受场地条件等的限制，厂房内部微网的观测网形难以全部构成三角形等基本图形，实际测角中误差可能有一定出入。之所以对影响角度观测量精度的几个主要因素进行分析，并推导其综合影响大小，主要为了推算三角形最大角度闭合差的限差值，以剔除原始观测数据中可能存在的粗差、提高微网测量精度和可靠性。微网测量通常使用 DJ05 型 Leica TCA2003 全站仪，采用常规边角网施测，但受厂房施工、设备安装等现场条件限制，无法对控制网的网形及边长、角度做出具体要求。采用多联脚架法可减少仪器对中和目标照准误差的影响，但控制网形、调焦、照准、整平以及仪器本身、周围环境等因素的不利影响也不容忽视。由于现场条件及观测时段的限制，微网测量通常采用完全的边角联测，观测所有可通视的边长和方向，控制网通常都有较多的多余观测量，需通过三角形最大角度闭合差限差值来分析并剔除粗差。

8.6.5 施工测量使用的是控制点间的实际距离，将施工控制网的基线长度投影到核电厂的核岛、常规岛等主要厂房区域的场平标高面上，是为了施工时对已知坐标和边长使用方便，同时保证设备、构件的安装精度。但核电厂的主要厂房区域一般较小，为避免施工控制网的长度变形对施工放样的影响，只需将观测边长归算到测区的主要厂房区域的场平标高面上，没有必要进行高斯投影。

8.6.6 由于反应堆等厂房内部微网控制点与钢衬或壁体相连，建网时与使用时的温差对微网的影响不可忽视。由于受到沉降、收缩等影响，网点之间的水平长度会发生一定的变化，需进行检测，并对控制点加温度改正，方可保证测量精度。

Ⅱ 高程控制网

8.6.8 测区高程起算点，通常使用规划设计阶段施测的首级高程网点或者直接采用测区附近的国家三等及以上等级水准点。根据预计水准路线长度以及最弱点高程中误差的精度要求合理选择初级网的水准观测等级，但场区初级网高程测量精度不得低于四等水准。

8.6.9 观测精度同本标准第10章二等垂直位移的监测精度。若位于主场区外围的首级高程控制网中的水准点，埋设规格满足标准要求，则直接作为次级网的高程基准点。3个及以上的基准点，才能构成独立的高程自校系统。

对次级网、微网高程控制测量的主要技术要求说明如下：

(1)相邻点高差中误差、每站高差中误差、检测已测高差较差，是核电厂设计文件《核岛土建技术规格书—工程测量》变形监测系统章节中对水准基准点的基本精度要求，经过多年的工程实践证明是合理可行的，是制订相关技术指标的依据。

(2)取水准观测的往返较差、附合或环线闭合差为每站高差中误差的$2\sqrt{n}$倍，作为各自的限值，其中n为站数。

8.6.12 由于现场施工交叉进行，区域内的控制点容易受到填挖方、抽水、机械震动、车辆行驶乃至撞击等因素的影响而产生位移，因此需对次级网和微网进行定期复测，通过对测量结果的综合分析来检验控制网点位的稳定性。故要求建网初期的复测周期不宜超过3个月/次。

次级网复测后，避免使用坐标较差超限的点位，且需对超限点位可能造成的影响进行评估，并提出建议。

各厂房内部微网点一般预埋在每层楼板的混凝土基础面上，由于混凝土基础在浇灌后的几个月内会产生微量收缩，微网点的平面位置会随之变化。在混凝土龄期，尽量利用中心点设站和周边点定向的定位方法。在养护期过后，需要对控制点进行复测，在进入安装阶段，需要再次检查。

8.6.13 天底准直法是指，在所需施工楼层使用精密基座安置天底垂准仪，通过预留在楼板中的垂直通视孔，以天底方向投测光束与底板层上平面控制点标志中心严格重合的方式，将平面基准传递到施工层。在仔细对中、精确整平后，保持脚架和基座不动，再换上仪器、棱镜或觇牌，即完成竖直方向平面位置的精确传递。

Ⅲ 核岛、常规岛施工放样

8.6.15 核电厂建筑施工放样要求具备的施工图纸较多，因为核电厂，尤其是核岛厂房不同层，结构均有变化，设备很多，作业空间有限，施工放样前需了解这些施工图纸，一方面有利于制订出优秀的方案，另一方面会避免和减少位置和作业空间的冲突。

8.6.17 重要的和精度要求高的结构、设备及构件包括反应堆压力容器、主泵、蒸汽发生器、主管道、装卸料机、稳压器、安注箱、检查井、人员闸门、设备闸门、水封门、环吊、牛腿、钢衬里、汽轮机等。

8.6.18 大型设备基础的安装孔或槽会提供一定的余量来保证设备的顺利安装，但该余量的设计主要针对混凝土浇筑过程中的小变形和混凝土凝固过程中的变形，在混凝土浇筑过程中，本身的流动和振捣棒对钢筋和设备基础往往会形成较大的位移，并且该位移会超过安装孔或槽所提供的余量，导致安装不能顺利进行，所以需进行监测。

鉴于混凝土从浇筑到凝固有时效性要求，当发现位置及标高与设计要求不符时，需要马上通知施工人员，时间上不能有延误。

8.6.19、8.6.20 对于核电厂施工放样来说，图纸或说明中要求的精度是需要满足的，只有在图纸或说明中无具体要求时，才允许按本标准第8.6.19条、第8.6.20条执行。

8.7 隧道施工测量

8.7.1 隧道控制网的设计是隧道施工测量前期工作的重要内容，主要包括洞外、洞内控制网的网形设计、贯通误差分析和精度估算，并根据所配备的仪器设备进行控制网的设计。

8.7.2 国内有关隧道施工测量的横向贯通误差和高程贯通误差统计见表15及表16。

表15 横向贯通误差统计

标准名称	横向贯通限差(mm)					
	100	150	200	300	400	500
《新建铁路工程测量规范》TB 10101-99	$L<4$	$4\leqslant L<8$	$8\leqslant L<10$	$10\leqslant L<13$	$13\leqslant L<17$	$17\leqslant L<20$
《公路勘测规范》JTJ 061	—	$L<3$	$3\leqslant L<6$	$L>6$	—	—
《水电水利工程施工测量规范》DL/T 5173	$L<5$	$5\leqslant L<10$	—	—	—	—
《水工建筑物地下开挖工程施工技术规范》DL/T 5099-1999	$L\leqslant4$	$4\leqslant L<8$	—	—	—	—
《水利水电工程施工测量规范》SL 52	$1\leqslant L<4$	$4\leqslant L<8$	—	—	—	—

表 16　高程贯通误差统计

标准名称	高程贯通限差(mm)		
	50	70	75
《新建铁路工程测量规范》TB 10101-99	$L<4$ $4\leqslant L<20$	—	—
《公路勘测规范》JTJ 061	—	$L<3$ $3\leqslant L<6$ $L\geqslant 6$	—
《水电水利工程施工测量规范》DL/T 5173-2003	$L<5$	—	$5\leqslant L<10$
《水工建筑物地下开挖工程施工技术规范》DL/T 5099	$L\leqslant 4$	—	$4\leqslant L<8$
《水利水电工程施工测量规范》SL 52	$1\leqslant L<4$	—	$4\leqslant L<8$

注:现行行业标准《铁路测量技术规则》TBJ 6101 规定隧道高程贯通误差为 70mm。

从表 15、表 16 中可以看出,不同标准对贯通误差的要求既有共同性、也有差异性。本标准表 8.7.2 中所选取的精度指标,主要基于两方面考虑:一是因为贯通误差是隧道施工的一项关键指标,所以本标准在选取贯通误差限差时稍趋严格一点;二是经过统计资料及长期实践证明,满足本标准要求不会给测量工作带来很大的困难,随着卫星定位接收机、全站仪在隧道施工中的广泛应用和高精度陀螺经纬仪的使用,达到此限差是不困难的。

8.7.3　关于隧道控制测量对贯通中误差影响值的确定。

由于隧道的纵向贯通误差对隧道工程本身的影响不大,而横向贯通误差的影响则比较显著,故以下仅讨论对横向贯通误差的影响。

(1)平面控制测量总误差对横向贯通中误差的影响主要由四

个方面引起，即洞外控制测量的误差、洞内相向开挖两端支导线测量的误差、竖井联系测量的误差。将该四项误差按等影响考虑，则：

$$m_{洞外}=m_{竖井}=\sqrt{\frac{1}{4}}m_{总} \tag{79}$$

$$m_{洞内}=\sqrt{2}\times\sqrt{\frac{1}{4}}m_{总} \tag{80}$$

（2）无竖井时，为了与本条第 1 款保持一致，同时考虑到洞外的观测条件较好，这里对 $m_{调外}$ 仍取 $\sqrt{\frac{1}{4}}m_{总}$，则洞内控制测量在贯通面上的影响为：

$$m_{洞内}=\sqrt{m_{总}^{2}-m_{洞外}^{2}} \tag{81}$$

$$m_{洞内}=\sqrt{\frac{3}{4}}m_{总} \tag{82}$$

8.7.4～8.7.6 隧道平面和高程测量控制网等级的选取，是根据铁路、公路、水利等行业的现行行业标准中关于隧道测量的有关规定，结合本标准第 3 章、第 4 章的基本技术指标确定的。

对于大中型隧道工程，还需进行贯通中误差的估算，使其满足本标准表 8.7.3 的要求。本标准不要求洞内高程控制测量的等级与洞外一致，在满足贯通高程中误差的基础上，洞内、洞外的高程精度允许互相调剂。

8.7.7 隧道洞外平面控制测量通常布设成自由网，因为自由网能很好地保持控制网的图形结构与精度，不至于因起算点的误差导致控制网变形。

8.7.8 关于隧道洞内平面控制网的建立。

1 由于受到隧道形状和空间的限制，洞内的平面控制网，只能以导线的形式进行布设，对于短隧道，布设成单一的直伸长边导线，对于较长隧道布设成狭长多环导线。狭长多环导线有多种布网形式，其中洞内多边形导线应用较多。

2 导线边长在直线段通常不短于200m，是基于仪器和前、后视觇标的对中误差对测角精度的影响不大于1/2的测角中误差推算而得的；导线边长在曲线段通常不短于70m，是基于线路设计规范中的最小曲线半径、隧道施工断面宽度及导线边距洞壁不小于0.2m等参数估算而得。在实际作业时，需根据隧道的设计文件、施工方法、洞内环境及采用的测量设备，按实际条件布设尽可能长的导线边。

3 双线隧道通过横通道将导线连成闭合环的目的，主要是为了加强检核，是否参与网的整体平差视具体情况而定。

6 气压施工的目的，是通过加压防止渗水和塌方。由于气压变化较大，需对观测距离进行气压改正。

8.7.10 由于洞内的坐标系统、高程系统需与洞外一致，因而要进行洞内、洞外的联系测量。联系测量的目的，是为了获得洞内导线的起算坐标、方位和高程。竖井联系测量只是洞内、洞外联系测量的一个途径。随着测绘技术和仪器设备的发展，竖井联系测量有较多的方法供选择，无论采用哪种方法，都要满足本标准第8.7.3条中隧道贯通对竖井联系测量的基本精度要求。在城市地铁施工中，对于开口较大、分层支护开挖的较浅竖井，也常常采用竖直导线法，实践证明是可行的。

8.7.11 隧道的施工中线，主要是用于指导隧道开挖和衬砌放样。

8.7.12 关于陀螺经纬仪定向测量技术的说明。

(1)陀螺经纬仪定向测量技术为本次修订新增内容。

(2)按照支承方式不同陀螺经纬仪主要分为磁悬浮(磁悬浮支承体系)类和悬挂带(悬挂带支承体系)类两种。

(3)磁悬浮类陀螺经纬仪采用静态电力矩闭环反馈采集，悬挂带类陀螺全站仪采用摆幅逆转点、中天法、积分法等采集。

(4)定向边的选择通常要求地面和地下不能相距太远。

(5)陀螺经纬仪定向测量的技术指标主要是根据仪器精度的要求和工程测量单位在隧道工程中的实践经验总结而来。

8.7.13 在隧道掘进过程中，由于施工爆破、岩层或土体应力的变化等原因，可能会使控制点产生位移，所以要定期进行复测。

8.7.14 隧道贯通后，要及时测定贯通误差，包括横向贯通误差、纵向贯通误差、高程贯通误差及贯通总误差，并对最终的贯通结果和估算的贯通误差进行对比分析，总结经验，以便指导日后的隧道测量工作。

关于隧道中线的调整，要在未衬砌地段(调线地段)进行调整。调线地段的开挖初砌，均需按调整后的中线和高程进行放样。

8.7.15 本条文强制性条文，必须严格执行。由于作业环境存在易燃易爆等危险因素，所以，常规的电子测量仪器是不能使用的，必须使用防爆型测量仪器，并采取安全可靠的防护措施。必要时，需要安全监测员一同前往配合作业。

8.8 综合管廊施工测量

8.8.1 将综合管廊的施工平面控制网确定为一级，高程控制网确定为四等精度，是根据普通综合管廊的施工精度要求确定的。本节综合管廊施工测量为本次修订新增内容。

8.8.2 依据综合管廊施工工艺和主要施工环节及施工设计图纸的要求，对综合管廊放样做出的规定。

8.8.4、8.8.5 综合管廊的本体测量和入廊管线测量通常在管廊建造后期进行，作业内容也属竣工测量的范畴。

8.8.7 综合管廊是城市地下工程建设的重要基础设施之一，管廊的三维模型能为规划、设计、运营管理部门提供真实的、可视化的三维模型数据，也为后续新增入廊管线施工提供重要参考。

9 竣工总图的编绘与实测

9.1 一 般 规 定

9.1.1～9.1.3 竣工总图与一般的地形图不完全相同，主要是为了反映设计和施工的实际情况，是以编绘为主。当编绘资料不全时，需要实测补充或全面实测。为了使实测竣工总图与原设计图相协调，其坐标系统、高程基准、测图比例尺、图例符号等要与施工设计图相同。

采用数字竣工图的要求，主要是考虑到设计、施工图多数采用数字图形式，同时考虑到用户便于使用竣工总图，便于补充完善竣工总图。

9.2 竣工总图的编绘

9.2.1、9.2.2 完整充分地收集、整理已有的设计、施工和验收资料，是编绘竣工总图的首要任务。与实地的对照检查，是为确定资料的完整性、正确性和需要实测补充的范围。其他有关资料是指除前 5 款要求之外的资料。

9.2.3 由于竣工总图基本上是一种设计图的再现，因此，图的编制内容及深度基本上与设计图一致，本条是竣工总图编制的基本原则。

9.2.4 本次修订对竣工总图的绘制按 3 种情况进行分类，即简单项目，只绘制一张总图；复杂项目，除绘制总图外，还要求绘制给水排水管道专业图、动力工艺管道专业图、电力及通信线路专业图等；较复杂项目，除绘制总图外，允许将相关专业图合并绘制成综合管线图。

本条是简单项目竣工总图的绘制要求，是根据历年来的编绘经验确定的。

9.2.5 给水管道的各种水处理设施，主要包括水源井、泵房、水塔、水池、消防设施等；地上、地下各种管径的给水管线及其附属设备，主要包括检查井、水封井、水表、各种阀门等。有关建(构)筑物是指与相关管线有相互联系的建(构)筑物。

9.2.6 动力管道主要包括热力管道、煤气管道等；工艺管道主要包括输送各种化学液体、气体的管道；管道的构筑物主要包括地沟、支架、各种阀门，涨缩圈以及锅炉房、烟囱、煤场等。

9.2.7 电力及通信线路主要包括地上、地下敷设的电力电信线和电缆。地上敷设方式包括塔杆架设、沿建(构)筑物架设、多层管桥架设等，地下敷设方式包括直埋、地沟、管沟、管块等。

9.2.8 综合管线图是对地上、地下各种专业管线在同一图中进行综合表示。当管道密集处及交叉处在平面图上无法清楚地表示其相互关系时，通常采用剖面图表示，必要时也采用立体图表示。总之，以清晰表示为原则。管线密集程度同本标准第5.6.5条。

9.3 竣工总图的实测

9.3.1～9.3.5 当竣工总图无法编绘时，需实测进行。本节给出了竣工总图实测的基本原则和主要技术要求。

10 变形监测

10.1 一般规定

10.1.1 本章是为了满足工程建设领域对变形监测的需要而编制的。本次修订增加了核电厂变形监测与变形监测信息系统，基本监测方法增加了自由设站法、地面三维激光扫描法和地基雷达干涉测量法。

变形监测的目的是为了对监测体的变形情况有更全面准确的把握，反映监测体变化的情况（位移量和沉降量的统称）与相关变形因子间的物理关系或统计关系，找出监测体的变形规律，合理地解释监测体的各种变化现象，比较准确地评价监测体的安全态势，并提供分析预报。

10.1.2 建（构）筑物在施工期和运营期的变形监测，是建设项目的一个必要环节，能够及时为项目的施工安全和运营安全提供监测预报。因此，对重要的建（构）筑物，要求在项目的设计阶段对变形监测的内容、范围和必要监测设施的位置做出统筹安排，并应由监测单位制订详细的监测方案。

初始状态的观测数据，是指监测体未受任何变形影响因子作用或变形影响因子没有发生变化的原始状态的观测值。该状态是首次变形观测的理想时机，但实际作业时，由于受各种条件的限制却较难把握，因此，首次观测的时间，选择尽量达到或接近监测体的初始状态，以便获取监测体变形全过程的数据。变形影响因子是对变形影响因素的细化，是导致监测体产生变形的主要原因，也是变形分析的主要参数。

10.1.3 关于变形监测的等级划分及精度要求。

(1)变形监测的精度等级，是根据我国变形监测的经验，并参考国外标准有关变形监测的内容确定的，按变形观测点的水平位移点位中误差、垂直位移的高程中误差或相邻变形观测点的高差中误差的大小来划分的。相邻点高差中误差指标，是为一些只要求相对沉降量的监测项目而规定的。

(2)本标准将变形监测分为4个等级，一等适用于高精度变形监测项目，二、三等适用于中等精度变形监测项目，四等适用于低精度的变形监测项目。综合设计和我国相关施工标准已确定的变形允许值的1/20作为变形监测的精度指标值，即相应指标中误差。

(3)重大地下工程是指开挖面较大、地质条件复杂和环境变形敏感的地下工程，其他则为一般地下工程。

(4)工程项目等级划分按中华人民共和国建设部《工程设计资质标准》(建市〔2007〕86号)文件的附件3《行业建筑项目设计规模划分表》执行。

10.1.4 本标准将变形监测点按照变形监测精度高低、标志的作用和设计要求分为下列三类：

1 基准点是变形监测的基准，点位要求稳定，且须建立在变形区以外的稳定区域。其平面控制点位，一般要有强制归心装置。

2 工作基点是作为高程和坐标的传递点使用，在观测期间要求稳定。其平面控制点位，也要具有强制归心装置。

3 变形观测点直接埋设在能反映监测体变形特征的部位或监测断面两侧。要求结构合理、设置牢固、外形美观、观测方便且不影响监测体的外观和使用。

监测断面是根据监测体的基础地质条件、建筑结构的复杂程度和对监测体安全所起作用的重要性进行划分的。

10.1.5 监测基准网是变形监测的基准体系，是确定监测体变形量大小的依据。但由于自然条件的变化、人为破坏等原因，不可避免地有个别点位会发生变化，为了验证基准网点的稳定性，对其进行定期复测是必要的，复测时间间隔的长短要根据点位稳定程度或自然条件的变化情况来确定。复测的目的是为了检验基准点的稳定性和可靠性。

10.1.6 变形监测网是以基准点为起算，直接获取监测体的变形量的观测网。监测周期需根据监测体的特性、变形速率、变形影响因子的变化和观测精度等综合确定。当监测体的变形受多因子影响时，以作用最短的周期为监测周期。通常依据作业过程中监测体变形量的变化情况做适当调整，以确保监测结果和监测预报的适时准确。

当最后的3个较长监测周期的变形量小于观测精度时，能够视作监测体为稳定状态。

10.1.7 本条是各期变形监测的作业原则，主要是为了将观测中的系统误差减到最小，达到保障监测精度的目的。本次修订时，将“应”改为“宜”，“统一基准”改为“同一基准”。强调首期监测进行两次独立测量是为了增加监测数据的可靠性。

10.1.10 本条为强制性条文，必须严格执行。由于变形监测的目的是及时掌握监测体的变形情况，确保监测体在施工或运营期间安全，并提供准确的安全预报，因此，一旦出现本条所指的三种异常情形，要求即时通知建设单位防止工程事故发生。变形异常指变形量或变形速率由相对均匀到突然增大的过程，裂缝快速增大是指类似于坍塌、滑坡发生前的突变情形。

本次修订增加了变形速率的预警要求和必要时提高监测频率或增加监测内容的要求，删去了采取相应措施的规定。

常见的建(构)筑物的地基变形允许值见表17，其他类型的监测项目的变形允许值，则参考相关的设计标准，或由设计部门确定。变形监测的变形量预警值，通常取允许变形值的75%。

10.1.11 本标准提倡采用自动化变形监测手段。目前，国内外大型工程项目在施工和运营阶段大多采用这一监测手段，而且效果良好，节省了大量的人力、财力和管理成本。因此，本标准也提倡对既有的长期监测项目进行自动化升级改造。

表 17　建筑物的地基变形允许值

变形特征	地基土类别	
	中、低压缩性土	高压缩性土
砌体承重结构基础的局部倾斜	0.002	0.003
工业与民用建筑相邻柱基的沉降差： (1)框架结构； (2)砌体墙填充的边排柱； (3)当基础不均匀沉降时不产生附加应力的结构	 0.002l 0.0007l 0.005l	 0.003l 0.001l 0.005l
单层排架结构(柱距为 6m)柱基的沉降量(mm)	(120)	200
桥式吊车轨面的倾斜(按不调整轨道考虑)： 纵向 横向	 0.004 0.003	
多层和高层建筑的整体倾斜：		
$H \leqslant 24$ $24 < H \leqslant 60$ $60 < H \leqslant 100$ $H > 100$	0.004 0.003 0.0025 0.002	
体型简单的高层建筑基础的平均沉降量(mm)	200	
高耸结构基础的倾斜： $H \leqslant 20$ $20 < H \leqslant 50$ $50 < H \leqslant 100$ $100 < H \leqslant 150$ $150 < H \leqslant 200$ $200 < H \leqslant 250$	 0.008 0.006 0.005 0.004 0.003 0.002	

续表 17

变形特征	地基土类别	
	中、低压缩性土	高压缩性土
高耸结构基础的沉降量(mm)：		
$H \leqslant 100$	400	
$100 < H \leqslant 200$	300	
$200 < H \leqslant 250$	200	

注：1 本表引用自现行国家标准《建筑地基基础设计规范》GB 50007；

2 表中数值为建筑物地基实际最终变形允许值；

3 有括号的数值，仅适用于中压缩性土；

4 l 为相邻柱基的中心距离(mm)；H 为自室外地面起算的建筑物高度(m)；

5 倾斜指基础倾斜方向两端点的沉降差与其距离的比值；

6 局部倾斜指砌体承重结构沿纵向 6m～10m 内，基础两点的沉降差与其距离的比值。

10.2 水平位移监测基准网

10.2.1 本条给出了水平监测基准网几种常见的布网形式。其中三角形网是变形监测基准网常用的布网形式，图形强度、可靠性和观测精度都较高，能够满足各种精度的变形监测对基准网的要求；导线网以布网形式灵活见长，但检核条件较少，常用于困难条件下低等级监测基准网的建立；卫星定位技术在变形监测基准网的建立中，正在发挥着越来越重要的作用；视准轴线是最简单的监测基准网，但须在轴线上或轴线两端设立检核点。

10.2.2 关于水平位移监测基准网的布设。

(1)由于变形监测是以单纯测定监测体的变形量为目的，因此，采用独立坐标系统即可满足要求。

(2)由于变形监测区域面积一般较小，采用一次布网形式，点位精度比较均匀，有利于保证基准网的布网精度。

(3)将狭长形建筑物的主轴线或平行线纳入网内，是监测基准网布网的典型做法。

(4)大型工程布网时，应充分顾及网的精度、可靠性和灵敏度等指标的规定为新增内容，主要是基于大型工程监测精度要求较高、内容较多、监测周期较长的考虑。

10.2.3 由于监测基准网的边长较短，观测精度和点位的稳定性要求较高，采用有强制归心装置的观测墩是较为普遍的做法。

10.2.4 关于水平位移监测基准网测量的主要技术要求。

(1)相邻基准点的点位中误差是制定相关技术指标的依据，也是和本标准表10.1.3中变形观测点的点位中误差系列数值相同。但变形观测点的点位中误差是相对于邻近基准点而言的，而基准点的点位中误差是相对相邻基准点而言的。

理论上，监测基准网的精度要高于或等于监测网的精度，但如果提高监测基准网点的精度，无疑会给高精度观测带来困难，加大工程成本，故一般采用相同的点位中误差系列数值。换言之，监测基准网的点位精度和监测点的点位精度要求是相同的。

(2)关于水平位移变形监测基准网的规格。

为了让变形监测的精度等级(水平位移)一、二、三、四等和工程控制网的精度等级系列一、二、三、四等相匹配或一致，仍取0.7″、1.0″、1.8″和2.5″作为相应等级的测角精度序列，取1/300000、1/200000、1/100000和1/80000作为相应等级的测边相对中误差精度序列，取12、9、6、4测回作为相应等级的测回数序列，取1.5mm、3.0mm、6.0mm和12.0mm作为相应等级的点位中误差的精度序列。

根据纵横向误差计算点位中误差的公式：

$$m_{点} = L\sqrt{\left(\frac{m_{\beta}}{\rho}\right)^2 + \left(\frac{1}{T}\right)^2} \tag{83}$$

可推算出监测基准网相应等级的平均边长，见表18。

表 18　水平位移监测基准网精度规格估算

等级	相邻基准点的点位中误差(mm)	测角中误差(″)	测边相对中误差	平均边长计算值(m)	平均边长取值(m)
一等	1.5	0.7	≤1/300000	315	300
		1.0	≤1/200000	215	200
二等	3.0	1.0	≤1/200000	431	400
		1.8	≤1/100000	226	200
三等	6.0	1.8	≤1/100000	452	450
		2.5	≤1/80000	345	350
四等	12.0	2.5	≤1/80000	689	600

需要说明的是，相应等级监测网的平均边长是保证点位中误差的一个基本指标。布网时，监测网的平均边长允许缩短，但不能超过该指标，否则点位中误差将无法满足。平均边长指标也可以理解为相应等级监测网平均边长的限值。以四等网为例，平均边长最多能放长至600m，反之，点位中误差将达不到12.0mm的监测精度要求。

(3)关于水平角观测测回数。

对于测角中误差为1.8″和2.5″的水平位移监测基准网的测回数，采用相应等级工程控制网的传统要求，见本标准第3章的有关条文说明。

对于测角中误差为0.7″和1.0″的水平位移监测基准网的测回数，分别规定为12测回和9测回(1″级仪器)，主要是由于变形监测网边长较短，目标成像清晰，加之采用强制对中装置，根据理论分析并结合工程测量部门长期的变形监测基准网的观测经验，规定出相应等级的测回数。如一等网的观测，规定为采用1″级仪器，测角中误差为0.7″时，测回数为12测回。工程实践也证明，测回数在12测回以上时，测回数的增加对测角精度的影响很小。

另外，在国家大地测量中，测角中误差为0.7″时，将1″级仪器的测回数规定为：三角网 21 测回，导线网 15 测回（按全组合法折算成方向法的测回数）；本次修订将监测基准网的测回数规定为 12 测回，较国家导线测量的测回数（15）略少。

测角中误差为 1.0″时，在国家大地测量中，将 1″级仪器的测回数规定为：三角网 15 测回，导线网 10 测回（按全组合法折算成方向法的测回数）；在本标准第 3 章中，将 1″级仪器的测回数规定为 12 测回。本标准第 10 章将监测基准网的测回数规定为 9 测回，与国家导线测量的测回数（10）接近，较本标准第 3 章三角形网的测回数调低一个级别。

本次修订增加了 0.5″级仪器的相关技术要求。

（4）当水平位移监测基准网设计成卫星定位网时，须满足表 10.2.4 中相应等级的相邻基准点的点位中误差的精度要求，基准网边长的设计须和观测精度相匹配。

10.2.7 一、二等卫星定位监测基准网，只有采用精密星历进行数据处理，才能满足相应的精度要求。

10.2.8 水平位移监测基准网测量的其他技术要求，主要是指相应等级三角形网测量的闭合差要求。本次修订新增一等三角形网的三角形闭合差不超过 2.5″的要求，与现行国家标准《国家三角测量规范》GB/T 17942 的规定一致。

10.3 垂直位移监测基准网

10.3.2 本条给出了不同类型基准点的埋设要求，作业时根据工程的类型、监测周期的长短和监测网精度的高低合理选择。稳固的建（构）筑物同本标准第 4.2.3 条的规定。

10.3.3 关于垂直位移监测基准网的主要技术要求。

（1）相邻基准点的高差中误差是制定相关技术指标的依据，也与本标准表 10.1.3 中变形观测点的高程中误差系列数值相同。但变形观测点的高程中误差，是指相对于邻近基准点而言的，与相邻基准点的高差中误差概念不同。

(2)每站高差中误差采用本标准传统的系列数值，经多年的工程实践证明是合理可行的，保证了各级监测网的观测精度。

(3)取水准观测的往返较差或环线闭合差为每站高差中误差的 $2\sqrt{n}$ 倍，取检测已测高差较差为每站高差中误差的 $2\sqrt{2}\sqrt{n}$ 倍，作为各自的限值，其中 n 为站数。

10.3.4、10.3.5 本条为强制性条文，必须严格执行。水准观测的主要技术要求是根据现行国家标准《国家一、二等水准测量规范》GB/T 12897、《国家三、四等水准测量规范》GB/T 12898 和本标准第 4.2 节水准测量的相关要求制定的。

10.4 基本监测方法与技术要求

10.4.1 本条列出了不同监测类别的变形监测方法，具体应用时，要根据监测项目的特点、精度要求、变形速率以及监测体的安全性等指标综合选用。本次修订增加了一些新的观测方法和物理的监测方法。

10.4.2、10.4.3 三角形网、交会法、极坐标法是水平位移观测常采用的方法。

10.4.4 本次修订新增自由设站法在变形监测项目中的应用。

10.4.5 视准线法主要用于单一方向水平位移测量，本条给出了作业的具体要求。若视准线长度为 200m，则在 30′范围内，斜距和垂距的差异对位移的影响可忽略。

10.4.6 引张线法适用于单一方向水平位移测量，其主要构成和要求说明如下：

(1)引张线分为有浮托的引张线和无浮托的引张线。引张线由端点装置、测点装置、测线及保护管等组成。固定端装置包括定位卡、固定栓，加力端包括定位卡、滑轮和重锤等。要求对所有金属材料做防锈处理，或重要部件如 V 型槽、滑轮等要求采用不锈钢材制作。

(2)有浮托的引张线的测点装置包括水箱、浮船、读数尺及测点保护箱，无浮托的引张线则无水箱、浮船。

(3)测线一般采用 0.8mm～1.2mm 的不锈钢丝。测线越长，所需拉力越大，所选钢丝的极限拉力应为所需拉力的 2 倍以上。40kg～80kg 的拉力适用于 200m～600m 长度的引张线。

10.4.7 正、倒垂线法是大坝水平位移观测行之有效的方法，该方法也用在高层建筑物的主体挠度观测中。对正倒垂线的主要构成和要求分别说明如下：

(1)正垂线由悬线装置、不锈钢丝或不锈因瓦丝、带止动叶片的重锤、阻尼箱、防锈抗冻液体、观测墩、强制对中基座、安全保护观测室等组成；悬挂点要考虑换线及调整方便且需保证换线前后位置不变；观测墩通常采用带有强制对中底盘的钢筋混凝土墩，必要时还需建观测室加以保护；不锈钢丝或不锈因瓦丝的极限拉力要求大于重锤重量的 2 倍；在竖井、野外等易受风影响的地方，需设置直径大于 100mm 的防风管。重锤重量一般按下式确定：

$$W > 20(1 + 0.02L) \tag{84}$$

式中：W——重锤重量(kg)；

L——测线长度(m)。

(2)倒垂线由固定锚块、无缝钢管保护管、不锈钢丝或不锈因瓦丝、浮体组(浮筒)、防锈抗冻液体(变压油)、观测墩、强制对中基座、安全保护观测室等组成；钻孔保护管使用经防锈处理的无缝钢管，壁厚在 6.5mm～8mm，内径大于 100mm；观测墩通常采用带有强制对中底盘的钢筋混凝土墩，必要时还需建观测室加以保护；不锈钢丝或不锈因瓦丝的极限拉力要大于浮子浮力的 3 倍。浮体组采用恒定浮力式或非恒定浮力式。浮子的浮力一般按下式确定：

$$P > 200(1 + 0.01L) \tag{85}$$

式中：P——重锤重量(N)；

L——测线长度(m)。

10.4.8 激光测量技术在变形监测项目中有所应用。基于安全的考虑，要求在光路附近设立安全警示标志。

10.4.9 基于地面三维激光扫描技术的“形测量”特点，能够用于沉陷、挠度、高边坡、滑坡、倾斜和隧道收敛等变形监测；由于该技术不具备高精度单点测量特点，所以在监测方面，只能用于低精度的监测项目，根据当前仪器情况，通常用于四等垂直位移监测和三等、四等水平位移监测，且要求采用强制对中装置。测站间点云配准会造成误差累积，使点云测站相对精度降低，故要求点云的配准次数不超过4次。该技术为本次修订新增内容。

10.4.11 本条给出了静力水准测量作业的具体要求，取本标准表10.3.3中水准观测每站高差中误差系列数值的2倍，作为静力水准两次观测高差较差的限值。取本标准表10.3.3中水准观测的往返较差、附合或环线闭合差，作为静力水准观测的环线及附合路线的闭合差。静力水准测量仪器的种类比较多，作业时需严格按照仪器的操作手册进行测量。

10.4.12 电磁波测距三角高程测量用于较低精度（三、四等）的垂直位移监测。

10.4.13 本条给出了主体倾斜和挠度观测的常用方法和计算公式，对其中电垂直梁法说明如下：

（1）电垂直梁法的设备是由安装在被监测物体上的专用支架（加工）、专用电垂直梁倾斜仪传感器、专用电缆、读数仪等组成。

（2）安装电垂直梁倾斜仪传感器的支架时，需注意仪器的有效测程。

（3）用专用电垂直梁倾斜仪传感器直接测量被监测物体的相对转角时，要根据结构的几何尺寸换算出被监测部位的位移量。

（4）电垂直梁法观测的技术要求按产品手册进行。

10.4.14 裂缝观测主要是测定监测体上裂缝的位置和裂缝的走向、长度、宽度及其变化情况，是变形监测的重要手段之一。裂缝的变化情况可局部反映监测体的稳定性或治理的效果。裂缝观测要细心进行，尽量减少不规范量测所带来的影响。

10.4.15 自动跟踪测量全站仪是全站仪系列中的高端产品，在大型工程中已得到较为广泛的应用。反射片通常用于较短的距离测量，其精度能够满足普通精度的变形监测的需要。鉴于变形监测的重要性，要求数据通信稳定、可靠，故数据电缆以光缆或专用电缆为宜。

10.4.16 摄影测量是变形监测较常使用的方法之一，无论是对单体建筑物的变形监测，还是较大面积的山体滑坡监测，都有所应用。为了使用方便，本次修订增加编写了摄影测量的主要技术要求，其他相关规定按现行国家标准《工程摄影测量规范》GB 50167执行。景深浅指焦平面上的物体是清晰的，其余则是模糊虚幻的，摄影测量通常要求景深要深。规模较大的监测项目是指监测体是成群连片的，需要采取多个摄站才能拍摄完成的项目。

10.4.17 卫星定位 RTK 技术主要适用于变形量大、需要连续监测、实时处理数据、即时预报的监测项目。

10.4.18 应力、应变监测属于物理监测方法。

10.4.19 关于地基雷达干涉测量技术用于变形监测说明如下：

(1)地基雷达干涉测量设备是目前变形监测仪器中的最高精度，国内已有较多单位在应用，该技术要求为本次修订新增内容。

(2)该技术能够用于探测目标微小变形，精度能够达到亚毫米量级。

(3)地基雷达干涉测量设备，按其成像原理和数据特征能分为地基合成孔径雷达、地基真实孔径扫描雷达和地基雷达干涉仪。地基合成孔径雷达和地基真实孔径扫描雷达采集目标区域二维雷达影像，测定区域内各像元在雷达视线向的变形分量，能够用于自然边坡、人工支护边坡、露天煤矿、大坝坝体、危岩体和滑坡等区域性地表或结构变形测量。地基雷达干涉仪采集线形结构目标一维复矢量数据，能够以较高的频率测定各像元在雷达视线向的变形分量，能够用于桥梁、高层建筑和塔柱等线形结构环境振动变形测量与结构模态分析。

(4)地基雷达干涉测量数据处理模式分为连续性变形监测数据后处理、周期性变形监测数据后处理和准实时变形监测等。

(5)将主要监测目标置于雷达波束最优辐射区域内的要求是为确保雷达回波信号强度。

(6)选择雷达波束辐射范围内稳定区域是确定测量基准的需要,要求选择稳定的基岩体或前期监测分析时已确定的稳定区域。

(7)监测目标要具有较好的后向散射能力,如裸露的岩体、混凝土结构和干燥的土体等;人工角反射器等协作目标是为增强回波信号,能用直接计算分析角反射器位置处的变形代替监测对象的变形;角反射器规格大小根据雷达分辨能力合理确定,其大小不能过大以降低旁瓣效应影响。

(8)设备启动后要有预热时间是为保证采集的影像数据具有稳定的热噪声,且要求舍弃初始5景~10景影像。

(9)连续性准实时变形监测中要求在监测系统设计时加快高相干点目标选取和干涉处理的速度,是为了达到快速提取变形的目的。

(10)对于连续性变形监测的数据后处理,由于相邻影像采集时间间隔较短,因此,可采用时域相位差分方式计算变形序列。

(11)用于地理编码的外部地形数据主要有DEM、扫描点云等。

(12)环境因素对雷达影像数据的影响主要指雷达电磁波传播路径气温、气压和湿度变化等。

(13)主要变形区域是指变形量最大的变形核心区域。

(14)回波信号强度较弱是指雷达无法连续有效接收回波信号,出现时断时续的情形。

10.4.20 光纤光栅传感器监测技术为本次修订新增内容。光纤光栅传感器采用光作为信息载体,用光纤作为传递信息的介质,兼具光纤及光学测量的特点,具有重量轻、体积小、耐腐蚀、精度高、反应灵敏、能实时自动监测的特性,能用于土木工程中的应力、应变、形变(位移、沉降、倾斜等)、水位、温度、压力、振动、加速度、倾角等的监测。

变形敏感区域通常指监测体上易产生变形，且变形量最大的区域。

10.5 工业与民用建筑变形监测

10.5.1 本条给出了工业与民用建筑在施工和运营期间对建筑场地、建筑基坑、建筑主体进行变形监测的主要内容。本次修订新增了深层水平位移监测内容。

10.5.2 拟建建筑场地的沉降观测，主要是为了确定建筑场地的稳定性。通常采用水准测量的方法确定地面沉陷、地面裂缝或场地滑坡等的稳定性。

10.5.3 基坑支护结构的安全是建筑物基础施工的重要保证。基坑的变形监测具体反映了基坑支护结构的变化情况，并为其安全使用提供准确的预报。根据经验，通常将基坑开挖深度的4‰作为基坑顶部侧向位移的施工监测预警值。监测精度通常采用二、三等。

危险性较大的基坑工程依照《危险性较大的分部分项工程安全管理规定》(中华人民共和国住房和城乡建设部令第37号，2018年3月8日)划分。

10.5.4 由于地面大量卸载，原来的土体平衡被打破，基坑的回弹量较大，会发生基坑底面的"爆底"或"鼓底"现象。所以，基坑的回弹对重要建(构)筑物的影响不容忽视。对基坑回弹观测，目前认识较统一，即测定大型深埋基础在地基土卸载后相对于开挖前基坑内外影响范围内的回弹量。

10.5.5 地基土分层观测，就是测定高层或大型建筑物地基内部各分层土的沉降量、沉降速率以及有效压缩层的厚度。观测标志的埋设深度，最深需超过地基土的理论压缩层厚度(根据工程地质资料确定)，否则将失去土的分层沉降观测的意义。

10.5.6 地下水位的变化也是影响建筑物沉降变化的重要因素，故对地下水位变化比较频繁的地区或受季节、周边环境（江、河等）水位变化影响较大的地区，要进行地下水位监测。当地下水位的变化成为影响建筑物沉降的主要因素时（如基坑降水或潮汐），要及时根据地下水位的变化调整沉降观测周期。

10.5.8 关于建（构）筑物的沉降观测周期和终止观测的沉降稳定指标的规定。

（1）建（构）筑物沉降观测的时间长短，要求能全面反映整个沉降过程；

（2）对于建（构）筑物沉降观测的终止观测的稳定指标值，编制组进行了调研，不同地域的指标有所差异，基本上在 0.01mm/日～0.04mm/日之间。为稳妥，采用相对较严的 0.02mm/日，作为统一的终止观测稳定指标值。

（3）建筑物封顶后每 3 个月观测 1 次并持续观测 1 年的要求，主要是考虑多数建筑物在封顶后 1 年大多都可进行竣工验收且建筑物的沉降趋于稳定（日沉降速率小于 0.02mm/日）。

10.5.9 建（构）筑物的主体倾斜观测是指测定其顶部和相应底部观测点的相对偏移值。本条给出了采用水平位移观测方法测定建（构）筑物主体倾斜的具体规定。当建（构）筑物整体刚度较好时，也用基础差异沉降推算主体倾斜的方法，见本标准第 10.4.13 条的有关规定。

10.5.11 日照变形量与日照强度和建筑的类型、结构及材料相关，其周期性的变化较为显著，对建筑结构的抗弯、抗扭、抗拉性能均有一定影响。因此，对特殊需要的建（构）筑物要进行日照变形观测。本条给出了日照变形观测的具体要求。

10.6 水工建筑物变形监测

10.6.1 本条给出了水工建筑物的开挖场地、围堰、坝体、涵闸、船闸和库首区、库区在施工和运营期间的主要监测内容。本标准将工矿企业的灰坝、尾矿坝等也在此归类(见本标准第 10.6.6 条),监测内容可根据本标准第 10.6.6 条选取,监测精度适当放宽。

10.6.2 施工期变形监测是为保证施工安全而进行的阶段性变形监测。监测内容和监测精度是根据现行行业标准《水电水利工程施工测量规范》DL/T 5173 和《水利水电工程施工测量规范》SL 52 对本标准相关内容确定的,并对个别指标做了适当调整。

10.6.3 混凝土水坝变形监测的精度要求,是根据现行行业标准《混凝土坝安全监测技术规范》DL/T 5178 综合制定的。

10.6.4 监测断面及观测点的布置要遵循少而精的原则。关键断面是指对监测体安全至关重要且影响最大的断面,重要断面是指对监测体安全有重要影响的断面,一般断面是指对监测体安全有一定影响的断面。

10.6.5 水坝的变形监测周期,是根据我国大坝施工和大坝安全监测的长期实践经验制定的。第 4 款中所列几种情况,是大坝变形的最敏感时期,要求增加观测次数,以取得完整有效的分析数据,也可对主体工程设计做进一步验证。如高低温天气会引起混凝土坝体热胀冷缩,产生变形,因此需要气象监测。水位发生骤变是指水位突然发生大幅变化。位移量显著增大是指相当于或大于平均位移量的 2 倍～3 倍。

10.6.6 由于灰坝、尾矿坝是用来集中堆放工业废渣、废料等污染物的,虽然规模不大,但对环境的危害性较大,故提出要对坝体的安全性进行监测。灰坝、尾矿坝的监测中误差依据现行国家标准《尾矿库在线安全监测系统工程技术规范》GB 51108 综合确定。

10.6.7 堤坝工程属土坝或夹防渗心墙,变形监测的精度要求一般相对较低。具体监测精度是根据堤防工程的级别、堤形、设计要求和水文、气象、地形、地质等条件综合确定。

10.6.8 大型涵闸是指最大过闸流量不小于 $1000m^3/s$,监测的精度指标是根据混凝土坝变形监测的精度要求确定的。

10.6.9 库区地质缺陷、跨断裂及地震灾害的监测,是为确保水利枢纽工程安全运行而进行的一项重要监测工作，主要是为了分析评价水库蓄水对周围环境的影响和周围环境的变化对水库运行的影响等，根据影响的程度将其分为重要监测项目和普通监测项目。本条是库首区、库区地质缺陷、跨断裂及地震灾害监测的原则性规定。

小型监测项目是指面积小、危害程度小的库区监测项目。

重要的监测体是指对库区的航运、两岸建筑产生危害的监测体。

10.7 地下工程变形监测

10.7.1 地下工程主要指位于地下的大型工业与民用建筑工程，包括地下商场、地下车库、地下仓库、地下车站及隧道等工程项目。地下工程所处的环境条件与地面工程全然不同，由于自然地质现象的复杂性、多样性，地下工程变形监测对于指导施工、修正设计和保证施工安全及营运安全等方面具有重要意义。实践表明，如对地下建筑物和地下隧道的变形控制不力，将出现围岩迅速松弛、极易发生冒顶塌方或地表有害下沉，并危及地表建(构)筑物的安全。地下工程变形监测，一般分为施工阶段变形监测和运营阶段变形监测。本条按这两个阶段分别给出了相关的监测项目和主要监测内容。

10.7.2 地下建(构)筑物和隧道的结构、基础变形，与埋设深度、开挖跨度、围岩类别、支护类型、施工方法等因素有关。由于水土压力的变化，势必要对地面的建(构)筑物及地下的管线设施造成影响。本条对相关的监测项目分别给出了不同的监测精度要求。

(1)地下建(构)筑物的监测精度，通常较地面同类建(构)筑物提高一个监测精度等级。

(2)隧道监测精度，主要是根据铁路、公路隧道设计和施工标准中初期支护相对位移允许值，并结合隧道工程变形监测的特点综合确定的。

(3)受影响的地面建(构)筑物的变形监测精度，是根据该建(构)筑物的重要性和变形的敏感性来确定的。

(4)重要地下建(构)筑物是指国家重点或相当于国家重点建设工程项目的地下建设工程，其余划分为一般的地下建设工程监测项目。重要的隧道通常指高铁隧道、公路隧道、城市地铁隧道等，区域划分为一般隧道。

10.7.3 地下工程变形监测周期与埋深、地质条件、环境条件、施工方法、变形量、变形速率和监测点距开挖面的距离等因素有关。现就不同监测体分别说明如下：

1 由于地下建(构)筑物的多样性和岩土工程条件的复杂性，变形监测周期要根据具体情况并配合施工进度确定。

2 常见的隧道施工方法有新奥法和盾构法两种，根据施工工艺的不同，本条分别给出了不同的监测周期要求。对于盾构法施工的隧道，由于隧道的管片衬砌支护和隧道掘进几乎同时进行，管片背后的注浆也能及时跟进，该施工工艺的整体安全性较好。因此，只需对不良地质构造、断层和衬砌结构裂缝较多的隧道断面进行变形监测。对于新奥法施工的隧道，主要安全威胁来自拱顶和工作面的塌方，因此本标准提出对新奥法施工的隧道拱顶提出监测的要求，监测周期为大型隧道工程的施工经验，源自张项铎、张正禄编著的《隧道工程测量》(北京：测绘出版社，1998，1)第196页“监测频率为：1～15天：1～2次/天；16～30天：1次/2天；31～90天：1～2次/周；91天以后：1～3次/月。”

3 基坑开挖或基坑降水会破坏周围建(构)筑物基础的土体平衡，因此要对相关建(构)筑物进行变形监测，变形监测的周期要求与基坑的安全监测同步进行。

4 隧道的掘进会对隧道上方的地面建(构)筑物造成影响，特别是采用新奥法掘进工艺。首次观测要求在影响即将发生前进行，即在开挖面距前方监测体 $H+h$（H 为隧道埋深，h 为隧道高度）前进行初始观测。

5、6 这两款的要求与对地面建(构)筑物的监测要求相同,也符合变形监测的基本原则。

变形速率明显增大通常是指超过平均变形速率的 2 倍～3 倍。

10.7.5、10.7.6 地下建(构)筑物和隧道变形监测的变形观测点布设和观测要求的说明。

(1)地下工程基准点的布设和地面的要求有所不同,根据地下工程的特点,这两条分别给出了地下建(构)筑物和隧道基准点的布设要求。

(2)地下建(构)筑物的变形观测点要求布设在主要的柱基、墩台、地下连续墙墙体、地下建筑底板上,隧道的变形观测点要求按断面布设在顶部、底部和两腰,这些都是监测体上的基本特征点。标准对新奥法的断面间距提出了具体要求(10m～50m),由于盾构法施工工艺的整体安全性较好,故不做具体规定,只要求对不良地质构造、断层和衬砌结构裂缝较多部位的断面进行监测。

(3)变形观测方法与地面的基本相同。收敛计适用于隧道衬砌结构收敛变形测量,作业时精度要满足位移监测的要求。

10.7.8 本条对受影响的不同对象,如地面建(构)筑物、地表、地下管线等的点位布设分别提出具体要求。地下管线变形观测点采用抱箍式和套筒式标志,主要是防止对监测体造成破坏;当不能在管线上直接设点时(如燃气管道),通常在管线周围土体中埋设位移传感器间接监测。

10.7.9 地下工程变形监测布设各种物理监测传感器(应力、应变传感器和位移计、压力计等)的目的,主要是为了监测不良地质构造、断层、衬砌结构裂缝较多部位和其他变形敏感部位的内部(深层)压力、内应力和位移的变化情况,为进一步治理和防范提供依据。

10.7.10 在地下工程运营期间,各种位移的变化进入相对缓慢的阶段,因此,变形监测的内容可适当减少,监测周期也可相应延长。

本次修订新增条件允许时，宜将监测系统升级为自动化监测系统的要求。

10.8 桥梁变形监测

10.8.1 桥梁的种类较多，主要以梁式桥、拱桥、悬索桥、斜拉桥为主。随着工程建设的迅速发展，桥梁的变形监测成为桥梁施工安全和运营安全必不可少的内容。本条按桥梁的类型分别列出了施工期和运营期的主要监测项目。

10.8.2 特大型、大型、中小型桥梁的划分方法，是根据相关公路、铁路桥梁设计和施工标准的划分方法确定的。

10.8.3 卫星定位测量、极坐标法、精密测距、导线测量、前方交会法和水准测量是桥梁变形监测的常用方法。正垂线法和电垂直梁法的解释说明，分别见本标准条文说明第 10.4.7 条和第 10.4.13 条。

10.8.4 温度因素是分析研究大桥结构及基础变形不可缺少的条件。因此，对重要的特大型桥梁有必要建立与变形监测同步的温度量测系统，以便掌握大桥及其基础内的温度分布与温度变化规律。水位和流速、风力和风向等是引起桥梁变形的外界因素。

10.8.5 本条针对桥型、桥式、桥梁结构的不同，结合本标准表 10.8.1 的监测内容，分别给出了桥墩、梁体和构件（悬臂法浇筑或安装梁体、支架法浇筑梁体、装配式拱架）、索塔、桥面、桥梁两岸边坡等不同类型的变形点位布设要求，这些都是桥梁变形监测的重要特征部位。

10.8.6 由于各种类型桥梁的施工工艺流程差别较大，建设周期不同，跨越的形式也不同（江河跨越、沟谷跨越），很难做出统一的要求。因此，对桥梁施工期的变形监测周期不做具体规定。

10.8.7 对桥梁运营期的变形监测，要求每年观测 1 次或每年的夏季和冬季各观测 1 次，这是保证桥梁安全运营的常规要求。洪水、地震、强台风等自然灾害的发生，会对桥梁的安全构成威胁，因此，要求在此阶段适当增加观测次数。

10.9 滑坡监测

10.9.1 滑坡是一种对工程安全有严重威胁的不良地质作用和地质灾害，可能造成重大人身伤亡和经济损失，并产生严重后果。本条按三个阶段（前期、整治期、整治后）分别给出了主要的监测内容。降雨和山洪是山体滑坡的主要诱发因素，因此，降雨期间，有必要密切关注滑坡的动向。

10.9.2 滑坡体按其性质分为岩质滑坡和土质滑坡两种，本条分别按水平位移、垂直位移和地表裂缝给出了相应的监测精度指标。

10.9.3 本条给出了滑坡监测的常用方法。当滑坡体的滑移速度较快时，提倡采用其他自动化程度较高的方法。

10.9.4 对滑坡监测变形观测点的布设方法和点位提出要求，是为了准确掌握滑坡体的整体滑移情况，也是根据滑坡监测部门多年来的工程经验总结而成的。

10.9.5 由于旱季发生滑坡的可能性较小、雨季则较大，因此，旱季允许减少观测次数，雨季则要求增加观测次数。江河水位变化会对邻近江河的滑坡体产生影响，因此，要求在滑坡监测时，要同时观测邻近的江河水位。

10.9.6 单元滑坡内所有监测点3年内变化不显著，则认为滑坡体已相对稳定。在周围环境无大变化时，允许减少监测次数或结束阶段性监测。

变化不显著是指滑坡监测点的变化小于或等于监测中误差。

环境无重大变化是指周围无改变自然环境的连片建设项目。

10.9.7 边坡稳定性监测能为工程的安全施工和运营提供重要保证，本标准将其纳入滑坡监测的范畴，与滑坡监测的主要技术要求相一致。

10.10 核电厂变形监测

10.10.1 本节适用于核电厂厂区内核岛、常规岛等重要建（构）筑物、水工建筑物、边坡等在施工与运营阶段的变形监测工作。

10.10.2 核电厂变形监测基准网由施工控制网次级网的点位构成。

10.10.4 根据核电厂建设的性质和使用的测量仪器的情况，核电厂变形监测分为两个精度等级：一是主要建筑区，建筑物基础较好，变形量相对较小，对变形的要求较高；二是附属建筑区，建筑物基础相对较差，变形量相对较大，对变形的要求也低一些。因此，主要建筑区采用二等变形监测精度，附属建筑区采用变形监测三等精度。

10.10.5 每个重要的建(构)筑物都要求有独立的变形测量监测系统，这是核电厂建设的特殊需要。

10.10.9 核岛、常规岛等建(构)筑物沉降观测的周期，根据施工进度和荷载变化情况确定，由于核电厂建(构)筑物施工周期较长，因此，施工期间监测时间间隔和普通工业与民用建筑相比也相应延长，规定为3个月1次。

10.11 数据处理与变形分析

10.11.2 关于监测基准网的数据处理。

1 观测数据的改正计算和检核计算是数据处理的首要步骤。

2 良好的观测数据是变形监测的质量保证。规模较大的网，由于观测数据量较大，很难直接判断观测质量的高低，因此，要求进行精度评定。

3 基准网平差的起算点，要求是稳定可靠的点或点组。最小二乘测量平差检验法是点位稳定性检验的常用方法。提倡采用其他更好的、更可靠的统计检验方法。

10.11.3 监测基准网和变形监测网只是构网内涵的不同，没有等级的差异，二者的观测方法是一样的，根据实际情况选用不同的精度等级，但一般情况下，基准点联测的精度等同或不低于变形监测网的精度等级(见本标准第10.2.4条条文说明和第10.3.3条条文说明)，故其数据处理方法也是相同的。

10.11.5 本条是根据目前国内外变形分析的理论并结合监测工程的要求确定的。其中的观测成果可靠性分析、累计变形量和两相邻观测周期的相对变形量分析、相关影响因素的作用分析是变形分析的基本内容，要求所有的监测项目都要做到；回归分析和有限元分析是对较大规模或重要的监测项目的要求。通过准确全面的变形分析，能对监测体的变形情况做出恰当的物理解释。

10.11.6 本次修订将变形监测项目的提交资料按照工程需要做了细分，包含技术设计方案、阶段性报告和技术总结报告等。

10.12 变形监测信息系统

10.12.1 近年来，变形监测的数据获取手段和数据处理的自动化程度在不断提高，一些大型的重要工程安装了自动化监测系统，由于其能够获得连续的大量的监测数据，人工处理这些数据几乎是不可能的，必然需要建立具备数据处理、数据管理、变形监测结果的三维可视化及监测预警管理等功能的监测信息管理系统，这些系统的建立对实现变形监测数据的记录、处理、分析和管理的一体化，方便信息资源的共享与应用，具有重要作用，应用的范围也越来越广。

10.12.2 变形监测信息系统的性能要求主要体现在稳定性、兼容性和可扩展性、安全性等方面。

(1)在实际应用中，系统会与分布式环境中的多种数据源进行交互，故对系统稳定性要求较高。系统需具备良好的容错性来防止发生数据破坏情况，从而保证用户持续正常使用。

(2)系统具有良好的兼容性和可扩展性，需提供多种标准数据接口，方便用户对系统进行升级或扩展，同时，系统还需具备配置和可编程能力，方便用户完成系统配置等工作。

(3)系统管理与数据的安全性对整个系统来说至关重要。登录软件系统时要严格执行身份认证机制，用户只有输入正确的授权用户名和密码才能进入系统，避免未授权人员随意使用系统而造成不当后果。同时对系统的平均无故障时间(MTBF)提出相应的安全运行要求。

10.12.3 系统在监测过程中容易受到系统误差和外界环境因素影响，为了保证监测精度和观测数据的可靠性，需与切实有效的数据处理技术相结合，才能提取真实的变形信息，发现变形规律。因此，分析研究变形监测数据处理方法显得十分重要。常用的分析方法有下列几种：

(1)作图分析法，通过绘制各观测物理量的过程线及特征原因量下的效应量过程线图，考察效应量随时间的变化规律和趋势，常用的是将观测资料按时间顺序绘制成过程线。通过观测物理量的过程线分析其变化规律。

(2)统计分析法，对各观测物理量历年的最大和最小值(含出现时间)、变幅、周期、年平均值及年变化率等进行统计、分析，以考察各观测量之间在数量变化方面是否具有一致性、合理性以及他们的重现性和稳定性。这种方法具有定量的概念，使分析成果更具实用性。

(3)对比分析法，比较各次巡视检查资料，定性考察建筑外观异常现象的部位、变化规律和发展趋势；比较同类效应量观测值的变化规律或发展趋势，是否具有一致性和合理性；将监测成果与理论计算或模型试验成果相比较，观察其规律和趋势是否有一致性、合理性，并与工程的某些技术警戒值相比较，以判断工程的工作状态是否异常。

(4)建模分析法，采用系统识别方法处理观测资料，建立数学模型，用以分离影响因素，研究观测物理量的变化规律，进行实测值预报和实现安全控制。常用数学模型有3种：①统计模型，主要以逐步回归计算方法处理实测资料建立的模型；②确定性模型，主要以有限元计算和最小二乘法处理实测资料建立的模型；③混合模型，一部分观测物理量(如温度)用统计模型，一部分观测物理量

(如变形)用确定性模型。这种方法能够定量分析，是长期观测资料进行系统分析的主要方法。

虽然建筑变形和各变形因素之间的关系复杂，但从数理统计的理论出发，对建筑的变形量与各种作用因素的关系，在进行了大量的试验和观测后，仍然有可能寻找出它们之间的规律性，这种处理变形监测资料的方法称为回归分析法，建立起来的数学模型称为统计分析模型。回归分析法是数理统计中处理存在着相互关系的变量和因变量之间关系的一种有效方法，也是变形监测资料分析中常用的方法，包括多元回归分析法、时间序列分析法、小波多分辨率分析法、功率谱分析方法以及卡尔曼滤波法等。